新 潮 文 庫

悪女について

有吉佐和子著

新 潮 社 版

2971

悪女について

その一　早川松夫の話

富小路公子《とみのこうじきみこ》について——話が聞きたいですって？　どうして僕が、あの人を知っていることと分ったんですか？　今日まで、どこの週刊誌だって、僕を訪ねて来たことがなかったのに。

古い話なんですよ、彼女と知りあったのは。そうですね、焼野原だった東京にも、ぼちぼち建物がたち始めていましたから、ようやく戦後の混乱からぬけ出たころでしたか。朝鮮戦争も終りかけていた年ぐらいですか。僕は学生で、田舎からの送金で、まあなんとか下宿代も学費もどうにかなった時代ですよ。かれこれ二十五年も前になりますか。

自分で言うのもなんですが、僕は勤勉な性格でして、大学といっても一流大学ではないし、卒業後のことを考えると、何か一つ技術を身につけておいた方がいいと思いましてね、神田神保町《かんだじんぼうちょう》にある簿記の学校に通ってたんです。ええ、今でもありますね、大きな学校ですから御存知でしょう。あれです。昔は、むろん、あんな立派なビルディングじゃなくて、バラック建築で、生徒も若い人など滅多にいなかったものです。ことに三級のクラスには。ラーメン屋のおじさんだとか、戦後の闇屋《やみや》からちょっとましな会社に模様変えしようと思っているような中年男とか、復員兵くずれでいまだにぶらぶらしてる奴《やつ》らとか、とにかく柄の悪い人間の集団みたいなクラスでした。ええ、むろん僕は、昼間は大学に行ってましたから、簿記の方は夜学です。

「お前は学生か、ふうむ、感心だな」

なんて、そういうおじさんたちが褒めてくれたりして、またその連中が出来が悪くてね。それは考えてみれば無理もない。若い時代は鉄カブトかぶって命がけの戦争していて、それが敗戦でショックうけて、しばらくぼんやりしてた人たちだから、平和になって鉄砲持ってた手で俄《にわ》かに算盤《そろばん》はじいて複式簿記を習うなんていうのは、僕なんかの十倍も苦労がいったと思います。三級は三カ月で終るんですが、それが続かずに途中で消えてしまった人たちが随分いましたし、

「こんな七面倒臭《くせ》えもの習うくれえなら、その分で智恵《ちえ》しぼって金儲《かねもう》けて、その金で簿記のできる奴を傭《やと》う方が、よっぽど効率がいいや」

と愚痴をこぼしながら、

「学生さんよ、卒業したらよ、俺の店で働かねえか」

なんて冗談とも思えない顔で私に話しかけてくるお爺《じい》さんもいました。

夜学でしたから、終れば九時過ぎています。次第に顔なじみになるにつれ、気の合い

そうな連中が帰り道には赤い提灯《ちょうちん》ぶらさげた飲み屋に寄ったりすることもありました。僕なんか、そういう人たちから見れば子供みたいなものでしたし、実際のところ田舎から東京に出て来て、精一杯やっている時期ですから、誘われれば一人前の大人になったように嬉《うれ》しくもあり、でも根が気の小さい男ですから、半分はびくびくしながら付いて行きましたよ。カストリとか、梅チュウなんてものがまだ残っていた時代です。僕はアルコールには弱くって、ええ体質があわないんですね、三口も飲めば胸苦しくなるんです。でも大人の仲間入りするんだからと思って、無理して三口までは飲んでいたんです。

そのクラスに、彼女がいたわけですよ。

近頃は、簿記学校もあちこちに出来て、一種のブームになってるようだし、四級や三級の教室は圧倒的に女の子が多いようですが、あの頃、女で簿記を習おうというのは珍しかったんです。女は彼女が一人だけでしたもの、僕らのクラスでは。

酒を飲めば、昔も今も男は女の話をしますが、男たちにとって彼女は注目の的だったんです。

「あの子はいったい何者なんだろう」

と一人が言い出せば、

「なんでも住居は赤坂だって言ってたな」

と答えるのがいて、みんなその男に足をすくわれたような気がしたと思います。少くとも、僕がそうでした。これはいけないと反射的に思ったんです。あから顔の、絵に描いたように脂《あぶら》ぎった男でした。僕でなくても危険なものを感じたんじゃないでしょうか。なにしろ鈴木さんは——ええ、僕らは当時そういう苗字《みょうじ》で呼んでました。名前も確か君子という字だったように思うんですが、これは僕の記憶違いかもしれません。結婚して、姓の方は変ったんでしょうね。

ともかく鈴木さんは、僕らのクラスには場違いな人だったと言えます。何しろ若すぎました。顔も躰《からだ》も小柄なせいか、女というより、もっと幼くて、少女という印象で、ひっそりと椅子《いす》に坐《すわ》って、ノートを取ったり、珠算をしたり、終ると音もなく消えてしまう感じで、実に謎《なぞ》めいた存在だったんですよ。だから、赤坂に家があるなんてことを、どうして知ったのか、みんな息を呑《の》んで、その男を見たんだと思います。

「この野郎、もう手を出しやがったな」

ラーメン屋が、大声で叫んだのは、多分代表者の意見といってもよかったんじゃないでしょうか。ああ、当時はラーメンという言葉はまだ日本語として定着してませんでした。中華そば屋だったと思います。第三国人ではありませんでしたが。

「違う、違う、偶然出あったんだよ、青山で。まっ昼間だよ。働いているのか、学生なのか見当がつかないところだったから、どこへ行くのかって訊《き》いたんだ。そしたら、家に帰るところですって言うから、家は何処《どこ》だということになって、そしたら赤坂ですと答えて、さっさと大通り渡って乃木坂《のぎざか》の方へ行ってしまった。それだけさ、本当だよ」

「まあ信じることにして、乾杯といこうか」

「赤坂というと、芸者の子かなんかだろうか」

「まさか。あれは水商売とは毛ほども関係のない女だよ」

「だろうね。しかし、どうして簿記を習いに来てるんだろう、わざわざ神保町まで」

「親がよく出すね、夜学にさ」

「まったく、あんたみたいな狒々《ひひ》親爺《おやじ》がいるとも思わないでね」

笑いながら飲んで、次第に酔うにつれ、全員が鈴木君子なる女性に尋常ならず関心を持っていることが分ってきました。僕だけが酔いませんでした。酔えませんでしたし、心配になってきたんです。中年男たちは言うことが露骨で、彼女が処女かどうか議論し始め、僕は不愉快でした。


大学生なら、二級から入っても充分やっていけるんですが、僕は普通より慎重な性格ですし、それに珠算があまり得手ではなかったので三級のクラスに入っていたんです。二級と三級では、夜学でも随分クラスの気風に差があるように思いました。もうちょっとの我慢だ、と僕は自分に言いきかせました。夏になるまでに三級の試験があるんです。パスする自信がありましたし、それから二級に進む計画でいました。

が、こんなことがあってから、僕は夜学の教室に入ると、つとめて彼女の傍《そば》に席を取るようになりました。悪い男たちが爪《つめ》を立てるのを防ぎたいという気持になっていたんです。今になって思えば、僕の初恋ですよ。

席が並んだとき、僕は彼女の算盤をはじく指先の軽やかさと、計算の確実なのに気がついて驚きました。

「鈴木さん、算盤は何級ですか」

多分これが、僕があの人に初めて話しかけた最初の言葉だったと思います。

夕顔のような白い顔が、うっすらと笑って、

「あら、そんなに上手そうに見えまして？」

と歯切れのいい調子で逆に訊き返されたものですから、僕はまごつきました。あきらかに山の手の方の言葉でしょう？　東京へ出てきて、僕はこんな上品な口をきく人には初めて出会ったんですよ。

「だって、上手じゃないですか」

「小学校のときに、学校で習っただけですのよ」

「本当ですか」

「どうしてですの」

「あんまり慣れた手つきだから」

「まあ。一生懸命やってるだけですわ」

このときの、ほんのこれだけの短い会話が、クラスの中年男のほぼ全員の注目を集めてしまったのは、後になってよかったのか、悪かったのか分りません。

三級の試験があったのは、雨の多い六月でした。合格か、不合格か分らないまでも、試験が終ったので、クラスに解放感があふれ、その晩はラーメン屋が音頭《おんど》取りで、一杯飲みに出かけました。

「鈴木さん、一緒に行きませんか。ひょっとすると、これきりの別れになるかもしれないんだから」

ラーメン屋がしつこく勧誘し、あの人は僕の顔をうかがいながら、

「それじゃ少しだけお相伴させて頂きましょうかしら」

と大人びた言い方をしながら仲間に加わりました。僕は、はらはらしたんですが、やめときなさいとも、お帰りなさいとも言えなくて、あの人の視線を当惑しながら受け止め、みんなでぞろぞろと赤提灯の店に行ったんです。

試験が終ったし、ともかく三カ月やったのだという一種の満足感があったのでしょう。梅割りとかカストリとか、みんなガブガブ飲み出しました。しかし、その飲み方に、やはり鈴木さんを意識しているのが、僕には痛いほど感じられましたね。

彼女の前には、梅割りが置かれ、彼女がそれを水でも飲むようにすいと飲んだのには驚かされました。

「おいしいわ。でも、これ、なんですの」

「梅割りですよ。焼酎《しょうちゅう》に梅酒で味をつけてあるんです」

「まああ、そう。じゃ、強いんですのね。私、大丈夫かしら」

「一杯で、やめといた方がいいと思いますよ」

しかし、一向に彼女は酔いがまわる気配がなく、ラーメン屋の親爺がしつこく勧めるものだから二杯目が彼女の目の前に配《はこ》ばれてきました。

僕の心配には気がつかないのか、彼女は粗末な屋台みたいな店を面白そうに眺めまわしていましたが、胴間声を張りあげている酔客を見てから、そっと僕に、

「私ね、こういうとこ初めて来たんですの」

と小さな、というか、かそけき声というんですかね、心細そうな言い方をしました。

だから僕も思わず、

「そうでしょう、あなたのような人の来るところじゃないもの」

と答えました。本心だったんです。

「おい、学生」

復員兵くずれが、怒鳴り出しました。

「貴様、鈴木さんと何をやってるんだ。内緒話なんて、許さんぞ」

早くも酩酊《めいてい》したか、酔ったふりをしたかしてたんでしょう。それでなくても最初から

剣呑《けんのん》な雰囲気《ふんいき》でした。

どうしようかと思ったとき、彼女はすっくと立って、

「晩《おそ》くなりますからお先に失礼させて頂きますわ。両親が心配いたしますので。ご免遊ばせ」

と言ったんです。「ご免遊ばせ」なんて言葉、僕も初めて聞いたし、柄の悪い中年男を呆然《ぼうぜん》とさせる効果はあったようですね。僕も勇気が出て、

「お送りしましょう。梅割りは強いから、途中でもしものことがあったら大変だ」

と言って一緒に出ました。

三級というのは商業高校なみの学力があればこなせる程度ですから、合格する自信はあったし、連中の大方は二級に進めないだろうと思っていたので、後は野となれ山となれという気でした。酒の勢もあったのかもしれません。

「助かりましたわ。ありがとうございます」

店を出て省線に乗ってから、彼女が言いましたので、僕は英雄的な気分になりました。ええ、国電のことです。当時は省線電車と言ってました。

「誘った方がいけないんですよ。僕がもっと早く止めればよかった」

「まああ。でも早川さんがいて下さったので心強うございましたわ。でなかったら私、泣き出してしまったかもしれませんもの。ああいうところ初めてですし、なんだか私、

ひどく惨《みじ》めな気持になりそうで、すぐ後悔していたんですのよ。ああいう方々とはお付き合いをしたこともなかったし」

彼女の声はねえ、僕は今でも思い出せますが、静かで、小さくて、耳を彼女の口許《くちもと》に持っていかなければ聞こえないくらいだったんですよ。それだけ男心はくすぐられましたがね。清純というのは、ああいう声じゃないでしょうかね。

今と違ってタクシーなんて多くない時代だったし、僕にはそんなものに乗れるような経済力がなかった。国電で、原宿の駅で降りて、二人は歩きに歩きました。若かったし、あの頃は歩くのが当然でね。いろいろなことを話しましたが、僕は無我夢中でしたよ。だって初恋の人と、ようやく一緒に夜の道を二人きりで歩いていたんですからね。そのとき何を話したか、もう覚えていません。乃木坂の下に、あの一角は焼け残っていたんですが、大きな屋敷が建っていました。

その前まで来て、

「早川さん、今夜は本当に有りがとう存じました。晩うございますので父や母が御挨拶《あいさつ》するのは別の機会にさせて頂きますけれど、話せばきっと感謝すると思いますわ。今日の試験にもし合格していましたら二級に進むつもりでおりますから、今後ともどうぞよろしく」

「いや、いや、どうも」

僕はまだ学生で、こんなきっちりした挨拶は受けなれていませんからへどもどしているうちに、彼女は勝手口というのか通用門というのか、その小さな扉に手をかけてから、

「ごきげんよう。おやすみなさいませ」

と、実に行儀よく両足を揃《そろ》えて頭を下げ、中へ入って行ってしまったんです。

僕はしばらく茫然《ぼうぜん》としていました。言葉づかいといい、その豪邸と呼んでもいい大きな家といい、僕は圧倒されていたのでした。高嶺《たかね》の花というのが、まさにそのときの実感でしたね。三級の教室で、掃きだめに舞い降りた鶴《つる》のように見えたのは当然だったのだ、やっぱり彼女は良家の子女だったんだ、と僕は思いました。興奮してその晩は、ただただ歩いて明け方に下宿へ帰りましたよ。

三級をパスしたのは、僕と彼女と、意外にもラーメン屋の親爺と、あとは別のグループの連中でした。ラーメン屋と言っていますが、ひょっとしたら、御存知かもしれません。今では東京だけでも七つ八つのレストランを経営している沢山栄次《さわやまえいじ》っていう人です。不動産会社の方も、相当の規模でやっていて、まあ戦後の成功者と呼んでいいかもしれませんね。

しかし、二級に進んでからは、現役の学生が大勢いましたし、教課内容もぐっと難かしくなったし、僕は算盤《そろばん》では本当に苦労しました。足し算や引き算はどうにかなっても、一・八パーセントなんて数字をパパッと出すのは、時間がかかりましてね。しかし、大

学は夏休みでしたから、昼間は算盤塾に通って頑張りました。それというのも、夜学に行けば彼女に会えるという目的があったからですよ。

それでもしかし、三カ月で二級をマスターするのは無理でした。彼女も六カ月かかりました。沢山栄次って人は三カ月前に落伍《らくご》して、秋にはもう姿を見せませんでした。貸借対照表などが一目で分るようになる頃、僕も彼女も二級試験に合格しました。十二月になっていました。僕も嬉《うれ》しかったし、彼女も興奮しましてね。このときも歩きに歩いて彼女の家まで送りました。冬空は、満天の星でしたよ。今のようにスモッグがたちこめて夜空に星の見えない時代が来るなんて、あの頃は想像もつきませんでした。

「数字というのは美しいわね、早川さん。お星さまそっくりだと思わない？　複式簿記では、どんなことでも出来るんですもの。簿記を習うのが、こんなに楽しいとは思わなかったわ。ほら、あの星が1でしょ、あれが3、5、7、8。数字が散らばって、宝石が輝いているみたい」

こんなことをかすかな声で言われてごらんなさい。若い男は魔法にかかったみたいになりますよ。僕も空を見て、感動しました。簿記は二級までやれば帳簿のからくりが分るし、その面白さに気がつくものですが、それをあんな美しい言葉で表現することは僕には今でも出来ません。とにかく、そのとき僕は、

「鈴木さんは、どの星が好き？」

すが、それを言うのが恥しくなりましてね。言葉を失っていたんです。
この返事も、僕を感動させました。僕は北斗七星の柄の端の星が一番好きだったんで
「全部よ、だって綺麗《きれい》なものは私、なんでも好きなんですもの」
と訊《き》きました。

「まあぁ」

急に彼女の声がくぐもって、足許《あしもと》を見ていました。白い小犬が一匹、弱りきって息も絶え絶えになっていたんです。彼女は抱き上げて、もう星のことは忘れていました。

「可哀《かわい》そう、捨て犬なのね。私みたいだわ」

驚いて見ると、彼女は涙を流しているじゃありませんか。捨て犬を拾いあげるのは分るとして、私みたいというのは何だったんでしょう。

彼女との付き合いはそれきりです。

僕は一級に進みましたが、彼女はもう教室に現れませんでした。一級になると簿記論や財務諸表論、それに所得税法、法人税法、地方税法のうち固定資産税に関する部分とか、税理士の国家試験の受験準備みたいなカリキュラムになりますから、かなり優秀な人だったけど、女には歯が立たなかったんじゃないですか。僕自身、一級の資格をとるのに五科目を一つ一つ受けて、結局一年かかりましたからね。

だから、鈴木さんとの付き合いといっても九カ月だけだったんですよ。当時、僕は大

学三年でした。

彼女が、女実業家としてマスコミで華やかに持てはやされているのは、気がつきませんでした。苗字《みょうじ》が違っていたせいもあるんでしょうが。富小路公子が、鈴木さんだと気がついたのは、つい一年半ばかり前、僕がギックリ腰をやって、会社を休んでいたとき、偶然テレビに彼女が登場したのを見たからです。ええ、主婦向け番組って奴《やつ》ですね。顔も、声も、あんまりそっくりだから、ひょっとするとと思って女房に聞いたんです。そしたら姓はともかく名前はキミ子といって、主婦向け番組にはよく登場するっていうじゃないですか。二十五年の間に、こちらは平々凡々のサラリーマンになり、彼女は立派に女実業家として、日本橋に大きなビルを建て、宝石屋も兼ね、湯水のように金を使うようになっていたのかと思うと、歳月を感じましたね。

しかも、僕は、つい最近、彼女に会っているんです。昼食時間に日本橋のデパートの前を通りかかったら、なんだかものものしい警護ぶりっていう雰囲気があるので、妃殿下か何か、そういう身分の人でも出て来るのかと思って足を止めていたら、まっ赤なものを着た女が、え？　いや、青い色だったかな。洋服だったか着物だったかも覚えてないんですが、ともかくシャンデリアみたいな女が出て来たじゃないですか。その女と眼があったとき、僕は、あっと思いました。

「早川さん！　まああ。早川さんじゃないの。なんてお懐《なつか》しい！」

人だかりがしていましたから、僕はもう恥しさで一刻も早く別れたかった。だから名刺を出して、あたふたと駈《か》けぬけてしまったんです。ああ、その名刺が彼女のハンドバッグに入っていたので、僕を訪ねていらしたのですか。――そうだったんですか、なるほど。

ええ、それから四、五日して会社へ電話がかかって来ました。まぎれもなく、あの声です。

「早川さん、お懐しゅうございます。覚えていて下さったのね。私も忘れたことがなかったわ。お食事差上げたいと思いますけど、来週の御予定はいかが？」

電話でしたから、僕も落着いて応対しました。来週の約束もしたんです。その電話が金曜日でした。その晩は興奮して眠れませんでしたよ。星空のことも、捨て犬のことも、昨日のように思い出しましてね。

その翌日が土曜日で、家に帰って夕刊をひろげて息が止まりました。「虚飾の女王、謎《なぞ》の死」と社会面に大きく出ていたじゃありませんか。

それから週刊誌という週刊誌が、彼女の特集をしたでしょう。どの記事も僕には信じられませんでしたね。悪女だなんて書いてたのが大方でしたが、そんな馬鹿《ばか》なことがあるものですか。人間というのは、そんなに変るものじゃないですよ。あの人は、行儀のいい、心の綺麗な人だったんです。捨て犬を抱いて涙を流していたんですよ。僕は週刊誌なんて、もう読むのも嫌になりましたね。

自殺だなんて書いてたとこがありましたが、自殺する人間が、前の日に楽しそうに食事の約束なんかすると思いますか？　あんな心の優しい人を殺す人間があるとも思いませんね。何かの間違いで死んだのでしょう。本当はどうなんですか？

その二　丸井牧子の話

富小路公子さんについて——ああ君ちゃんのことだね。そうでしょう？　あの人、いえあの方は、小学校でも中学でも鈴木君子って名前でした。ええ、字も違うんですよね。姓名判断か何かで変えたんじゃないですか？

私もね、テレビでね、ほら名前が胸のところへ出るでしょう、出演中に。あれを見たときは知らない人かと思ったんですけどね、声を聞いても、話しぶりも、まるで君ちゃんそっくりだから、知らないうちに随分えらくなっちゃったんだなあと思ったり、でも違う人かしらと考えたり、だけどだんだん懐《なつか》しさが募ってきて、番組が終るとすぐにテレビ局へ電話したんです。そしたら、すぐに君ちゃんが出てくれて、

「私よ、牧子よ。あなた鈴木君子さんじゃない？」

って、私は無我夢中で言ったんです。そしたら、

「牧ちゃん、まああ」

電話の向うで君ちゃんは気が遠くなったみたいでした。私たち、ほんとに同じ思いだ

ったと思いますよ。「まああ」って、昔っから君ちゃんの口癖なんだもの。驚いたときでも、困ったときでも、「まああ」って言いながら、じっと私の顔を眺めたものなんです。

「出世したのねえ、君ちゃん。君ちゃんなんて呼んじゃいけないよね。テレビ、とても綺麗《きれい》だったよ。よかったわあ」

「そう、嬉《うれ》しいわ。あなたのような方たちが見て下さることもあるのね。私、少しあっていたと思って心配してたのよ。どうだったかしら」

「何も心配することないわよ。そりゃ素敵だったんだから。私と同じ歳《とし》には見えないよ。十も若いかと思った」

「まああ」

「ご免ね、忙しいんでしょ。こんな電話かけて迷惑じゃなかった？」

「そんなことないわ。牧ちゃんと話が出来るなんてテレビに出て本当によかった。お家《うち》の皆さん、お元気？」

「うん、父ちゃんも母ちゃんも歳とっちゃったけど、なにしろ孫がいるんだからね。君ちゃんとこは？　おばさん元気ですか」

「ええ、おかげさまで大層幸せに暮してますわ」

「よかったね。よろしく言っといてね。こっちは相変らず貧乏だけど、みんな達者でやってるよ。たまにこの辺へ来ることがあったら寄ってよね。前と同じところで同じ商売やってっからね」

「いますぐ飛んで行きたいくらいだけど、このあと仕事が詰ってるの。いずれ近いうちにうかがうわ」

その電話を切ったあと、私は三日も四日ものぼせてました。同級生が、テレビに出たのに、いきなり電話して話をしたんですから。

「君ちゃんは小学校のときから別嬪《べっぴん》さんだったけど、テレビで見ると昔よりまた磨きがかかってる。やっぱり大金持になると違う。女でも大したもんだ」

あんまり何度も同じことを言うもんだから、うちのお父ちゃんが嫌な顔をして、

「雑貨屋に入り婿《むこ》するような男もいるのに、とでも言いたいのか」

なんて思いもよらないことを言うんですよ。男って、ひがみっぽいんだね。私、驚いちゃった。

「そんなこと言ってやしないよ。さっきテレビに出てた人、うちの隣にいたのよ、学校も同級生だったのよ」

「隣って、薬局かい？」

「ううん、反対側。今はスーパーになっちゃってるけど、前は八百屋だったの」

「八百屋？」

「そうよ。あの人、八百屋の娘だったのよ。八百政っていってね。でも、貰《もら》いっ子だったのよ」

「なんだ、それは」

「内緒だけどって、君ちゃんが私に打ちあけたことがあるわ。そのくらい学校の頃は仲良しだったんだから。私が電話したら、いますぐ飛んで行きたいくらいだって、あの人も言ったんだよ。近いうちに来るって言ってたから、きっと来るよ。まあお父ちゃんも見てごらん、女優さんでも近頃はあれだけ綺麗な人はいないんだから」

そうなんですよ。学芸会じゃ、いつも主役やってました。顔も美人だけど、声がね、独特の声で、大声を出しても、ひっそりと聞こえるんです。小学校の頃から、男の子たちは遠まきにしていた感じだった。そうだ、スタアって言うんでしょ、あの人は、そういう人でしたよ。けばけばしいのとは違うんだけど、白い花みたいな、それでいて華やかな人だったんだから。

学校もよく出来ました。私は頭が悪くて、成績なんてビリからかぞえた方が早いくらいだったんだけど、君ちゃんは、算数の答案なんか戻って来ると、私のがあんまりひどい点数なんで心配になるらしくて、

「まああ」

と言ってから、ゆっくりと私の間違いを指摘して、

「こう考えればいいのよ」

って、先生より上手に説明してくれたものなんです。

あんな心の優しい、いい人って、私は今日までに出会ったことはないねえ。算盤塾《そろばんじゅく》にも一緒に通ったしねえ。

ええ、算盤塾が、青山の方にあったんです。終戦直後でも続いてました。この辺は東京では珍しく焼け残ったところでしたから。まあ近頃は随分変りましたけどねえ。だって隣のスーパーマーケットなんて、七、八年くらい前に突然出来ちゃったんですからね。こういうものに出て来られると、うちみたいな雑貨屋は、本当に困っちゃうんですよね。お父ちゃんが、うちの亭主のことですけど、小学校の傍だからって文房具店に切り変えようとしていたのを、表通りに大きなマンションが出来て、お客がうちにもよく来てくれてるからつぶれずにまあまあ同じ店を続けていられるんですけどね。

君ちゃんのお父さん、継親《ままおや》だって話だけど、でもいい人でしたよ。店は、私んとこと同じくらいの小さな店で、変哲もない八百屋だったけど、でもあのおじさんにもおばさんにも君ちゃんは似たところどこもなかったから、貰いっ子だって聞かされても不思議とは思わなかったよね、うん。

この辺りは、表通りがお邸《やしき》町だけど、裏っ側の、こちら側はこういう具合に小さな商店が目白押しに並んでいて、檜《ひのき》町小学校には、だからお嬢さん、お坊《ぼ》っちゃんと、私たちみたいな下町の子たちと、二種類ごちゃごちゃに入学してたんだけど、君ちゃんは、どちらかというと表通りの子供たちに似てた。態度が鷹揚《おうよう》だったし、どういうわけか身綺麗で、本当に八百屋の子には見えなかった。でもね、やっぱりお店の子だから、親としては算盤ぐらいは仕込んどかなきゃと思ったんじゃないですか。私でさえ、算盤習わされたんだから。

私はね、学校の勉強でさえ嫌なのに、その上算盤だなんて、もう嫌で、嫌で、それでもどうにか通っていたのは君ちゃんのおかげですよ。

私が、

「もう、嫌だ、嫌だ。算盤なんかいくらやったって頭がよくなるわけでもないんだから」

なんて言うと、

「あら牧ちゃん、算盤を習うと頭がよくなるのよ」

って、あの人は小さな子に言いきかせるように、優しい声で言うんです。

「どうしてさ。数字なんか、足したって、割ったって、どうでもいいのに」

「だけど三に五を足すと八になるのよ。面白いと思わない？　八に三をかけると二十四になるのよ。面白いと思わない？　算盤を入れていると、胸がわくわくしてくるじゃない。頭の中が、綺麗に整理されていくみたいで、いい気持じゃないの」

君ちゃんが、両手の指に余るくらい会社を作って、実業家として大成功したのと、私がこうやって小さな雑貨屋で子供を三人も産んで朝から晩まで子供相手に怒鳴って暮しているのと、違うのも当り前だって気になるよね。算盤習うときから心掛けが違ってたんだから。

ええ、乃木坂《のぎざか》から降りてきて、角にある大きなマンション、赤坂ドリーム・ハイツ。あれ、尾藤さんが建てたんでしょ？　あら、違うの？　だって、尾藤さんて大きな家があって、あすこの子も同級生だったけど、小学校だけで、中学から学習院へ行っちゃった。尾藤雪子っていってね、今でも、あのマンションにいるわよ、うん。今は結婚して、浅井って苗字《みょうじ》になってるけど。ほんと、昔はねえ、あのマンションのとこに石垣の高い塀《へい》のある立派な家があったんだ。変ったわねえ。

尾藤雪子さんも、今は結婚して相手の方の苗字で、浅井雪子って言うんですけど、これはもう表通りの子の中でも一番鼻もちならない女の子だったね。子供のときから、意地の悪い、嫌な嫌な根性の子でねえ、私はもう本当に、大嫌いだった。今でもときどき道で顔が合うことがあるんだけど、向うは見たこともないという高い様子でね、私も知らん顔だよ。

いつだったか忘れたけど、私は君ちゃんに言ったことがあるんです。

「あんたがあの家に生れてて、あの子が八百屋の子なら、世の中あたり前って気がするよ」

って。

君ちゃんが、どう返事したか忘れたけど、あの人は誰にでも誠実なもので、だから嫌われ者の尾藤雪子さんとも友だちになってあげていたんですよ。だって、あの子には誰も寄りつかなかったんだもの。いけ好かない子でね、

「こんな時代じゃなかったら私は学習院に入っていた筈《はず》なのよ」

なんて、小学校の一年のときから六年間言い続けていたんですから。不器量でね、よくあんな女でも結婚してくれる相手がいたと思いますよ。

私はまあ焼き餅《もち》も手伝っていたのかもしれないね。だって君ちゃんが、尾藤さんちによく出入りしていたからさあ。

「あんな家にどうして行くのよ、君ちゃん。私はあの子、大っ嫌い」

「でもねえ、雪子さんのお母さんが、私のこと好きらしいの。私も、雪子さんのお母さん見ていると、私の本当のお母さんはこういう人じゃなかったかと思うのよ。育ててくれた親には悪いけど、やっぱり血はつながっていないし、牧ちゃんには分らないかもしれないけど、貰いっ子って淋しいものよ。あの家にいると、ほっとするの。豊かな気持になるのよ」

静かに静かに言われてしまうと、もう私は返す言葉がないからさ。そんなものかなと

思っているとき、あの人、私の手を握って、

「でもね、牧ちゃん、これだけはお願いよ。父ちゃんも母ちゃんも、私が貰いっ子だって気がついてること知らないの。言わないで、ね、誰にも」

私の眼を覗《のぞ》きこむようにして言ったんです。だから、私、誰にもそのこと言いませんでした。あの人、あんな死に方をしたから、思いきって話してますけど、本当に誰にも言ってないんですよ。でも、お父ちゃんは別ですよ、だって夫婦ですからね。父ちゃんや母ちゃんの方には今まで言ってない。あら、混乱する？　父ちゃんは私の親、お父ちゃんは私の夫。

お父ちゃんていえば、どういうわけか、君ちゃんの話を私がすると機嫌が悪くって、

「お前、あんまり言うなよ。向うは有名人だ。小学校の同級生たって何十人いるんだから、お前の電話なんか覚えちゃいないよ。訪ねてなんか来るものか」

なんて言うんだよね。

「なに言ってんのさ、それは私と君ちゃんの仲を知らないから、そんなこと言ってるんだよ。あの人はね、人を裏切るような人じゃない。来ると言ったんだから、きっと来る」

言い返したけど、日がたつにつれて私も不安になって来て、テレビ局に電話したのなんて非常識だったかなあって思ったりしました。

「だけど、お父ちゃん、あの人はね、私は忘れてないけどね、子供の頃でなんのことだか分んなかったけど、戦争中に家の前で、まっ昼間に犬が交《や》ってたんだよね。それ見て、薬局の加東さんがバケツの水ぶっかけたことがあるの。そしたら君子さんが八百屋の店先から飛出して来て、かわいそうだ、かわいそうだって、片方の犬を抱きかかえて、自分のスカートで濡《ぬ》れたとこ拭《ふ》いてやってね、そのとき眼に涙うかべてたんだよ。その犬、自分とこの犬じゃなかったんだよ。どこかの犬なんだけどね。犬も君子さんの心根に感じ入ったんだろうね、だんだん温和《おとな》しくなって、くーん、くーんって鼻を鳴らして甘えてたんだよ。あの人、お洒落《しゃれ》だったのに、自分のスカートで拭いてたんだからね。私、びっくりしたの覚えてるもの。犬にだって、あのくらい親切だったんだから、同級生の中でも、一番の仲良しだった私を忘れたりしないよ。すぐにも飛んで行きたいって電話で言ったの、嘘《うそ》じゃないよ。きっと忙しくて来られないだけだよ」

私は不安になると同じことばっかり、お父ちゃんに言ってた、うん。

だってね、戦争が終ったとき小学校の三年だったけど、うちも君ちゃんとこも田舎がないから疎開《そかい》ってのしなかったんだからね、小学校の六年と、中学の三年と、通して九年も同じ学校に通って、しかも家は隣同士でしょう？　忘れる筈はないんだよね。

でも、あんなに偉くなっちゃうと、八百屋の娘だったなんてこと隠したくなるかもしれないよね。だから、私との友情を忘れたわけではないけれど、昔のことは世間に伏せておきたいと思っているのかもしれない。

テレビには、その後も、朝の番組やら、お昼のワイドショーなんかに、よく出るようになってたけど、もう電話はやめて、そのかわり、その都度テレビにかじりついて見てた。経済の難しいことを分りやすく話していたり、でも私には、よく分んなかったけど。女の生き方についてまるで学者さんみたいな言葉つかって話していたり、聞けば聞くほど偉くなっちゃっていて、もう同級生だったの、仲良しだったのって気軽く言っちゃいけないんじゃないかって思うようになってきてたの、うん。それと同じくらいに、いつも素晴らしいドレスを着ているのと、よく似合うのに溜息《ためいき》が出て、私、すっかりファンになってしまったんですよ。もう君ちゃんじゃなくって、富小路公子っていうスタアが神様みたいに見えてきて、なんて綺麗《きれい》な人だろう、なんて立派な女だろうって、憧《あこが》れて、憧れて、夢中になっちゃってた。

こんな雑貨屋に、あの天女のような人が来るなんて、考えられないようになっていたんです。

だから、私がテレビ局に電話をして、三年もたってから、ものすごい立派な車が店の前に横づけになって、君子さんが薄紫の匂《にお》うようなドレス姿で降りて来たときは気絶するかと思ったよオ。びっくりしちゃってねえ。

あの車、なんてったっけ、お父ちゃんが後でびっくりしてた車だけど。

お父ちゃん。

あら、どこへ行ったのかしら。

ちょっと待ってて下さいね。

……お待たせしました。お父ちゃんたら怒ってるんですよ。お前はお喋《しゃべ》りだって。誰かれかまわず話すもんじゃないって。だからいま、ちょっと夫婦喧嘩《ふうふげんか》してきちゃったんですよ。お待たせして悪かったわねえ。あら、お茶もすっかり冷えちゃって。どこまで話してたっけ。ああ、そう、君ちゃんが大きな車で、この店の前に乗りつけて、その車、あらまた度忘れしちゃった。アメリカの偉い人の名前ですよ。フォードじゃなくって、もっと昔の、そうそう、リンカーン・コンチネンタルですか。そんなこと、お父ちゃん言ってました。高い車なんだってねえ？

君ちゃんは、大きなバラの花束を両手で抱えて店に入って来ると、

「牧ちゃん、いつぞやはお電話ありがとう。忘れてたわけじゃないんだけど、忙しいものだから、来そびれちゃったのよ。でも、これ、牧ちゃんにあげようと思って、一つ一つ私が手で造っては束ねていたの」

そう言われて受取るまで、私は、本物の花だとばっかり思ってた。よく見て驚いたんです。だって、匂いまでついてるんだけど、花も葉っぱも造花なんだもん。あそこに飾

ってあるの、それですよ。あれからもう三年もたっているから、色が褪《あ》せて、匂いもなくなってるけど、あれ、あの人の贈りものなんです。

今も、お父ちゃんと喧嘩になったって言うのは、私は、それだけのかかわりあいしかないけど、でも私の知ってる君ちゃんは、悪い人じゃありませんからね。それだけは言っときたいのよ。あんなことがあって、週刊誌がじゃかじゃか書きたてたの読んで、私は目を廻しちゃった。出《で》鱈目《たらめ》もよくここまで書けたものだと思ってねえ。

考えてもごらんなさいよ。幾つもの会社を経営している忙しい人が、趣味に造花をやっていて、昔の古い友だちに贈ろうと一輪々々、心をこめて花を造っていたんですよ。悪い人が、そんなことをするわけないじゃない？　ねえ？

ここで、腰かけて、同じその茶碗《ちゃわん》で、私が淹《い》れた番茶を、さもおいしそうに飲んでくれたんですよ、あの人。

「ねえ牧ちゃん、私が八百屋の子だったたって真顔で言っても、人は冗談だと思うらしいのよ」

「そりゃそうだろうねえ。私が見てても雲の上にいる人みたいだもの、君ちゃんは。だけど一緒に算盤塾《そろばんじゅく》へ通ってたときから、私なんかと心掛けが違ってたものね。あの頃から、あなたは大した人だったのよ」

私が心から褒めたたえたつもりで言ったのに、急にあの人、私を不思議そうに眺めて、湯飲みを下に置いたんです。

　こんなこと言って、いいのかしら。悪いかしら。でも本当のことだから、言っちゃうけど、君ちゃんは私に向って真剣に訊《き》いたんです。

「牧ちゃん、それ、なんのこと？」

「え？」

「算盤塾って、なあに？」

「青山の、ほら、乃木坂上《あが》ってって、一丁目の先に算盤塾があったでしょう。あそこへ一緒に通ったじゃない。私は嫌々だったけど、君子さんは面白い、面白いって言って、小学生の頃からさあ」

「それ、誰か別の人じゃない？　だって私、算盤ならったことないわよ」

　私、のけぞるほど驚いちゃった。だって本当に一緒に算盤塾へ通ってたんだもの。私が嘘つくわけもなし。他《ほか》の誰かと思い違いったって、そんなこと、ありっこないんだもの。

「世の中の人たち、私のことお金儲《かねもう》けの天才みたいに言うけど、私、この手で、お金を数えたこと一度もないのよ。算盤を習っといたらよかったと思ったこともあったけど、この頃は電卓という便利なものが出来たでしょ。でも私、その電卓も、いじったことがないのよ。なんだか感電するみたいで怕《こわ》いの」

　あの人、匂うように笑って、

「でもこの辺りも随分変ったわねえ」

「そうよ、尾藤さんとこマンションになってるしさあ」

「まあ。尾藤さんには、本当にお世話になったわ。どうしていらっしゃるかしら」

中学三年のとき、八百政のおじさん、進駐軍のジープにはねられて死んじゃったの。そいで、八百屋たたんで、しばらく尾藤さんちにおばさんと二人で居候《いそうろう》してたんだ。だけどあたし、雪子さんが、浅井雪子になってあのマンションにいるって言わなかったんだ、わざと。で、あの人、十五分くらいすると、大きな車に吸いこまれるように入って帰って行きました。私は、あとあとまで感激して、でも夢みたいな思いでした。お父ちゃんにも威張ってやれましたしね。

でも、本当はどうなんですか。あの人、殺されたんでしょう？　あんまり大金持になると強盗なんかに狙《ねら》われちゃうんだろうなって思いましたよ。私なんか、こんな小さなとこで、ごちゃごちゃ子供と暮してて、立派な自家用車にも乗れないかわり、殺される心配もないんだと思うと、君ちゃんがかわいそうで、かわいそうで。だって、あの人、ほんとにいい人だったんですもの。見て下さいよ、あのバラの花を。

だけど、今日初めて話したんだけど、算盤塾へ一緒に行った話だけどねえ。私、頭が悪いから勘違いしてるのかなあ。一緒に通ったんだけどねえ。でも君ちゃんは嘘つく人じゃないしねえ。

その三　浅井雪子の話

浅井の家内でございますが、どのような御用でいらっしゃったのでしょう。

富小路公子さんについて——ですって、まあ、困りますわ。

ええ、そりゃ存じておりますわ。〝謎《なぞ》の死〟なんて新聞が書いたものですから、私のところまで週刊誌が来まして、でも私、取材は全部お断りしたんですの。主人は普通のサラリーマンで、まあエリートと呼ばれるようなコースを歩いて来ておりますから、主人の判断で、あの騒ぎには巻きこまれずにすみましたんですの。

ですから、あの、あの方について私の知ってることをって仰言《おっしゃ》っても、私、ただ小学校で偶然同級生だったというだけでございますから、お話しすることも格別のことは何もありはしませんし、お話しするなら主人に相談いたしまして、その上で御返事をさせて頂きとう存じます。

え？　学習院？　誰がでございますか？　まあ、私が学習院ですって、誰がそんなこと言ったんですの。私は中学から青山学院でございましてよ。私の母は、学習院を出ましたので、その間違いじゃございませんでしょうか。私の母は公家華族《くげかぞく》の出身で、武家華族じゃございませんのよ、皆さん華族っていうと明治以来の家柄だなんて誤解なさいますでしょ？　ですから申上げるんですけれど、母は室町以来の由緒《ゆいしょ》ある公家華族の家に生れました。でもこんなこと、古い話でございますわね。戦争に敗《ま》けてから、そんなものにはまるで値打がないように扱われて来ましたもの。母は、五年前になくなりまして、財産税を払うために此処《ここ》の家は処分したのでございます。土地は沢山《さわやま》不動産というところが買ったと聞いておりましたが、このドリーム・ハイツの持主は富小路公子さんです。それで、兄に相談しましたらやめるように申したのですけれど、でも住宅難でどこもお高いでしょう？　それで私、直接富小路さんにお会いして、少しお安くして頂けないかって頼んでみたんです。そしたら、とても気持よく割引いて下さったんですの。でも、これは主人と相談してからでないと申上げられないことなんですけど。私は結婚して浅井とアパート暮しをしておりましたんですけれど、兄は、今ニューヨークにおります。サラリーマンです。はい、私より四つ年上で。

私が、富小路公子さんが鈴木さんだってこと、知ってましたのは、母が、死ぬ一年前頃でしたわ、テレビを見ていて、私を大声で呼んだんですのよ、ですから、六年前のことじゃございませんかしら。

「雪子、この人、あの子じゃないのかしら、ほら八百屋の子で」

「ああ鈴木さん？　あら、鈴木君子さんだわ。どうしてテレビに出ているの」

「女が億万長者になる方法っていう座談会に出ているのよ。でもね、苗字《みょうじ》が違うのよ。なんとか小路って言ってたわ」

「結婚したからでしょ。私だって尾藤から浅井に変ってるんですもの」

「でもね、変な名前なの。綾小路《あやのこうじ》や北小路なら公家華族にあるけれどねえ」

二人で話しながらテレビを眺めていると、あの人のクローズアップになって、胸の辺りに白く富小路公子と名が出ました。

「富小路《とみのこうじ》公子だわ。名前の方も違ってるわ。君子《くんし》と書いたのよ、前は」

「富小路というのは、京都にある通りの名だけど、公家華族にはない筈《はず》よ」

「公家華族と結婚するわけないでしょ、あの人が」

「それはそうね。でも、こんな苗字、平民の方にもあったのかしら」

母は戦争に敗けた後でもずっと死ぬまで、頭の切りかえが出来なかったのです。だから、華族とか平民とかいう言葉をよく使っていました。

でも私たちは、テレビで彼女が話すのを聞いていて、だんだん口数が少くなってしまいました。ほのかな笑みをたたえて、小さな声で鈴木さんが話しているのが、どうも私の家のことと関係しているような気がしたからです。

「お金持になるなんて、私の場合は偶然でございましたわ。戦後の生活が戦前とすっかり変ってしまいになったお知りあいの方々が、宝石をどうやって売ったらいいかお分りにならなくて、お困りになっていらっしたので、お助けするつもりで宝石屋さんへ持って行って差上げて、お金に換えて差上げるというようなことを再々しておりますうちに、お店を通さずに、宝石が買える方に直接お売りする方が、お金に換えたい方々の為《ため》にもいいということに気がつきましてね、知らず知らずのうちに宝石屋になってしまっていましたのよ」

テレビのインタビュアーが、

「レストランも経営していらっしゃるようですが、それはどんな経緯《いきさつ》で？」

「お友だちの中に、宝石屋をやるのなら、ちゃんとした場所にお店を出さないと、ブローカーみたいになってしまうと忠告して下さる方があって、その方が御自分の地所の一部を貸して下さったんですの。それで一階を宝石店にして、二階を簡単なレストランにと思っておりましたんですけれど、地所を貸して下さったお友だちが倒産なすったので、今から思えば本当にお安いお値段で、ひろい土地が手に入りましたものですから、建てるなら大きなビルを建てた方がいい、いろいろな方に御利用頂いてと思ってましたのが、硝子細工《ガラスざいく》を扱わないかとか、有名なレストランの方が来て、経営は一切まかせるからやらないかとか仰言るものですから、次から次に皆さまの御好意に甘えているうちに、いつの間にか会社の数が殖《ふ》えておりましてね。ですから私、お金儲《かねもう》けをしようとか、頑張って何かやろうとか、思ったこともしたこともなかったんですのよ。なんだか、今まで運命のままに流されてきたような気が致しますわ」

「そうしますと、お金儲けのコツのようなものは、富小路さんは何だとお考えになりますか」

「さようでございますね。コツとはいえないかもしれませんけれど、人に信用されれば大がいのことはうまくいくんじゃございませんかしら。私の場合、私を信用して下さる方々が、私を押し立てて下さっているように実感しておりますし、もともと運がよろしい方なんでございましょうね。苦労ってこと、今日までした記憶ございませんもの」

もの静かな口調は、小学校の頃とあまり違っていなかったのですけれど、その番組が終ってから母と私は顔見合わせて、しばらく言葉がありませんでしたわ。

随分たってから、母が「まああ」と申しました。え？　はい、「まああ」と言うのは母の口癖だったんでございます。私はわざと真似《まね》して面白がることはありましたけど、私にはうつりませんでした。

母は、あの人をそれは可愛《かわい》がっていたんです。私は、近所の小学校へ入ったばかりに裏通りのいじめっ子たちに悩まされていたのですけれど、鈴木さんはそういう私をよくかばってくれたものでした。ええ、私はあの人が悪い人だなんて、ただの一度も思ったことございませんでしたわ。親切でしたのよ、ことに私には。で、私の家にもちょくちょく出入りするようになって。終戦後、家は女中がいなくなって、お姫《ひぃ》さま育ちの母が立往生しているときに、今から考えてみれば、まるで少女だったあの人がときには煮炊《にた》きまでしてくれて、随分助かりましたの。中学は私が私立へ行きましたので別れ別れになりましたけれど、そうですわね、考えてみると、むしろ別々の中学へ通うようになってからの方が、あの人は頻繁《ひんぱん》に私どもの家に来るようになってました。青山学院のバザーとか学芸会みたいなものにも、必ず来てましたしね、私が券を上げてましたから。

ですから、妙に思いましたの。「今日まで苦労をしたことがない」というのはねえ。だってあの人、八百屋さんの子だったんですよ。小さなお店でした。戦前は私の家に出入りの八百屋だったんです。お父さんが、戦争中は隣組の中心人物で、配給のものわけるのも、家にはひいきしてくれてたって母は言ってました。ちょっと足が不自由な人だったので、それで、あんなことになったんだと思いますけど。ええ、乃木坂《のぎざか》の上で、進駐軍のジープにはねられて。あの人も私も中学三年生のときでしたわ。

あの人、私の母のところへ飛込んで来て、泣きに泣いたの覚えてます。育てて貰《もら》った恩があると言って。ええ、あの人は、なんでも由緒のある家に生れたんだけど、事情があって、八百政に預けられていたんだそうですよ。母が申してましたのでは、どこか御大家の坊《ぼ》っちゃんあたりが、女中に手を出して産ませてしまったのだろうって。

ともかく、八百屋の店は畳まなきゃならなかったんです。女手には無理な仕事だったとも言えますけど、よく考えてみれば、おばさんはショックで癈人《はいじん》みたいになっていたんですのね。ところが、母はそのことに気がつかなくって、鈴木さん母子《おやこ》を私のところへ引取ってしまったんです。同情もむろんありましたけれど、母にとっては、女中と小間遣いを手に入れる絶好のチャンスだと思ったんじゃないでしょうか。兄も、私も、賛成しなかったんですけど、父は戦争呆け《せんそうぼけ》で判断力を失っていましたし。

さようでございますね。家には一年おりました。八百屋は借店だったらしくて、なんの貯え《たくわえ》もない上に、おばさんは寝たきりで何の役にもたちませんでした。鈴木君子さん一人が、お掃除や、食事の仕度をまめにやってくれました。私は同級生を女中代りにして、学校へ通うのは後めたい気持があって、だから青山学院でもよおしものがあると、鈴木さんを連れて行って労《ねぎ》らいといったらよろしいのかしら、そういうことをしておりました。鈴木さんは公立の中学校に行ってたんです。

「中学が義務教育でなかったら」

と、あるとき言って涙ぐんだのを覚えてます。だったら働きに出られたという意味だったようでした。私はそのとき小、中学校が義務制度だということを初めて知って驚いたのを覚えてます。

鈴木さんは義務教育を終ると、夜学へ行くようになりました。私は、えらいなあと思ったものです。私の家は戦前のような豊かな暮しには到頭戻れませんで、その上、父の死と母の死が続いたために家も土地も手放して今に至っていますけれど、だから、当時は鈴木さん母子にもろくな給料を払ってなかったと思います。でも、そんなことで、あの人は少しも恨みがましいことを言ったりなさらなかったのですのよ。

その年の秋頃でしたかしら、私が高校へ入る頃でしたかしら、鈴木さんが働き口が見つかったと言って、昼間も出て行くようになって、その頃にはおばさんも元気を取戻して、一人前の女中として働くようになっていたんです。

鈴木さんが、昼は働いて、夜は夜学に行くようになりますと、申しわけないけど、同級生だったという気持がお互いに負担になりますのね。だって、まあ、私は落ちぶれたとはいえ、お嬢さん学校の延長線上で遊びまわっていましたから、話もあまりあわなくなっていましたし。あの人は相変らず親切で、学院祭なんかにはまめに顔を出していましたけれど、私と一緒に出かけるようなことはなくなっていました。

夜学はどこへ行っていたのか——私は存じません。母なら知っていたと思いますけれど、男女共学の高校の夜学あたりに行ってたんじゃないでしょうか。一度か二度、私がクラブ活動で帰りが晩《おそ》くなったとき、あの人、男の人に送られて帰ったことがあったのを見かけたことがあります。ええ、家の勝手口は錠をかけてなかったんです。

なにしろ兄が、毎晩のように帰りが晩くて、仕方がなかったんですもの。

ああ、兄といえば、——こんなことお話ししてよろしいのかしら、主人に相談してからに致しますわ。だって身内の恥になりますもの。でも、あの人たち母子がこの家から出て行った経緯が、それですもので——。

兄は、鈴木君子さんを好きになっていたらしいんです、今から思えば。兄も何も言いませんし、両親もこのこと私には話しませんでしたから、私よく分りませんのよ。ですから、これは、このところは、お書きにならないで下さいましね。嫂《あね》がまた頭に来て、私の立場もなくなりますし、でも、兄の結婚前の話ですから——よろしいかしら。困りますわ。やっぱり主人と相談してからに致しますわ。

いいえ、兄と肉体関係なんて、まさか。そんなこと絶対なかったと思いますわ。あの人、そんなに綺麗《きれい》な人じゃありませんでしたもの。第一、若すぎましたわ。でも、一盗《とう》二婢《ひ》三妾《しょう》なんて申しますでしょ。だから兄も、ちょっと気が動いたんじゃございませんでしょうかしら。

私は何も存じませんの。ともかくある真夜中に、あの人のお母さんが大声で喚《わめ》きまして、大騒ぎになったんです。私は怕《こわ》かった記憶しか残っていません。そこら中のものを手当り次第に取上げてぶつけるんですもの。父も母も、おろおろするばかりで。とにかく、私の家としては兄と八百屋の子を結婚させるわけにはいかなかったんでしょう。それから間もなくでした、鈴木さん母子が家からいなくなってしまったのは。訳は、母も申しませんでしたから、若かった私には何も分らずじまいで、どこへ行ったのかも存じません。

兄が結婚いたしまして、母と嫂の間が険悪になったとき、母が、

「八百屋の子の方がまだましだった」

と言ったことがあったのを今でも思い出します。

「あのとき、何があったの、お母さま」

「あのときは、大変だとばかり思ってねえ、慌《あわ》てて出て行ってもらうことばかり考えていたのだけれど、でもやっぱりあの子とではあんまり釣合わない御縁でしょ。おまけにあのお母さんを女中にしていたから、どこから考えても無理だったのよ。息子がいるのに若い女の子を引取っていたのが、こちらの間違いだったのよ。情が仇《あだ》になったのね。なんとか、やりくり算段をして、お父さまがね、あの人たちのアパートの敷金を出して、それでけりをつけたのよ。でも、君ちゃんは、賢かったし、間にあったわ。お母さんの方とは月とすっぽんぐらい違っていたからねえ」

「本当の親子じゃなかったんでしょう」

「そうだって、君ちゃんは言ってたけど、お母さんの方には怕くて訊《き》けなかったわ。顔もどこも似てなかったし」

「お父さんともよ」

「そう、そうだったわね。まああ」

私が青山の短大を卒業する前後でした。鈴木さんが、

「近くに参りましたので」

などと言って、又出入りし始めたのは。

母は、前より丁寧に迎え入れていました。嫂に対する当てつけだったかもしれません。

「どうしてるの、君子さん」

って、君ちゃんから君子さんって呼び方まで変えてしまって。

「銀座の宝石店にお勤めしてます」

「まあ、そう、あなた働いているの、まああ」

お嬢様育ちの母には、働くっていうことがどういうことだか死ぬまでよく分らなかったみたいでした。もちろん、私も大学を出るとすぐお見合で浅井と結婚いたしましたから、社会に出て働くということについてはよく分っていないと思いますけど。クラス会なんかで、お嬢さん学校でも、しっかりした人たちがいて社会へ出ている人はちょっと考え方なんかも違うとは思っておりましたけど。

ええ、そのときなんです、鈴木さんの方から持ち出したんですよ。

「おばさま、お持ちの宝石お手ばなしになりません？　いいお値段になりましてよ」

自分の方から言い出したんです。私、傍《そば》にいましたから、はっきり覚えてますわ。

母ときたら、宝石がお金に変るなんて夢にも思わなくて、大喜びして宝石箱を出して

あの人に見せましたわ。

ダイヤモンドは戦争中に、お国のためにというので供出してましてね、ですから、サファイア、ルビー、エメラルドなんか、帯止めや髪飾りなどまで出して見せましたの。私もびっくりしました。母がそういうものを身につけて着飾っていた時代は、私が生れる前か、生れてすぐか、ともかく私が物心ついてからは戦争でしたから、私も見たことがなかったんです。

「おばさま、やっぱりお育ちですわねえ。こんなに沢山お持ちの方って、私はほかに知りませんわ。このルビーは、無傷ですのね。まあ綺麗。鳩《はと》の血と同じ色が一番上等だって言われてますけど、これがその色ですわ。これと猫目石とお預りして参りますわ。お店の方でお値段が分ったら、すぐお知らせに上りますから」

そう言って、あの人、帰って行ったんです。テレビで言っていたのとは、まるきり違いますでしょう？

でも、二、三日してから、あの人、大金を束ねて持って来たんですよ。

「おばさま、あれは石が上等なんですけれどセットは古すぎて、あのままでは骨董品《こっとうひん》の値段になるんですって。ですから、これ、石だけのお値段なんですけど、いかがでしょうかしら」

母も私も、札束の厚さに驚きました。母は、結婚するとき持ってきた宝石でしたし、私は一度も指輪なんてはめたこともない頃でしたから、大金を前にして、値段を云々《うんぬん》することなど、とても出来ませんでした。それから毎晩スキ焼きを食べたの覚えてますわ。ええ、スキ焼きを。

「御先祖さまのおかげねえ」

って、母はしみじみ言ってました。

私の結婚相手がきまる頃、母の宝石箱は空っぽになっていました。お金が入るってことは喜びでしたから、鈴木さんが出入りし始めたのを、当時は私まで喜んでいたんです。

「あら雪子さん、御婚約。おめでとうございます。それじゃ、これを指輪にセットし直しましょう。やっぱりダイヤモンドの方が、およろしいでしょう。この翡翠《ひすい》のまわりのダイヤで、一文字と、こちらのエメラルドのペンダントのダイヤで結婚指輪を作って来て差上げますわ」

静かな声なんですけど、話上手なんですわね、たちまちのうちに残っていた二つの宝石を持って帰って、二週間くらいで、私の指輪は届きましたわ。でも、翡翠とエメラルドは返って来ませんの。

「雪子さんに、このセット代はささやかながら私のお祝いにさせて頂きますわね」

でも、それっきりですの。翡翠もエメラルドもそれきりですのよ。母はこだわってませんでしたけど、なんだか消えてしまったような気がしますわ。

でも、あれは、どうなんですの。あの方、ネグリジェで死んでいたんでしょう？　え、イヴニング・ドレスを着ていたんですの？　でも、あれ昼間の出来事でしたんでしょう？　それで、どうしてイヴニング・ドレスを着て、殺されていたのかしら。自殺って書いてた週刊誌もあったようですけどねえ。母が生きていましたら「まああ」と言ったと思いますわ。

でも詳しいことは主人と相談いたしましてから、お話しいたしますわ。ご免あそばせ。

その四　渡瀬義雄の話

富小路公子について、ですって？　そんな話は、もう勘弁して下さいよ。あんな死に方だか、殺され方だかしたものだから、週刊誌という週刊誌に襲撃されて、どの掲載誌を見ても、最初の夫、最初の夫と書きたてられて、僕はまだしも、家内も子供もすっかりノイローゼになっちゃいましたよ。

しかし、きちんと書いてくれたところは、驚くべきことに一社もなかったですね。こうなれば、破れかぶれですよ。本当のことを話しますから、正確に書いて下さい。いいですか。

彼女に会ったのは、昭和二十七年の秋でした。日本橋にある中華料理店でした。僕は学生で、家からの仕送りは十分あったんですが、アルバイトってものをしてみたくなって。僕も若くて、向う見ずで、女と見ればすぐ手が出るような年齢でした。温和《おとな》しそうな、もの静かな女だから、それに肌のきれいな色白の女でしたから、ちょっと手出しをしたんですよ。僕はその頃、アルバイトにその中華料理屋で働いていたんです。ラーメンという言葉は、まだあんまり今ほど普及していない時代でした。いや、そこはラーメン屋というより、もうちょっと手のこんだ料理も出してました。彼女はそこのレジをして働いていました。店がしまうと、どうしても帰る時間が一緒になりますから、若ければ当然という結果になりますよね。

そりゃ男ですから、僕の方から、僕のいるアパートに誘いました。どちらも酒は飲んでいなかったと思います。ええ、僕は、振られたら飲み屋に行こうと思ってたんですから。それが素直について来たものです。ちょっと信じられなかったですねえ、頭にはパーマもかけず、お下《さ》げを三つ編みにして、ブラウスに紺のスカートという質素な身なりでしたから、巷《ちまた》にまだ氾濫《はんらん》していたパンパンとは当然別種の女でした。

僕の部屋に入ると、僕はすぐ抱き寄せてキスをしました。彼女は抵抗しないで、もうそのときから僕の腕の中で溶けるみたいでしたよ。処女だった、と思うんですがね。こちらも赤線へ行く勇気がなくて、童貞でしたから、無我夢中でした。

結婚なんて言葉は、僕らの間では一度も出なかったと思います。僕自身そんなこと考えていなかったし、こう簡単に陥落する女なら、入籍しろなんて迫るとも思わなかったし。

僕の家は静岡の旧家なんです。ま、大した家ではありませんでしたが、親父《おやじ》も東京の大学を出てますから、そんなわけで僕も。最初は知りあいの下宿にいたんですが、田舎の方で親父の景気がよくなってきたんで、アパートに移りました。だから、大学卒業前の出来事です。

アパート生活も男一人より、女がいる方が何かと便利だなと同棲《どうせい》し始めた当座はそう思いました。最初の夜から一カ月ほどして、つまりその年の暮でした。彼女は自分の身のまわり品を持ちこんで居坐《いすわ》ってしまったんですが、その頃は僕も惚《ほ》れてましたから気にも止めていませんでした。昼間は大学へ行ってましたし、終ると中華料理屋で彼女がレジに坐ってるのを見ながらアルバイトしてるのは乙なものでした。店の主人も知らないんだと思うと痛快でね。

店の主人というのが、今じゃ中小企業の英雄《ヒーロー》ですよ。沢山《さわやま》って、お聞きになったことありませんか。身許《みもと》を洗えば何をやっていたか、怪しいものですが、ともかく当時で五、六軒の料理屋を経営してましたね。バイタリティのある赤ら顔の中年男で、滅多に店には来ませんでしたが、たまにやって来るとけたたましく料理人やウェイター、僕らアルバイトにまで活を入れるんです。

「この店はな、日本一うまいんだから、その気で作って、その気で配《はこ》ぶ。これが一番大事なんだぞ、え、分ったか」

日本一という名が泣くような三流の中華料理屋なんですが、沢山が現れると二、三日は店中に活気が溢《あふ》れるんですから大したものでしたよ。僕は、ほんの三カ月ぐらいのアルバイトのつもりでしたが、彼女がレジにいるものだから気になって、長びきました。それというのが、沢山の奴《やつ》が、露骨に彼女を大勢の前で口説くものですから。

こんな具合です。

「おい公子、男は出来たか。まだ出来ない？　そんな馬鹿《ばか》なことはねえだろう。なんなら俺が可愛《かわい》がってやろうか。若いときは二度ないぞ。婆《ばば》ァになってから後悔しても遅いぞ」

大っぴらに言っていても、冗談半分とは思えなかったから、僕は心穏やかではいられませんでした。僕の方は夜だけの勤務ですが、彼女は昼からやっているんですから。ひょっとして、ひょっとするかもしれないって気がしましてね。心配で、大学から直行しましたよ。

彼女は口数の少い女で、

「あんな男の毒牙《どくが》にかかったら大変だよ」

って僕が言うと、

「大丈夫よ」

って笑ってましたが。

しかし若気の至りの同棲というのは、どんなスリルがあっても飽きますよ。僕は大学を卒業して就職しましたが、友だちに中華そば屋のレジやってる女を女房だと言って紹介する気にはなれませんでした。

彼女のセックス？　露骨なことをお訊《き》きになりますね。淡泊でしたよ、ええ。田舎に帰っても、親や兄弟に女がいるとも言えませんしね。

それに彼女も何も要求しないし、日中から夜まで働いて、僕が就職しても、朝はちゃんと食事を作って送り出して、

「いってらっしゃいまし」

なんて言ってましてね、僕も色男を気取ってそれが当然と思ってました。

何しろ、僕が何を言っても従順でしたから、僕が飽きていらしてきても、喧嘩《けんか》の緒《いとぐち》が見つからないんです。

「あの中華料理屋は、やめろよ。僕はあの男が嫌いなんだ」

とは言っても、僕が喰わしてやるから働くのをやめろとまで言えなかったんです。結婚する気は毛頭なかったですから。

就職すると先輩たちが夜遊びを教えてくれます。女買って、酒飲んで帰っても、あの女は嫌な顔一つしないんですよ。だから、こちらも出て行けって怒鳴る口実がないんですよね。

「おい、いつまでここにいる気なんだ」

「どうしてそんなこと仰言《おっしゃ》るの。私はあなたの妻なのよ」

「結婚式あげてなくても妻なのか」

「だって、アパートの皆さんたち、私のこと奥さん、奥さんって仰言るわよ」

　これはもう逃げ出すしかないなって思いました。十人並みの器量ですし、抱くときは言いなりになるし、悪い女じゃないんですが、どうも女房にする気にはならなかったんです。その点、同じ情事でも商売女は金で解決がつくから楽ですな。後になってつくづく思いましたよ。

　入社して二年目、僕の家の方からも社の上司からも縁談が次々舞いこむようになりました。僕は彼女には何も言わず、自分の荷物を少しずつ片附《かたづ》け始め、代りのアパートを物色しだしたんです。それに彼女が気付いたんでしょう。

「ねえ、出来たらしいのよ」

　僕は仰天しました。手当ては充分してましたから、そんな筈《はず》はないんですが、それにここんとこずっと同じ部屋に寝てただけだったから、いよいよそんな筈はない。

「冗談言うなよ。僕の子じゃないだろうね」

「あなた、それは、ひどいわ」

「ともかく産むのは止《や》めてくれ。僕は責任が持てない。僕だって君だってまだ若いんだ。親になるには若すぎるよ」

「私、産みます」

静かな声でしたが、こわかったですねえ。どことい って難がないのに、結婚する気にはどうしてもなれなかったのは、こういう性格に僕がうすうす気がついていたからじゃないかって気がしました。

「君も、よく考えてごらん、生れて来る子供だって可哀《かわい》そうだよ。父親が反対してるんだ。籍も入っていないんだよ」

「私生児でしょ。捨て子より、ずっとましだわ」

「なんだって」

「私は、親から捨てられて、出入りの商人の家で育てられたの。私の子供には、そういう思いはさせたくないの。あなたに迷惑はかけません。だから産みます。私の力で育てます」

「子供を背負って中華料理屋でレジが出来ると思うのかい」

「まあ、あなたってやっぱり心が優しいのね。子供が可愛いのね」

「ええ?」

「だから、そんなこと考えつくのよ。きっといい子が生れるわ」

話が、どうも嚙《か》みあわないんですよね。

ともかく、子供を産む産まないで、やっと喧嘩らしい喧嘩が出来たんですから、僕は、

「勝手にしろ」

と怒鳴って、ある日、彼女がラーメン屋に勤務中の土曜日の午後、自分の荷物は運び出して、別のアパートに引越しました。

あなたに迷惑はかけませんと言った通り、彼女の方からは深追いしてきませんでした。やれやれと僕は胸を撫《な》でおろしたものです。新しいアパートの一人暮しには解放感があって、自分で下着を洗うのは面倒だけど、考えてみれば今まではアパートの中の空間は全部彼女で充満していたから、僕は息苦しくなっていたんだって分りました。

田舎の親には手紙を出して、仕事がもう少し落着くまで当分は独身で会社本位で生きたいと、幾分気負った手紙を書きまして、見合写真と一緒に送り返しました。親は安心したらしいです。

それからは懲《こ》りましたから、間違っても女は部屋に入れませんでしたよ。若くて一流の商社マン、独身とくれば、女にもてない方が不思議ってもんです。先輩にバアなんかに連れてってもらっても、連中に妬《ねた》まれるほどもてました。しかし、遊びだと割切って、一人の女に深入りすることはやりませんでした。遊ぶときも、女の方が大丈夫だといっても、必ず武装しましてね。仮にもせよ「子供が出来た」なんて、言われるのはご免ですからね。

彼女からは音沙汰《おとさた》がなかったし、嘘《うそ》ついて僕の気をひいただけかもしれないと思ってました。

ですから、彼女の方から、半年もたって、会社に電話がかかって来て、

「生れたのよ！　男の子なのよ！　あなたにそっくりだわ、見に来て頂だい！」

と言われたときは、目の前がまっ暗になりました。

どう答えたか、覚えていません。

とにかく病院の名前と、電話番号と、病室の番号をメモして、電話を切ったときは膝《ひざ》ががくがくして、しばらく立てませんでしたね。

しかし二年間同棲していたのは事実だし、別れたにせよ彼女の方は産んでしまったのだから、僕としては、そこでまた知らん顔は出来ないです。子供が生れたというのに、

退社時刻、僕は浮かれるどころか、屠所《としょ》に曳《ひ》かれる羊のような思いでした。

本当に、僕の子なのだろうか、という疑念がどうしても払えない。これはまあ、父親なら誰でも持つ本能的な不安ですけどね、しかしこの場合はその何層倍も不安でした。ラーメン屋の親爺《おやじ》の顔も頭に浮かびますし。しかし、行かないわけにもいかないし。自分でも躰中《からだじゅう》の血の気がひいていくのが分りましたよ。多分、病院についたときは、青い顔になってたんじゃないでしょうかね。

病室の番号は分りましたが、そこに掛っている名札を見て驚きました。渡瀬公子。僕の苗字《みょうじ》じゃないですか。参りましたねえ。が、勇気をふるって部屋に入りましたよ。

「義雄さん、やっぱり来て下さったのね。嬉《うれ》しいわ」

声は相変らずもの静かでしたが、彼女の着ているものや部屋に飾りたててある花束が尋常じゃないんです。あの頃はまだ珍しかったと思うんですが、薄物の、ナイロンの、ネグリジェって言うんですか、あれを着てるんですよ。髪は梳《す》きおろして、まとめてないんです。長い髪になってるなとまず思いました。誰も傍にいなかったから、僕は憮然《ぶぜん》として言いました。

「産むなとあれほど言ったのに、本当に産んだのか」

「だって、女なら誰でも子供がほしいわ。天のお恵みなのですもの」

「子供はどこにいるんだ」

「この病院は、別々にするのよ、新生児室で四十八時間ずっと見ていて下さるの。その間に母体が完全に回復するようにってわけでしょうね。いま看護婦さん呼びますから」

枕許のブザーを押すと、間もなく看護婦が来て、

「私の赤ちゃん連れてきて」

と言うと、すぐ抱いてきてくれました。足首に番号札みたいなのをぶら下げて、それに渡瀬と書いてるじゃないですか。

生れたての子供を、僕はただ不気味な思いで見守っていて、言葉もありませんでした。

「ね、可愛いでしょ。そっくりでしょ。眼と鼻の形が、あなたにそっくりでしょ。陣痛の苦しみなんて、この子を見た途端に吹飛んでしまったわ。今は神様に感謝の気持しか

ないわ」

僕は、看護婦の前で、言うべき言葉がなかった。看護婦は、

「ほら、ほら、パパですよ」

などと言うのですが、様子が変なのに気がついたのでしょう。すぐ子供は新生児室の方に抱いて行ってしまいました。

「どうする気なんだ。僕は責任は持たないと言った筈だよ」

「ええ、分ってますわ。私が、私一人の責任で産んだんですから、あなたには御迷惑はかけませんことよ。でも生れた以上、父親に顔を見といてもらいたかったの」

「名札がみんな僕の苗字になっているね」

「産気づいたとき、アパートの人たちが大騒ぎして担《かつ》ぎこんでくれたから、私の知らないうちにそうなってしまったのよ。みんな私があなたに捨てられたの可哀そうに思ってるんじゃないかしら」

「はっきり言っとくが、僕は迷惑だ」

僕は人間的に自分のやっていることが卑劣だと思わないではなかったのですが、それでもこの女をおぞましく感じ、別れたくなった理由は、この女のこういうしたたかさを感じたからだったのだ、負けてはいられないという気でいました。彼女がその後も棲《す》んでたというアパートは、いわば敷金は僕が払って、それは置きっ放しにしたんですから

ね。それが手切金じゃないですか。

「僕は、さっきの子供を僕の子とは思わない。いや、思いたくない」

彼女は僕をまじまじと黙って見ていました。大粒の涙がぽろぽろと頰にこぼれ落ちたとき、僕は非人道的なことをやっているのかなと又しても思ったんですが、こんな女に巻きこまれて心にもない結婚生活を一生続けるなんてまっ平だと拳《こぶし》を握りしめて言いました。

「言っとくが、認知なんか、しないよ」

彼女はガーゼのハンカチで涙をゆっくり拭《ふ》き取り、黙って僕を見ていました。僕も黙ってました。

「分りました。あなたがどういう方か、よく分りました」

「じゃ、帰るよ」

「ええ、いいことよ。お達者で」

少し残酷なことをした、入院料ぐらいは負担すべきじゃなかったかと、それから一年も思い出す度に胸がチクチクする感じだったんですが、彼女の方からは、二度と会社に電話がかかって来ることはなかったんです。

しかし、俄《にわ》かに、これがお前の子だと新生児を見せつけられたショックは大きかったですね。しばらくは酒を飲んでも酔えないし、浮気する気も起らない。万一ほんとうに僕の子だったとしたら、僕はとんでもなく悪いことをしたんだという自責の念で苦しみました。夜は、夢を見てうなされるし、街で赤ン坊を見ると足がすくむし。たまらなかったですね。

僕の田舎は静岡県の小さな町なんですが、連休なんかでたまに帰ると、親も親類も、

「どうだ、もうそろそろ身をかためたら」

と、異口同音に言うんです。

僕は躰が震えました。あの女が、子供を抱いて新婚家庭に現れたら、どうしようと、条件反射のように思うんですよ。

「いやあ、仕事に慣れて、社会人としての自信を持ってからでなくては。まだまだです。結婚というのも大事なことですからね」

僕の言い方には多分説得力があったんだと思いますよ。

僕が結婚することになったのは、それから五年もたってからでした。僕は三十歳近くなってました。田舎で親の方で気に入っていた遠い親類ですが血の繫《つな》ってない相手でした。形ばかりの見合をしましたが、子供の頃から知っていて、親も係累《けいるい》も分っているし、気心も知れているし、僕自身、前のショックから立直っていたし、仕事はやり甲斐《がい》のある時期で、イエスと返事してから仲人《なこうど》も何もかも親まかせで、ええ、田舎へ帰って神前結婚でした。東京で派手にやりたいと親父《おやじ》は言ったんですが、会社の上役の誰を呼ぶ彼

を呼ばないなんてことで後で悶着を起すのが嫌だったし、ええ、そういう例がよくあっ たものですから、きっちりプライバシーは会社と別にして、友人というのも中学、高校時代の親しいのだけ招いて、さっぱりした披露《ひろう》にしました。今から思うと、東京で式や披露をしなかっただけ、僕は運がよかったと思ってるんです。

新婚旅行は志摩半島へ行きました。ささやかなものだったんですが、着いた翌日、電報が届きました。

スグカエレ」チチ

何が起ったのか、そのときは分りませんでした。二泊三日の予定が、一泊しただけで静岡へ帰ったんです。

なんだったと思いますか。僕は六年も前に結婚してたんですよ、鈴木君子という女と。あの子供が生れる一年前に、婚姻届が出ていたんです。しかも、子供がですよ、二人も生れているんです。渡瀬義彦《よしひこ》。渡瀬義輝《よしてる》。

結婚なんていう人生の大事が、三文判の婚姻届で法的に成立するってこと、あなたはどう思われますか。

僕が就職するについては、戸籍抄本を何枚も取り寄せましたからね。彼女は本籍をそのとき見ていたんでしょう。新憲法では、結婚すると親の籍から離れますからね。僕の本籍は麻布《あざぶ》にあった元のアパート、あの住所に変ってしまっていたのです。世帯主が僕で、妻が君子で、子供が二人。公子という字を書いていたが、戸籍ではありきたりの鈴木君子という姓名だったことも、そのとき分りました。

ああ、話すのがつらくなりました。

あとは母にでも聞いて下さい。母はもっとひどい目にあってますから。女房には内緒で呼び出して下さい。ああ、僕が言っときます。

女房ですか？　そのとき結婚式をあげた相手ですよ。彼女もいきなり災難にまきこまれて逆上しました。今も女房には、彼女の問題は鬼門なんです。母にだけ、訊《き》いて下さい。お願いします。

その五　渡瀬小静の話

富小路公子さんについて——よろしゅうございます。息子に言われておりました。今になって思い出しても目まいがするような出来事ですけれど、本当に誰方《どなた》かに真相をきちんと書いて頂きたいと思っておりました。

それにしても東京というのは、こわいところでございますね。あのことが原因で、私は田舎にいたたまれず、主人がなくなってからは息子を頼って、嫁に気がねして小さくなりながら一緒に暮しているんですけれども。

息子は、親馬鹿《ばか》を言うようですが、小学校も中学も、それはいい成績だったんでございますよ。東京へ行って大学に入るのは主人も私も当然だと思ってましたし、おかげさまで一流会社に就職もしましたし、

「あとはお嫁さんだけね」

って、言い言いしてましたら、義雄が当分は仕事本位で頑張ると申しますでしょう。あんな悪い女にひっかかってるとは夢にも思いませんですから、なんて頼もしいことを

言う子だろうと惚《ほ》れぼれしていたんでございます、はい。

でも、まあ、男にだって適齢期はございますですよね。それに、あの子の下に弟と、妹がおりますから、長男から順に結婚してもらわないと、下がつかえて困りますから、なかなか煮えきらない義雄に、五つ年下になりますけれど、私の里の方の親類で、あの子も見覚えのある娘をもらう下話が進みましたので、私が写真を持って東京に行きまして、はい、部屋に女っ気のないのを確かめがてらです。

義雄も頃あいと思っていたらしくすらすら事が運んで、式もあげ、披露《ひろう》も田舎ですけど長男ですから、田舎は田舎なりに親類の数が多くて大変なんですよ、あなた。義雄は簡単でいいよと申しましたが、そうは参りませんわね。でも、皆さん喜んで下さって、いい縁組だ、似合の夫婦が出来たと言って下さる方々があって、私も親の勤めは一つ果たしたと思ったんでございます。

新婚旅行に出かけたのを見送ってから、妙に淋しくなったとき、ああ、これが息子を嫁に取られたという思いなんだ、嫌われる姑《しゅうとめ》にはならないようにしようと、主人に申しましたんです。

「義雄は仕事々々と言って、何もかも親まかせでしたねえ。この分では、入籍手続なんかも、ほっておくと随分先になるかもしれませんよ。旅行から帰ったら、すぐ届けが出来るように戸籍謄本《とうほん》を取っておきましょうよ、お父さん」

「そうだなあ。義次の就職試験もあることだし、ほんじゃま、一緒に取って来っか」

でも主人は祝い酒でかなり酔ってましたから、調子のいいこと言っているけど血圧が高いのが心配で、結局私が翌日一人で出かけたんです。

役場で戸籍謄本を貰って、義雄の名前が大きく線で罰点みたいになっているでしょう。何かの間違いかと思って、

「あの、これ、どうしたんですか。この線ひいてるの、縁起悪いですね。生きてるんですよ、この子は」

嫌な気がしたから、そう言ったんですけど、役場の戸籍係が、

「戦後は戸籍法が改正されたんでね、長男でも結婚すると戸籍が別になるんですよ」

と言いきかすように言うんです。

「それは知ってます。だから書類を整えて結婚の届けを準備しようと思ったんですよ」

「婚姻届はですね、現住所を管轄《かんかつ》する役所へ届け出ればいいんですよ」

「でも、昨日結婚したのは、この息子なんですよ」

「渡瀬義雄さんがですか」

「そうです」

「それは変ですね。義雄さんは鈴木君子さんと婚姻届が出て、除籍になってますよ。ほら、ここに書いてあるでしょう」

小さい字で書いてあるのを読んでから、私はもう息が止まるほど驚きました。

「い、いったい、こ、この、鈴木君子って誰のことですか？」

戸籍係の人は気の毒そうな顔をして私を見てました。

「さあ、僕は知りませんが。とにかく婚姻届は昭和二十八年に出て受理されてますからねえ。こちらの渡瀬とは別の戸籍が作られてるんですよ。もしこの渡瀬義雄という人が昨日結婚したとしたら、重婚になりますよ。ま、離婚してれば別ですが」

私は耳鳴りがするようでした。

戸籍謄本をもらって、すぐ主人の会社へ行きました。ええ、養殖鰻《ようしょくうなぎ》の餌《えさ》を扱っている会社なんです。主人の家はずっと昔からその仕事だものですから、その頃はもちろん社長でした。私は社長室に、まっ直《す》ぐ入って行ったんです。

「どうしたんだ、お前」

「お父さん、お、驚かないで、こ、これを見て下さい」

「何を取乱しているんだ。なんだ、戸籍謄本じゃないか」

「義雄が、け、結婚してたんですよ」

「え？」

主人は老眼鏡を外して、細かい字を読みました。

「昭和二十八年といえば、大学を卒業した年じゃないか」

「入社早々ですよ、日附けは」

「義雄に電報打ちなさい。スグ　カエレ」チチと」

「あんた」

「当人に訊《き》かなければ、どうにもならんだろう。ああ、いい、秘書にやらせる。その方が早い。早いほどいい」

それから主人は懇意にしている弁護士さんのところへ出かけました。

その夜晩《おそ》く帰ってきた義雄を迎えて、戸籍謄本を見せたら、主人より仰天しました。

「やっぱり親に言わずに結婚してたのか」

「違います、違います、まさかこんなことをあの女がするとは思わなかったんです」

「あの女と言ったな。鈴木君子というのは何者だ。商売女か」

「いや、そうじゃありませんが」

「どういう女か言ってみろ、言えないのか」

私は、はらはらしました。主人の血圧も心配ですが、義雄と一緒に恥しそうな顔をして帰って来た嫁には聞かせるわけにはいきません。

「お父さん、大きな声は出さないで下さいよ」

と、私は何度も何度も言いました。

義雄は私たちに正直なところを言ったと思います。同棲《どうせい》したことがある。子供が出来たと言われて逃げた。しかし自分の子供である筈《はず》がないと今でも思っている。絶対自分は結婚していない。婚姻届など出した覚えはない、と言いました。

「そうか、弁護士に聞いたら婚姻無効の訴訟を起せば問題はないと言っていたが、子供があるとなるともっと厄介かもしれないな」

「だけど血液検査って方法があるでしょう。ともかく僕は、明日一番で東京へ行って、この女に会って来ます」

「弁護士さんはすぐ新戸籍の謄本をとってきますと言ってくれたが、しかし義雄、ひどい女とかかわりあってたものだな」

私は主人が逆上して怒鳴りつけるかと心配で、そうなったら血圧も心配だし、嫁にも聞こえてしまうしで傍《そば》にはりついていたんですが、案外主人は怒るよりも気の毒がっているような口調でした。男というのは、こういうときは同情しあうものなんでしょうか。

翌日、義雄は会社の急用で出張することになったと嫁にも、嫁の里にも言って、とりあえず嫁は私の家で暮すことにしました。近所の人々も呼んで賑《にぎ》やかに披露したのですから、そうとでも言うより、どうしようもありません。

それから四日もたちましたかしら、嫁が、

「お母さん、お客さまですよ」

と申しますので、玄関へ出てみたら、うちの娘ぐらいの若い女が、上品な感じで立っ

てまして、

「義雄さんのお母さまでいらっしゃいますでしょうか」

「はい、そうですが」

「初めてお目にかかります。私、君子でございます」

「えッ、なんですって？」

「渡瀬義雄の妻でございます。お母さま、どんなにお目にかかりたいと思っておりましたことでしょう。義雄さんが、今に連れてってあげるよって仰言《おっしゃ》るもので、何か御事情がおありなのかと思って、お訪ね出来ずにおりました」

もの静かな声でしてね、こんな品のいい女を好きになったなら、なぜすぐ連れてきて見せなかったのかと、半分はぞっとしながらもそう思ったんですが、後で、ガチャンと茶碗《ちゃわん》が落ちた音がして我に返りました。嫁が、お客さまにとお茶を運んできて、今の話を聞いてしまったんです。

「ちょっと待って下さい。あなたとのことで、義雄は東京へ行った筈ですが」

「はい、お話はうかがいました。それで私、お母さまにお目にかかりに参ったのでございます。私に到らないところがあって、義雄さんがお気に召さないというのは分りますけれども、それではあんまり二人の子供が可哀《かわい》そうじゃございませんでしょうか」

「なんですって、二人の子供？」

「はい。お母さまも、母親として、私の気持はお察し頂けますでしょう？　お母さまが私のような目にお会いになったら、どうなさいます？」

「だけど義雄は、あなたと同棲しただけで、結婚していないし、子供も自分の子ではないとはっきり言ったと申してました」

「私、義雄さんが嘘《うそ》を仰言ったなどと思いたくございませんわ。でも、私たち結婚しましたし、子供も二人いるのは事実なのですもの」

「私はついこないだ義雄のアパートに行きましたけど、あなたも子供の影も見えませんでしたよ。義雄は、あなたに五年も会ってないと言ってましたよ」

「私は、耐えていればいいと思っていました。子供が二人もいるのですから、いつかは義雄さんが私たちのところへ戻ってくれるだろうと、それだけ考えて、ただ耐えていればいいと思っておりましたんです。二人とも、どちらも男の子で義雄さんに、瓜《うり》二つなんですの」

誰かが家の外へ駈《か》け出して行くのが分りました。嫁が飛出したのだ、と咄嗟《とっさ》に思いまして、私が後を追いました。

「芳子さん、芳子さん」

涙でぐしゃぐしゃになった嫁の顔が振り向きました。

「私、私、騙《だま》されていたんですね。変だ、変だと思ってたけど、ひどいわ。あんまりひどいッ」

叫ぶと私には追いつけない早さで走って行ってしまったんです。

私も泣き出したくなりました。嫁はヒステリックに大声で喚いたんですが、それにひきかえると気持が悪くなるほど東京から来た女は落着いた声なんです。

「あのねえ、君子さんとか仰言いましたね。あなたも気を悪くなすったかしれないけど、私たちは何も知らなくて、今飛出して行った嫁と義雄は、一週間ばかり前、大安吉日に神様の前で結婚式をあげたんですよ」

「うかがいました。お気の毒ですわね、あの方も」

静かな静かな物言いをしながら、ほろほろと涙をこぼすのを見ていると、家の息子の方がとんでもない悪い男だったんじゃないかって、それが心配になってきました。

「だけど、義雄は、結婚してないと言ってましたよ。あなたが勝手に婚姻届を出したのだと」

「まああ。そんな、ひどいことをするような女に見えまして、私。二人で揃《そろ》って港区役所に婚姻届を出しましたし、二人の子供の出生届も義雄さんが出して下さったのですわ」

「とにかく主人が帰って来るまで待って下さい」

「はい。待つことには、もう馴《な》れました。いつまででもお待ちいたします」

言い方が切り口上じゃないんですよ。ひそやかに言うものですから、私も切なくなってしまって、だけど子供が二人って、すると私にはもうずっと前から孫がいたのかって、愕然《がくぜん》としちゃいますよね。田舎のことですから、応接間なんて洒落《しゃれ》たものはありませんが、ともかく家にあげて、主人の帰るのを待ちましたが、今度は私の方が落着かなくなりましたよ。嫁が何処《どこ》へ行って、何を喋《しゃべ》りたてているか分ったもんじゃないと心配で。小さな町中ですからね。噂《うわさ》はすぐに拡《ひろ》がりますし、この後本当に大騒動になってしまったんです。

主人は帰って来ると、じっと女の挨拶《あいさつ》を受けてから、

「義雄を信じるか、あんたを信用するか、そのどちらかだと思いますがね。何分にも、こちらは媒酌人をたて、神前で結婚式をあげ、披露もしてしまったので、こちらも世間の手前、義雄が結婚していたとは言えません。そこは親として苦しいところだが、分ってくれませんか」

「それは、何も御存知なかったのでしたら、仕方がございませんけれど、でも、どうして義雄さんは、別の方と結婚なすったんでしょう。私は信じられません。私が気に入らないならそれなりに、私を捨てたとしても、それは私が到らなかったと思いますけれど、子供に罪はございませんでしょう？　私も子供たちに、こんな話は出来ませんわ。本当に可愛《かわい》い盛りでございますもの。いつかは義雄さんが思い直して下さるかと、私、生活

費も頂いたことありませんし、自分で働いて、今日まで一生懸命そだてて参りました」

「しかし、そんな子供がいたのなら、どうして義雄は親に何も言わなかったのか、まったく分らない。とにかく義雄とあなたの問題は弁護士をたてて解決しましょう」

「まあ、いま、なんて仰言いまして？　弁護士さんに何をおさせになりますの？」

「ともかく義雄は、あなたと結婚する意志は持ってなかった。しかし同棲したことは認めている。就職してから、あなたとの仲を清算しようと思い出した頃、婚姻届が出されていたのだから、これはもう法律の専門家に任せるより仕方がないでしょう」

「さようでございますか。それでしたら、私は、渡瀬家の嫁として受入れて頂けないのでございますね」

「いや、なにしろ義雄は別の人と結婚したばかりですからね」

「二人の子供を連れて来れば、お父さまのお気持もお変りになったかと思うのですけれど、私がもし子供の前で取乱してはいけないと、今日はひとまず御遠慮いたしましたんですの。でも、弁護士さんが本当に法律の専門家だとしたら、法律はきっと二人の子供は守ってくれますでしょう。だって神様のお恵みと思うよりないような、心のきれいな子供たちなんでございますよ。義彦は今年幼稚園に入りましたし、義輝はもう言葉が大分話せるようになっています。二人の顔をご覧下さったら、きっとお父さまのお考えもお変りになると思いますの」

しみじみとして言うものですから、私なんか心はおろおろしながらも涙ぐんでしまっていました。主人も、相当心を動かされていたんだそうです。あの人が、鰐皮《わにがわ》のハンドバッグを開けて、なんですか小さな銀色の丸いものを取出したとき、私は変った時計か何かだと思ったんですけれど、そこから白い錠剤を取出して口に含んで、なにげない顔でお茶で飲み下してしまったのです。

「私は、子供さえ認めて頂けたら、よろしいんですの。そういう運命だったのだと自分のことは諦《あきら》めてしまえばよろしいんですの。義雄さんが、別の方と結婚をなさったなんて、私にも思いがけない出来事で、一昨日から何も喉《のど》を通りませんし、眠ることも出来ませんでしたの」

それから、黙ってしまって、主人も言いようがないし、私も黙っていて、義雄はまあ、なんて罪なことをしでかしていたのかと溜息《ためいき》しかありませんでしたよ。あの人が、急に前にのめって倒れたとき、私もびっくりしましたが、主人はやはり男ですね、咄嗟に気がついたらしくて、

「おいッ、お前さっき飲んだのは何だ？」

と、抱き起して訊いたんです。

「ここで、死なせて、頂く、つもり、です」

義雄の弟が運よく帰って来たところでした。

「おいッ、救急車を呼べ。とにかく、すぐ一一九番で呼ぶんだ」

救急車が着く頃は、嫁の実家からも、媒酌人のとこからも、人が集って来てましたから大変です。それでなくても、田舎の小さな町中で、救急車を呼んだとなれば新聞社じゃなくても、大事件なんですから。だってそうでしょう、一週間ばかり前に結婚式をした家に、女が飛びこんで来て毒を飲んだでは、もう噂は押さえようがありませんよ。

救急病院で胃洗滌《いせんじょう》をして、飲んだのは致死量の睡眠薬だったんだそうです。三日ばかり意識不明でしたが、助かりました。その間というもの私は生きた空がありませんでしたね。東京から義雄は戻って来て、子供は自分の子じゃないと言いはるし、仲人《なこうど》さんにも嫁の実家からも非難攻撃の的になりますし、その上、もし人がひとり死ぬとしたら、たまったものじゃありませんもの。

でも弁護士さんは、事のあらましを聞いただけで、

「たちの悪いのにひっかかったもんだ。災難と思うしかないでしょうな。婚姻届出があって子供が二人いて、六年もたっているのを、知らなかったでは通りにくいですよ。血液型は長男がAB型で次男がB型だと言っていたそうですよ。義雄君がB型で、女がAB型ですから、争えないです。訴訟で時間かけても男の方が不利ですから、金で解決するよりないでしょうな」

と、すぐ言いました。

「でも、死ぬような人が、お金で得心するものでしょうか」

「なに、狂言ですよ。本当に死ぬ気なら、誰もいないところで薬を飲むものです。こちらに迷惑をかけるのが目的なんだから、情にほだされないように、もう会わないようになさった方がいいでしょう」

「しかし、むこうが勝手に籍を入れていたのなら、こちらも勝手に籍を抜いて、こちらで正式の婚姻届を出したらどうですか」

「そんなことをしたら向うの思う壺《つぼ》ですよ」

「どうして」

「重婚罪が成立してしまいます。刑事訴訟を起されたら、義雄君は、いきなり逮捕されますよ」

お父さんも、私も、血が凍りました。それで、正式に弁護士さんにおまかせしたのです。ところが、どうでしょう、あの女の方でも、弁護士を用意していたのです。まるで待ちかまえていたように。うちの弁護士さんは青くなって報告してきました。なんでも有名な悪徳弁護士だということでした。結婚式をあげた事実は隠しようがありません。が、法的な手続きさえ踏んでなければ、犯罪にはならないのだそうです。披露もした後でしょう? なんとか穏便にと押さえてしまうしか手がないというじゃありませんか。訴訟事件として扱わず、しかも正式に離婚してもらうには、どういう方法があるのか

――こちらの弁護士と、あちらの弁護士と、専門家同士の話しあいで、家庭裁判所などに持ちこまずに協議離婚の届出をするためには、慰藉料《いしやりよう》を払う他《ほか》にないという結論が出ました。お金を寄越せと言ってきたんですよ。私は、信じられませんでしたよ。ただ耐えて待っていたと、苦しそうに声を押さえて言っていた人が、目の前で毒を飲む前に、もう東京の方で弁護士の用意をしていたなんて。こちらが弁護士を立てると言ったら「まああ」と言って驚いた人がですよ。

手切れ金は、もう気絶しそうなくらい多額な金額で、お父さんはあれで命が縮んだんだと思います。昭和三十四年で五千万円と言って来たんですから。

「また家に来て毒を飲まれるのは、かなわんからな」

と、お父さんも弱気になりましてね、とにかく弱味につけこまれたんですから値切りようもないんです。一刻も早く、嫁を正式に入籍させなければならないという焦りもありましたしねえ。金で片附《かたづ》くならどんな無理でも言いなりになる方がいいと思ったのでしょう。でも、大金でしたよ、もちろん。弁護士は、婚姻無効の訴訟を起すなら、何度でも当人が私たちに会いに行くと言っていると言うのです。しかも、こういう訴訟事件は決着がつくまで何十年もかかるものだというのですからねえ。

ですからね、あの人がテレビに出て、

「お金は、人を信じていれば、いつでも必要なだけ寄って来るものですわ」

などと気楽なこと言ってるのを見る度に、私は頭に血がのぼりましたよ。あの人、殺されたんでしょう？　義雄だって、殺人が犯罪じゃなかったら殺してやりたいと言ってましたもの。でも誤解しないで下さい。義雄が殺したわけじゃないんですからね。五千万円で協議離婚の届出をして、もう関係は一切ないことになって、天下晴れて平和な家庭を築き直していますもの。もう、あの人に巻きこまれたくありません。

それなのに、妙な死に方をしたものだから、週刊誌という週刊誌が、「最初の夫」と言って義雄を追いかけまわしてねえ、迷惑でしたよ。それに、あちらにも、こちらにも子供がいるわけですからね。義雄に万一のことがあると、あちらの子供が財産を狙《ねら》いますでしょ。

家業は次男に嗣《つ》がせることにしてあったので、本当にそれだけは運がいいのです。養《よう》殖《しょく》鰻《うなぎ》は戦後大当りして、文字通り鰻のぼりに店は栄えました。義雄は長男ですが、東京でサラリーマンで窮屈に暮してます。五千万円も無駄に使ったんだから仕方がないと自分で言ってますよ。

でもね、五千万円を手に摑《つか》んだとき、あの人は二十二歳か二十三だったんですからね。それからはどんな大胆なことでも出来たでしょうよ。あの頃の五千万円は、今の何億になりますかしら。

とにかく世間は狭いと思いましたのは、それから間もなくです。同じ静岡県で、土地を売りに出した主人のお友だちから、鈴木君子を知ってるかと問いあわせが来たんです。そりゃ土地を買えるぐらいのお金は渡してましたから、支払い能力はあるだろうと主人は返事しましたって。そしたら手付金払っただけで何年も何年も全額はらわなくて、会えばのらくら言うばかりで、そのうちに立派なホテルが建ってしまったんです。ええ、伊豆《いず》の、あの大きなホテルです。手付金だけで寝かせておいて、土地の値上りを待って転売したんでしょう？　そういうことを、あちこちでしていたんじゃありませんか？

その六　里野夫人の話

富小路公子さんについて——ええ、よく知ってますよ。随分前のことですけど私は同じアパートに住んでましたし、公子さんとは特に気が合って仲良くしてました。渡瀬さんって人と、その頃は結婚していたんです。ええ、ちゃんとした結婚ですよ。あの人は、結婚したと言って、アパート中の家々に挨拶《あいさつ》に来たんですもの。銀の灰皿を配ったんですよ。かなり高価なものだったみたいですよ。私のところへ挨拶に見えたとき、

「渡瀬の家内でございます。主人の実家の方で結婚披露《ひろう》をいたしましたので、御挨拶が遅れましたけれども、どうぞよろしくお願い致します」

「あら、まあ、渡瀬さん結婚したの？　私たちには独身主義だなんて言っていたのよ」

「まああ。そのせいですのね、ちっとも紹介してくれませんの。でも主人の家の方で、きちんと御挨拶するようにと私が言われておりますから」

なかなか身綺麗《みぎれい》な人でしたし、言葉使いも蓮っ葉《はすっぱ》なところがないし、感じがよくて、

私はこの人となら安心だとすぐ思いました。アパート暮しというのは結構もめごとなんか多いんですよね。でも公子さんのところは共稼《ともかせ》ぎでしたから、日中は顔を合わせることがないし、夜は二人で晩《おそ》く一緒に帰って来るし、渡瀬さんと腕を組んで映画見に行ったりしてたんでしょう、本当に仲の良い御夫婦だったんです。

私のところは、結婚するとすぐ子供を作ったものですから、子供の世話と三度の食事で忙しいし、主人一人の月給で三人が食べてるものだから、渡瀬さんたちの優雅な暮し方がそりゃ羨《うらや》ましかったものです。お揃《そろ》いのセーターなんか着たりして、それも公子さんの手編みなんです。指先が器用なんですね。洋服なんか、全部自分で縫ってたんですよ。ミシンもないのに、それは素敵なドレスを次から次に作って着ているものですから、何をして働いているんだろうって、当然アパートの女たちは話題にしますわね。

「レストランのレジをやってるのよ」

公子さんもそう言ってましたし、渡瀬さんも同じこと言ってましたから、本当でしょ。女って疑い深くって、夫婦それぞれから同じことを聞かない限り信用しないものなんです。そうそう、渡瀬さんはこんなことを言ってました。

「レストランと呼べるほどのものじゃないですけどね、ええ、レジをやってます」

レジというのが分らなくて、公子さんの働いてるお店まで出かけて行った人がいました。アパートの住人って、そういうところがあって煩《わずらわ》しいんですよ。口で言ってることと、まるで違うことをしている人が、あの頃は多かったですからね。だって闇屋《やみ》が大威張りで世の中を歩いている時代でしたから、同じアパートにいてもうさん臭そうな仕事持っている人たちがいましたものね。東京はもうそんな時代から住宅難で、私たちは結婚するとすぐ子供が出来てしまったのでアパートを探すの一苦労でした。運よく一間あいているのに飛込んだんです。木造バラック建てで、今はあの辺はずっと鉄筋の高層マンションばかり、昔の面影はもうありませんけど。

私は公子さんのこと信用してるし、いい人だと今でも思っているのは、あの人が私の娘をそれはそれは可愛《かわい》がってくれたからです。朝は私の方と違って渡瀬さんのところはゆっくりなので、娘は起きるとすぐ公子さんの部屋のドアをトントン叩《たた》くんです。公子さんのところも六畳一間きりなんですけど、どんな朝でも快く迎えて下さったんですよ。朝食なんか、渡瀬さんのところで三人で食べたりして、あの頃、百合子《ゆりこ》は半分は渡瀬さんのところで育ててもらったようなものですわ。その百合子が、もう大学を卒業してるんですからねえ。随分昔のことになりますねえ。

私の主人は、

「渡瀬君はまだ学生だろ。結婚は早すぎるよ。それにあの奥さんというのは、未成年じゃないのか？　よく親が結婚させたものだな」

と批判的でしたけど、

「でも、同棲《どうせい》なんてずるずるだらしのないことしてるよりいいじゃないの。渡瀬さんのお家は静岡の大金持ですってよ」

「僕のところが金持じゃなくて、悪かったね」

どこの家でもそうなんでしょうか。私の主人はよその家のこと、ちょっとでも褒めようものなら、すぐ捻《ね》じ曲《まが》って来るんですよ。

「ねえ、公子さんって子供が好きよ。百合子をそりゃ可愛がってくれるの。毎朝遊びに行くでしょ、帰って来ると、いつでも髪型が変っているの。アップだったり、リボンで飾って下さっていたり、手先が器用なのね。それに百合子のこと、眼が綺麗だって褒めてくれるのよ」

「眼だけは僕に似たんだ。他はみんな君に似ているから褒めようがないのさ」

「まあ、そんなこと言うもんじゃないわよ。公子さんを見習ったらいいわ。私もあなたが言ったのと同じことを言ったのよ、この子は眼だけが取り柄ですからって。そしたら公子さん、何と言ったと思う。私は美しいものしか見えないの。美しいものが一つあれば、すべて美しく見えてしまうの。それで失敗することがあるときもあるけど、でも醜いものばかり見えるよりずっと幸せでしょうって」

「気障《きざ》だね」

「そんなことないわよ。あの人、生れがいいから、そういう高貴な性格が備ってしまったんだと思うわ」

「生れがいい？」

「なんだか義理のお母さんがあるみたいなのよ。何か事情があって、生れるとすぐ引取られたんだって。言えるときが来たら申しますわね、私の本当の父と母のことはって、言ってたわよ。有名な人の子供みたいよ」

「華族の家で道楽息子が小間遣いにでも妊《はら》ませたっていうんだろう。三文小説みたいだね。戦争が終って、民主主義なんだぜ、日本は。親の氏素姓なんか、あんな若い頃から仄《ほの》めかすなんて、とんだアナクロニズムだ」

きっと主人は、渡瀬さんが、学生時代から、あんな綺麗な若いお嫁さんを持っていることに反感を持っていたんだと思います。でも私が見る限り、渡瀬さんのところは夢のようなカップルでした。渡瀬義雄さんと言ったと思いますけど、なかなかハンサムな青年で、この人もお家がいいのかお行儀がよくて、朝会えば「お早うございます」夜晩いと「お休みなさい」って、きちんと言いましたし。

私のところは子供がいるせいもあって、いつでも散らかしっぱなしでしたけど、渡瀬さんとこのお部屋は整理整頓《せいりせいとん》がきちんとしていて、紙で造った花があっちこっちに飾ってあって、少女趣味でしたけど綺麗でしたよ。そうそう、結婚挨拶の配りものにも、紅白の水引きの下に小さな折鶴《おりづる》が一つ一つ挟《はさ》んでありました。そういうことには、本当に手まめで、小綺麗なことをよくする人でした。

私が、褒めると、

「まあ。でも私って、美しいものが何によらず好きなんですの。義雄さんは嫌がるんですけどね」

なんて言ってました。

指輪が、とてもよく似合って、それが毎日のように違うんですよ。

「公子さん、あなたいったい幾つ指輪を持ってるの？」

って、思わず訊《き》いたことがあるくらい。そしたら、こう言ってましたよ。

「本当の母から、今の母が預っていたのを、私も結婚したのだからといって、ぼちぼち出してくれるんです。主人の方から頂いた指輪は、なるべく大事にして、はめないようにしてるんです。万一、ちょっと外して手を洗ったりして忘れでもしたら、大変でしょう？」

戦後の食べるものも不自由な頃でしたからねえ、宝石なんて、私なんか考えることも出来なかった。だから私、公子さんの生れは相当いいお家に違いないと思いましたよ。だって私の親なんか、指輪一つ持ってませんでしたもの。だから、私も結婚式に指輪ももらわなかったし、主人の家の方でもそんなこと考えたこともなかったようですし。だけど、渡瀬さんの気持は今でも分らないわ。あんな理想的な奥さんを、あの人は捨てたんですものね。それも公子さんが、お腹《なか》が大きくなってからですよ。なんだか渡瀬さんが就職して社会に出たのがきっかけになったみたい。だって、毎晩のように渡瀬さんは帰らなかったし、そのうちに自分の荷物だけまとめて出て行ってしまったんですから。

あのときはアパート中の女という女が憤慨しましたよ。他のことならともかく、妊娠中の女を置いて出て行くなんて、夫としては最低でしょう。

「やっぱり早すぎたんだよ。若げのあやまちだったんだよ」

って、私の主人は、当然だという顔だったから、私は喰ってかかって、

「じゃ、あなたも学生の頃、似たようなことしてたんですか。若げのあやまちといったって、子供の責任はどうとるんです」

って、大喧嘩《おおげんか》になったの覚えています。

妊娠と出産については、私の方が経験者だったから、いろいろ忠告しましたし、食べられるだけ食べて栄養をつけた方がいいと思って夜食なんか作ってあげました。あの人は、大きなお腹になっても働いてましたよ。

「渡瀬さんは、どうしてるの」

「それが、どこへ行ったか分らないの」

「会社には行ってるでしょう？」

「ええ。でも、会社に電話かけると、とても嫌がるし、悪いでしょう。私も少し苦しんだけど、お腹で子供が動き出したら、義雄さんが帰って来ないのも、それほど苦になくなりました。いずれ思い直してくれるでしょうし、子は鎹《かすがい》だって、主人の方の母も言って慰めてくれますから」

若いのに、しっかりしているなあと思って、私たち感心しちゃったんですよ。アパート中の女が公子さんに同情して、おむつの用意や、うちの子の使い古しだけどおむつカバーなんかも用意してたんです。訊いてみると産婦人科にも行ってないし、私たちで母子手帳やら、陣痛が始まったら連れて行く病院まで手配して。

あの頃のことを思えば、公子さんが女手一人で成功したのも、あの人の人徳のせいだと思いますよ、ええ。日頃は犬猿《けんえん》の仲だったアパート中の女たちが、あのときは一致団結したんですもの。

あのときのことは忘れてませんわ。午前二時だったと思います。突然、唸《うな》り声が聞こえてきて、経験者ならすぐ分りますもの。私はすっ飛んで行って、

「公子さん、公子さん、しっかりしてね。大丈夫よ、もうちょっとすれば陣痛が納るから、その間に病院へ行く準備をしましょうね」

って、背中をさすりながら励ましたんです。幸い産婦人科の医院は近くにありましたから、三、四人の女たちで公子さんを連れて行きました。病院の入口で、また陣痛が起

って、私たちまっ青になって病院のベルを押したんです。近頃と違って、病院は、お医者も看護婦さんも嫌な顔ひとつ見せずに、すぐ分娩室《ぶんべんしつ》に入れてくれました。私はアパートに飛んで帰って残り御飯でお握りを作って持って行き、陣痛がひいたところで食べさせました。とにかくお産には体力が要りますからね。だから義彦ちゃんが産れたのは午前六時きっかりだったこと、私ははっきり覚えてるんです。だって家の百合子をあんなに可愛がってくれた人でしょう。恩返しですもの。分娩室で威勢のいい産声《うぶごえ》が聞こえたとき、廊下で待っていた私たち、本当にほっとして顔を見合せたの覚えてます。

「男のお子さんです」

間もなく看護婦さんが、

と知らせて来ました。

「渡瀬さんにどうやって知らせる？」

一人が、小さな声で言いました。

「会社へ電話したらいいじゃない？」

「でも、そこまでお節介やくの私は嫌よ」

という人もいれば、

「そんなことない。ひどい話じゃないの。一人で子供を産ませるなんて。少くとも自分の子なんだから、私たちにだってお世話になりましたって挨拶《あいさつ》すべきだと思うわ」

という人もいて、私も同感でした。

運よくというべきでしょうか、偶然個室しか空いてなくて、公子さんがその病室に戻ったのが六時半。

私たち口々にお芽出とうを言ったんですが、あの人、それは嬉《うれ》しそうに、

「有りがとうございます。こんなにお世話になって、私、幸せでした」

と言ってから、

「あの、赤ちゃん見て下さいました？」

と訊くんですよ。

「あら、いいえ、この部屋に来るんじゃなかったの」

「新生児室は別なんですって。お帰りがけに覗《のぞ》いて行って下さい。義雄さんにそっくりの顔してますから、すぐお分りになると思いますわ」

出産というのは一大事業ですから、私たち経験者は、みんな公子さんがよく眠るように気を使って、早々に部屋を出ました。私は最後に残って、小声で、

「渡瀬さんに知らせましょうか？」

って訊きましたら、

「私が知らせます。だって、すぐにも見せたいと思うほど、そっくりなんですもの、義

雄さんに」

と、嬉しくてたまらないという表情なんですよ。これで夫の冷えた愛情を取戻すことが出来ると思っているのかしらと、私はちょっと気の毒な気がしました。あの若い渡瀬さんが責任を感じて元へ戻るかどうか危いものだという予感がしたんですよ、ええ。

新生児室には、翌日の昼出かけて行ったとき、看護婦さんに、渡瀬さんの赤ちゃん見せて下さいと言ったら硝子《ガラス》越しに、六番の籠《かご》がそうですというので眺めましたが、どこが渡瀬さんに似ているのか、よく分りませんでした。

「公子さん、よく眠った？　お産の後は休めるだけ休むのが大事よ。本なんか読むとたちまち視力が落ちるってよ」

「まあ、そういうものなんですか。いいこと教えて頂いて、よかった」

「渡瀬さんに連絡した？」

「ええ、電話かけたら、すっ飛んで来たのよ。嬉しかったわ」

「そう、よかったわね。驚いてなかった」

「ううん、私が妊娠してたのは知ってたから、別に驚くわけはないんだけど、でも僕も親になったのかって、感慨無量っていう顔をしていたわ」

それなら見込みがあるかもしれない。結婚式のあと親許《おやもと》からアパート中に配りものをする位だったのだから、まさか夫婦別れってことにはならないだろうと私も安心しました。

退院するまで、アパートで親しくしていた私たちは、かわるがわる顔を出していたんですけど、誰も渡瀬さんと出会った人がいないんです。

「それじゃ、あの日、一日だけだったのかしら」

「それきり来ないのだったら、問題ね」

「公子さん、これから先どうなるのかしら」

アパートでは寄るとそういう話になったんですが、それにしては、部屋に花がよく届いて、まるで花畠《はなばたけ》みたいになっているのも不思議だと言い出す人がいて、

「誰から届いてるのかしら、あの花は」

「公子さんの働いているところからかしら」

「でも、友だちみたいな人が見舞に来たのさえ見たことないわよ、私は」

「私も」

ということになって謎《なぞ》なんです。

私は毎日見舞に行って、あの人の下着の洗濯一切してあげていましたから、

「お花が沢山で綺麗《きれい》ねえ。いったい誰から届くの？」

と訊きました。生花ですから、二日もすれば枯れるものでしょう？　それなのに、花束や花瓶《かびん》の数がふえることはあっても減らないし、どの花もその日届いたように生きい

きしていました。

「いろいろな方たちから。お友だちや、親類や、私これでお付き合いひろい方なんですのね。自分でも驚いてるんですよ。みんな私が美しいものが大好きなの知っていらっしゃるから、お見舞は、みんなお花。そのバラは義雄さんよ、昨夜持ってきたの。私がバラが一番好きなの、義雄さんはよく知っているものだから。でも、花なんか買うの、よっぽどてれくさかったらしくて、入って来るなり目の前に突き出して、バラだよ、なんて言うの。見れば分るのにねえ」

「あら、そう、渡瀬さん昨夜もいらしたの」

「ええ。晩《おそ》くなってから。会社が今、忙しいらしいのね」

あの渡瀬さんが花束を持って来るのを想像するのは難しかったけど、それが本当なら、公子さんが言っていたように子が鎹になって、二人はもとの鞘《さや》におさまるものと私は胸をなでおろしました。公子さんの口調は、あなたがテレビをご覧になっていれば御存知でしょうけど、昔っから、ああいう小さな声で、落着きはらった話し方だったんですよ。だから、こちらも身を入れて聴きますしね。

公子さんは退院後、しばらくアパートには戻らなかったので、

「何処《どこ》へ行ってしまったのかしら」

「きっと渡瀬さんの方へ納ったのよ」

「めでたし、めでたしってわけね」

「でも、こっちのアパートはどうするつもりなのかしら」

「いずれ落着いたら挨拶に来て、ひきはらうんじゃない？」

などと、私たち万事うまくいったんだと思いこんでました。

ところが、半月もしてから、公子さんが一人でアパートに戻って来て、前々通りの生活が始まったんです。

「その節はお世話になりまして有り難う存じました」

と丁寧に私たちに挨拶はするんですけど、結婚したときのようなお配りものもないし、何日たっても、朝は午前九時頃から出かけるし、夜は十一時頃帰ってくるんです。

私、おそるおそる、

「赤ちゃんは、どうしたの？」

と訊いてみました。

「預って下さる方があったので、そちらにお願いしたんです。私、働かなきゃならないものですから」

と、ちょっと何かを見すえるような目つきで言ってました。渡瀬さんとどうなったのかとは、それ以上訊けませんでした。

テレビで、お金儲《かねもう》けのうまい女というような紹介で突然画面に出てきたとき、私はすぐあの公子さんだって分りましたよ。ちっとも歳《とし》をとっていないのに驚きましたけど、懐《なつか》しかったわ。なんの苦労も知らないで、いつの間にかお金持になっていたといつも言ってましたけど、私は、ふっと涙がこぼれたことがあります。公子さんはあのときから一念発起したんじゃないでしょうか。捨てられたんですから、口には出さないけれど、言うに言えない苦労があったんだと思いますよ。

だから公子さんが死んだときのマスコミの扱い方には、私、ほんとうに憤慨しました。あの人が悪いことなんて、出来っこないの、私は知ってます。同じ屋根の下で暮せば、そういうこと分りますよ。

ええ、お産のあと一年たたないうちに、公子さんはアパートを引払いました。どこへ行ったのか、私は知りませんでした。十五年もたって、テレビで見たのでテレビ局あてに手紙を出したら、里野百合子ちゃんにって、豪華な外国製の鏡台が届いたのでびっくりしましたわ。義理堅いっていうか、でも凄《すご》いでしょう、この鏡台。ハリウッドの女優さんが使いそうで。百合子が結婚するときは持たせてやるつもりでいたんですけど、あの亡《な》くなり方が気がかりでねえ。

自殺だって書いた週刊誌もありましたけど、まさかねえ。あの当座は公子さんのこと書いてる週刊誌全部買って読みましたけど、何がなんだか分りませんでしたよ。第一、あの人、何も悪いことしてないのに悪女だなんて書かれてねえ。お金儲けしたのが悪いんだったら、商売人や金持はみんな悪人じゃないですか。そうでしょう?

その七　大内三郎の話

富小路公子さんについて——もちろん、僕はよく知ってます。ただし、富小路という のは本名じゃないと思ってるんですが。

僕が初めて知ったのは、新橋駅の傍《そば》にある宝石店に勤めていたときですが、あの人も、その店で働いていたんです。戦後の、物資のない時代で、世の中に潤《うるお》いもなんにもない頃でしたが、その宝石店には夢がありました。今から思うと、そういう美しい雰囲気《ふんいき》を作っていたのは彼女の力だったと思いますよ。まだ少女みたいな頃だったけど、彼女にはその頃から花やかな夢みたいなものが萌《も》え出ていましたからね。

僕らの働いてた店の主人は、戦争中の供出ダイヤの頃にかなりあくどいことをして、戦後は大金持になった男でした。滅多に店には顔を見せませんでしたが、噂《うわさ》みたいなものを、まあ番頭みたいなことをしていた男の口から聞いたんでしたか。とにかく戦争中に、お国のためにというのでダイヤモンドの供出を政府が奨励したことがあったでしょう。あのとき、良家とか御大家の奥さん連中が、愛国心から供出してきたダイヤモンド

を、鑑定人みたいな顔をして、

「奥さん、これはえらい目にあいましたな。偽物《にせもの》ですよ、このダイヤは」

と言って返し、夜になってその家に行って二束三文みたいな安値で買い取っていたというのです。

戦争が敗けることを、その頃から予測していたのだから大したものだと、番頭は自慢げに言っていたのですが、その話を彼女にすると、

「まああ。ひどい話じゃないのかしら」

と、呆然《ぼうぜん》として言いました。

「僕もねえ、ちょっと言うべき言葉がなかったんだよ」

「いやね、なんだか犯罪みたい」

眉《まゆ》をしかめて言ったのを覚えています。あの人の性格は、潔癖でした。心の清らかな人だという印象が僕には強く残っています。

店で働いているのは、僕と彼女の二人きりでしたが、客は滅多にありませんでした。外では、食べるものに目の色を変えて人々が働いていた時代です。小さな店でしたし、ウィンドウには紫水晶とかガーネットなどの、宝石ではなく専門的には貴石と呼んでいる類《たぐい》のブローチとか、ペンダント、指輪などを並べていました。

番頭さんの話によれば、供出ダイヤをペテンで買い取った量は莫大《ばくだい》なものである筈《はず》で

したが、そういうものは店頭に飾ってもいませんでしたし、買いに来る客もなかったのです。今から思えば、何の為《ため》の店であったか思い当るのですが、当時は、こんなに客の来ない店で、給料はきちんと貰《もら》えるのだろうかと不安に感じたくらいでした。店に入ってくるのは、買う客よりも、むしろ売りに来る人の方が多かったのです。エメラルドとか、翡翠《ひすい》とか、そっと買物籠《かご》の中から出して、

「あの、これ、おいくらくらいのものでしょうかしら」

などと、質屋に入って来た奥さんのような顔で訊《き》くのでした。

宝石のことは、その頃の僕はまるで無知でしたから、

「少々お待ち下さい」

と奥に引込み、番頭を呼ぶか、姿が見えなければボスの事務所に電話をして連絡をとり、来てもらうのです。

その間、彼女が専《もっぱ》ら客の相手をしていたのです。

「綺麗《きれい》な色ですこと。若葉が透けて見えるようですわね」

「琅玕《ろうかん》なんですって。値打物だから大切にするようにと言われたのですけれど、どのくらいの値段で売れるものかと思いましてね」

「まああ。これをお手放しになるおつもりでいらっしゃいますの」

「だって背に腹は変えられないでしょう。お腹《なか》を空《す》かして宝石を持っていても仕方がな

いですもの」

「本当に綺麗、傷一つありませんものね。まあ。私、大好きですわ、この緑」

「両端にダイヤがついていたんですけれど、それは戦争中に供出したんですよ。敗けると思えば、そんなことしなかったと今なら思いますすけど」

　こんなやりとりをしている間に番頭が、

「やあやあ、お待たせしました」

　と帰って来る。

片眼に拡大鏡《ルーペ》をはめて仔細《しさい》に宝石を点検している間、客の方は彼女のほどいた緒《いとぐち》から、ぺらぺらと自分の戦前と戦後の身の上話をするのがお定《き》まりでした。それは判で押したようにいつもきまっていました。結構な家に生まれ、立派な相手と結婚したのが、敗戦で、食べるものにも事欠く生活になってしまったという嘆きでした。

「さすがにいいお品をお持ちですね。飾りにはダイヤモンドが付いていたのでしょうが、惜しいことをなすったもんだ」

「ええ、今も言ってましたの。敗けると知ってたら、供出するんじゃなかったって。ダイヤのブローチも髪飾りも供出しましたのよ。目の前で、ピンピンピンッて弾《はじ》き取ってしまってね、残ったのは台と、こういう色石だけ。これ、おいくらぐらいするものでしょう」

「手前どもでしたら、いつでも五万円でお引取り致しますが、念のために、よそのお店も当ってご覧になっては如何《いかが》でござんしょう」

五万円というのは、当時は大金でした。小指の先ぐらいの翡翠が、千円札五十枚に変るというのは、僕でも茫然《ぼうぜん》とするような思いでした。たいがいの客は、番頭の言うように、一度は帰って行くのですが、三日とたたずに又顔を出して、

「これ、こないだのお値段で引取って頂きたいのですけれど」

と言うのでした。

店の金庫には、そういうときに備えて現金の用意はいつも出来ていました。

客が帰ったあとで、番頭が、

「こんな両側に穴があいてたんじゃ、どうにもならない。セットも大昔ので古臭いし、ダイヤで一巻きするかな。品は上等だから、あんまりデザインに凝らない方がいいだろう」

などと言って、宝石職人のところへ持って行くことになるのですが、その使いは、いつも彼女の役目でした。

「僕は値段が値段ですから、万一のことを思って心配で、店を閉《しま》うときなどは従《つ》いて行こうかと言ったものですが、

「いいのよ、学校のすぐそばなんですもの」

と彼女はけろりとして言うんです。

「学校？」

「ええ、神田の夜学に通っているのよ、私」

「英語？」

「まあそうね」

どうも英語ではないようでしたが、あまり話したがらないし、僕も深くは訊きませんでした。客のいない静かな大方の時間は、彼女は店の隅でひっそりと本を読んですごしていました。翻訳小説を読んでいることもありましたが、財務諸表論などを開いていて、ぎょっとしたことを覚えています。

とにかく、ただの女とは思えませんでしたね、その頃から。

宝石職人のところから、仕上った指輪などを彼女が日中に持って来ることもよくありました。店に番頭がいないと、そっと箱をあけて、

「ねえ大内さん、素敵ね、宝石って」

自分の指にはめて、うっとりするんです。

「似合うよ、鈴木さん」

ええ、鈴木って言ってました、その頃は。

僕は今だから言いますが、一年ほどたって、彼女から、

「私、結婚したの。渡瀬って苗字《みょうじ》になったのよ。もう鈴木って呼ばないで」

と言われたときはショックでした。

番頭に、三つも四つも宝石を持って来るようになったのも、その頃です。

「主人の母が、いい値で売れたらって言うんですけど、これ、どうかしら」

「あんた、長男と結婚したのかい？」

「ええ」

「それなら、このサファイアは、もらっときなさい。宝石ってものは、手放したら決して戻って来ないものだよ。あとで後悔するよ、きっと」

「でも売ってほしいと頼まれたの。お姑《しゅうとめ》さんから言われたんだから、いい値段で買って下さらない？」

「そうだねえ、そのサファイアは五十万円、エメラルドは六十万円、真珠は九千円というところだが、どうだね」

「結構だと思いますけど、手紙で問いあわせてみます」

「あんた、よっぽどいい家の嫁さんになったんだね」

「あら、そうかしら」

「このエメラルドの大きさからいっても、なかなか日本でこれだけのものを持ってる人は多かないんだ。渡瀬って言ったね」

「聞かない苗字だが、これだけのものを今は手放そうというのだから、嫁さんに行っても楽は出来ないね」

「ええ、当分は共稼《ともかせ》ぎよ。でもいいの、私は働くの大好きだから」
四、五日して、番頭に宝石を渡して、現金を貰っていましたが、百万円以下の金額でしたから、エメラルドかサファイアか、どちらかは売り惜しんだのでしょう。
「送って行こうか。それ持って学校へ行くの？」

と訊くと、白い歯をチラリと見せて微笑しましてね、

「夜学はもうやめたのよ。主人が嫌がるものだから」

と言うじゃありませんか。

それで、初めて送って行ったのが、乃木坂《のぎざか》を降りたところにある大きな家で、

「どうも有りがとう、大金だから、本当のこと言って怖かったのよ」

と言って、勝手口に入ってしまいました。僕が、変だと思ったのは、その家の大きさよりも表札が渡瀬ではなかったことなんです。伊藤じゃない、加藤じゃない、そう、尾藤という苗字が、古びた門柱の古びた表札に書かれてあったのです。

これは、いったい、どういうことだろうと不思議でした。鈴木君子が、渡瀬君子になったというのに、その家の苗字は尾藤なんですからね。

「ええ」

翌日、彼女に疑問を投げかけました。すると彼女はなんでもなく、

「尾藤というのは渡瀬の母の実家なんです。渡瀬の家は青山の方で戦災に遭ったものだから、私たち尾藤家に居候《いそうろう》しているの。姑の方は、まだ疎開先《そかいさき》から動かないのよ。家がないものだから。早く主人と一軒家を構えないと困るの。だから私も共働きをしているのよ」

と澱《よど》みもなく説明してくれました。一点の疑いを投げかける余地もありませんでした。

「それにしても御大家なので驚いたよ」

「あら、そう。でも渡瀬の家の方がもっと大きかったのよ。お金もあったし、ね。今は昔の物語だけど」

僕は彼女が、どことなく上品で、言葉づかいも爽《さわ》やかな理由が、やっと分ったような気がしました。小さな店の中で、たった二人で店員をしていたのですから、恋心が芽ばえなかったとしたら嘘《うそ》になりますが、高嶺《たかね》の花だったのだ、積極的に出なくて本当によかったと思いました。

しかし間もなく、僕は彼女が夜学はやめたかわりに、別のところで働いているのではないかと思うようになりました。店閉いがはじまると飛出すように帰ってしまうからです。それも新妻が夫の帰るまでに家に帰るのとはどうも様子が違うようなのです。

番頭が一度、

「あの子は四六時中働いているね。あのくらい働いたら金も貯《たま》るだろう。こういう世の中だから」

と言ったので、

「何か他《ほか》にも仕事をしているのですか」

と訊くと、

「おや、知らなかったのかい？」

「ええ、結婚したのは知ってましたけど」

「小さい店だが、日本橋の方に中華料理屋を経営しているようだよ」

「えッ？」

「ボスが、食事に行って見つけたらしい。レジに坐《すわ》って、なかなかしっかりしたものだと言っていた」

日本橋の中華料理店の名前を聞くと、僕はすぐその夜、出かけて見ましたが、中に入って中華そばでも食べて見る勇気がありませんでした。しかし、確かに店の中に、というより入口近くの勘定場に坐っていて、客から勘定を現金で受取っているのが彼女だということは分りました。

僕は、女が、しかも彼女のような若さで、人の二倍も働いているのに感動しました。渡瀬というのが、どんな名家か知りませんでしたが、いわば夫の家を建てるために懸命になって働いているのだと思うと、僕もこうしてはいられないという気になったものです。宝石鑑定人の資格を取って、ただの店番でなく、一かどの宝石屋になろうと、仕事に対して積極的な姿勢を持つようになったのは、彼女のおかげです。

ええ、間もなく彼女は、その宝石店を辞めました。どういう理由でやめたのか、番頭も知らなかったようで、

「あっちの店が忙しくなったのだろう」

と言うものですから、人の女房だというのに未練がましく日本橋の中華料理屋も覗《のぞ》きに行ったのですが、彼女の姿が見えません。

中へ入って、

「あの、渡瀬さんはお休みですか」

と訊くと、店の連中が妙な顔をするので、

「いつも此処《ここ》に坐っている人ですよ」

と言うと、

「ああ、鈴木さんなら、やめたんです」

「え？　やめた？　この店は彼女のお店じゃないんですか？」

「違いますよ。とんでもない、鈴木さんは夜だけアルバイトに帳簿をつけに来ていたんです」

と言われて茫然としました。するとこの店では、結婚したことを隠しているのだろうかと考えこんでみたり、まさかと思ったり、しかし訳が分りませんでした。

僕はその後も同じ宝石屋に勤めていましたが、やがて店のからくりがよく分るようになって来ました。売りに来る客が目当てで、宝石類を買いまくっていたのですね。平和が来ると、宝石類の値打が上ることを、ボスも番頭も知っていたのでしょう。税務署が今のようにうるさい時代じゃなかったから、宝石類は売りに来た素人《しろうと》からは店で売る値段の五分の一から十分の一ぐらいで買っていたことも分りました。店は構えていたけれど、実体はブローカーだったのです。その証拠に、

「ルビーが欲しいのだけれど、見せてくれない？」

などという客が来ることがあって、すると番頭が一、二日の猶予《ゆうよ》を頼んで、十数個のルビーを集めて用意するのです。そのときの値段には僕は肝を潰《つぶ》しました。

小指の先ほどの小さいのでも三十万円、ちょっと大きければ八十万から百二十万円という値段だったのですから。

そしてまた客の方も、当然という顔をして、その中から一つを選び、値切りもしないで現金を置いて買って行くんですから。

いったいどういう人たちが、こんな時代に宝石に大金を投じるのだろうかと、僕は不思議に思いました。ときには、電話がかかると番頭が宝石箱を古い風呂敷《ふろしき》で包んで出か

けて行くこともあります。

僕は、考えこみました。民主主義という時代が来たと新聞もラジオも宣伝しているけれど、やっぱり昔と同じように、その日暮しの庶民と、宝石をなにげなく買う人がいるのだと気がついたのです。商いとしては、宝石は利潤が大きいということにも気がつきました。僕は、宝石を美しいものでなく、大変に儲《もう》けの大きい商品だと知ったのです。

それから僕も、次第に番頭やボスから信用されるようになり、宝石職人のところへ使いに行ったり、お得意様のところへセットの新しい指輪などを届けに行ったりするようになりました。当時、映画は今と違って黄金期でして、スタアと言われるような方々が、宝石をよくお買いになりました。とんでもない高い値を吹っかけても、気前よく買い上げて下さるので空怖《そらおそ》ろしい気がしたものです。

「ねえ、ダイヤモンドで、五カラット以上のもの、ないかしら」

と仰言《おつしや》る方があると、番頭はすぐに飛んで行きました。

進駐軍の連中も、あの頃はパンパンと呼んでいた女を連れて来るようになりましたが、せいぜい真珠の指輪やネックレス程度で、大口のお客ではなかったのです。

それから十年もたったでしょうか。僕を名ざして、お客様から電話がありました。

「少し宝石を見せて頂きたいのですけれど」

「はい、どちらへお伺い致しましょうか」

「日本橋なんですの。富小路と申します」

声が、ちょっと聞いたような記憶がありましたが、ともかく番頭に留守にすると言って店を出ました。もう僕も一人前になっていて、誰のところへ何を持って行くと、一々報告しなくてもいいようになっていたのです。

日本橋の指定されたところは、かつて渡瀬さんが働いているとか経営しているとかいわれていた場所で、そこには立派な十階建ての鉄筋コンクリートのビルディングが立っていました。その七階に、エレベーターの前に、「富小路」という表札のようなものを出したドアがあったのです。それをノックして来意を告げると、行儀のいい秘書らしい若者が応接間へ僕を通しました。天井からシャンデリアが夥《おびただ》しく吊下《つりさが》っていたのが第一の印象でした。

「大内さん、お懐《なつか》しゅう」

向うのドアから、昔と少しも変らない渡瀬さんが現れたのには驚き、呆然《ぼうぜん》としました。

持って来た宝石は、ちらと見ただけで、

「全部頂くわ。それよりあなた、このビルの中で宝石屋を開くことにしたのだけれど、責任者になって下さらないこと？」

面喰うことばかりでしたが、僕もいつまで新橋のブローカーの店番ばかりしていたくなかったので、具体的にはどういう仕事なのか詳しく聞かして欲しいと言いました。

「具体的にって、私が社長になるわけだから、あなたは専務ってところかしら。宝石についてはもう随分よくお分りになっている頃じゃないこと？　ＧＩＡの鑑定師の試験を受ける用意をしていらっしゃるの？　まああ」

彼女のもの静かな言葉づかいを聴いていると、魅《ひ》きこまれるようで、昔を知っているのだから何もかも信用してしまおうという気になりました。

「月給は、あのお店でおいくら？　まああ。相変らずなのね。あなたが来て下さるのだったら、その五倍は差上げてよ。それと大きなものが売れたときは歩合にしたらどうかしら。あなたについてるお客さまもあることでしょうし、アメリカには、すぐ行って、ＧＩＡの鑑定師として資格をとってきて頂だい。費用は、私が出します」

条件は何もかも、いいことずくめでした。

同業に引き抜かれるのですから、番頭さんには何処へ行くとも言わずに辞職しましたし、先方も引止めなかったのですが、三カ月アメリカで、ＧＩＡの訓練を受けて帰ってから、こちらで開店したところ電話がかかってきて、

「嫌がらせで言うんじゃないがね、用心した方がいいぜ。とかくの噂《うわさ》がある女だからね」

と言って来ました。

「どういう噂ですか」

「まあ、危なっかしいものだからね。お前さんは人が善いから心配なのさ。慎重におやりよ」

とだけで、細かいことは言いません。

そして、あの日まで、少くとも僕が責任を持っていた宝石店は、ここ十年来の宝石ブームで石油ショックのときでも黒字続きでした。

あの日のことは、僕はよく分りません。ご覧のようにこの店はビルの東側でして、事件があったのは北側ですから。社長が死んだという報らせは昼食をすませて、この同じビルの中に豪華なレストランも、簡易食堂もあるのですが、僕は妻子を持つ身ですから、廉《やす》い方のランチをとって、伝票に目を通していたときでした。腕時計を見て、かっきり二時だったのを覚えています。

自殺か、他殺か、僕には見当もつきません。ここへ就職してから、あの人は雲の上の存在で、滅多に口を利《き》く機会もなかったし、僕も商売に熱中していましたから、社長のプライバシーについては側近に聞いてまわることもしませんでした。

これだけでよろしいのですか。

それでは最近手に入りましたお珍しいものをお目にかけましょう。決してお高いものじゃございません。ラピスラズリのブローチで、アンティークなんでございますよ。お手頃のお値段でございますが、いかがです？

ダイヤモンド？　それは極上の品ばかり揃《そろ》えてございます。亡《な》くなった社長の方針で、アメリカのGIA基準で申せば、透明度《クラリティ》VS1以下のものは、決して扱わないようにしております。社長は、最高に美しいものばかり、お好きでした。亡くなった後、週刊誌が、富小路公子はインチキな宝石を売っていたと書いたのは、本当に我慢がなりません。どうぞ、よくごらんになって下さい。このダイヤモンドは三・五キャラット、色はGです、クラリティはVVS1でございます。プロポーションにも難点がございませんでしょう？　自信を持っておすすめ致します。お値段は四千万に勉強いたしますが、いかがです？

その八　沢山《さわやま》夫人の話

沢山の家内でございます。主人に御用でおいでになったのですか。道理で主人から珍しく早く帰るという電話がございました。どうぞ、お上り下さいまして。

まさか会社では困るようなお話じゃございませんのでしょうね。

えッ、富小路公子について――まあッ。

存じませんわ。いえ、知ってます。でも喋《しゃべ》りたくありません。帰って下さい。いえ、どうぞお坐《すわ》りになって下さい。お話ししますわ。私の人生で、あんなことって、本当に一度しかない大事件でしたもの。主人も、私とは違いますけれど、受けたショックは大きかったと思いますよ。

いえね、あの女が、鈴木君子って名乗っていた頃のことなんです。もう二十年以上も昔のことだけど、今だって疲れた夜は夢に見て魘《うな》されることがありますよ。

だってあなた、そうでしょう。二十二、三年も前といえば、あの子は十代ですよ。主人が宝石どころか脱脂粉乳から大豆《だいず》粕《かす》まで、戦後は何かと手びろく商いをしていました。

敗戦で、世の中が滅茶々々になっていた頃ですもの、今はとても口に出来ないような仕事にも手を出していたかもしれません。でも主人は仕事と家庭は、きっちり分けていましたし、子供のある家は大事にしていた人なんです。だけど、あの女だけが、その境界を破って、私どもの家にちょくちょく出入りしていたんです。

その頃は、年齢から言っても少女みたいなものでしたし、よく気のきく子で、私も印象は悪くありませんでした。あの子が宝石を持って、応接間の、ちょうどあなたがお坐りになっているところへ、チョコンと坐って、主人の帰りを待っていたこともよくありました。

一緒に食事をしたこともあります。何しろ、あの子が五時から来ているのに、主人は十二時ごろ酔って帰って来たりするものですから、私も気の毒になりましてね。子供の相手もよくしてくれましたし、私もいつの間にか仲よくなっていて、お芝居なんかあの女と二人で出かけたことなんかもありました。今思い出すと頭に血がのぼりますけど。

「奥さま、子供っていいものでしょうね」

「それは君子さん、いいものよ。理屈なしに、ね。いろいろ苦労は多いけれど、子供を産んだことだけは後悔したことがないわ」

「そうでしょうねえ。私は子供が大好きで、他人の子供でさえこんなに可愛《かわい》いのだから、自分が産んで育てたら、どんなに幸せだろうと思いますわ」

「あなた、若いのに、今から何を言っているの。結婚すればいいでしょう。あなたみたいに若くて綺麗《きれい》ならプロポーズする人が、いくらでもいるでしょう」

「それが奥さま、全然ないんですよ。私って魅力がないんじゃないかしら」

「そんなことあるものですか。戦争で若い男が多勢戦死したから、結婚難だなんて新聞は書いているけれど」

「ええ、男一人に女はトラック一杯の割合ですって。私きっとオールドミスになってしまうんですわ。そんな予感がしますの」

「馬鹿《ばか》なこと言うもんじゃないわ。でもこれだけは縁のものだから、私もせいぜいあなたのお婿《むこ》さん探しをすることにするわ」

「お願いします、奥さま」

あの人は戦争前に、捨て子だったんですって。拾って育ててくれたお父さんは戦死して、ええ、戦死したって言ってましたよ。以来お母さんは戦争呆《せんそうぼ》けになって、あの子一人で苦労したという身の上話も聞かされましてね。商売熱心なようだし、主人の店に適当な相手がいるんじゃないかと本気で面倒を見ようと思ったんですよ。

主人にそういう話をすると、

「かなり言い寄られているらしいんだがね、あの子は気位が高くて、そんじょそこらの男では気に入らないんだろう」

「でも、将来あなたの下でよく働く男と結婚させておけば、二人で働くんじゃないかしら。家庭におさまるような子じゃないと思うわよ」

「うん、それはそうなんだ。いい加減な男より、よっぽど機転もきくし、宝石店に置いておくには極上の女なんだ。第一、品がいいだろう。どうもやんごとない生れらしいよ」

「あら、変ですね。私には捨て子だったって言いましたよ。あなたにも身の上話をしたんですか」

「いや、僕は番頭の口から間接的に聞いたんだ。戦前の御大家から、色石を随分預ってきて、うちの店は大方買い上げたからね。捨て子といっても、何か事情があって、別の家に預けられたんじゃないのかい？」

「あなた！」

これは妻の第六感というものですよ。主人の口調がうろつき出したので、これは臭いと思いました。主人は働き者で、今日まで病気ひとつしたことがありません。でも、精力絶倫というのでしょうか、女癖は大変に悪いんです。こうして人並以上の暮しはさせてもらっていますけれど、主人の女出入りには若い頃からどのくらい悩まされましたか分りませんわ。

「妻子を捨てるほど、のめりこみはしないのだから、心配することはないじゃないか。男の甲斐性《かいしょう》だと思っていろ」

なんて言いますけど、たまったものじゃありませんよ、妻の身になれば。精神的にまいってしまいますもの。儲《もう》けるのは結構だけど、言い寄る女には気前よく金でも物でもやってしまうのですからね。

「あなた、朝、鏡の前で髭《ひげ》を剃《そ》るとき、よく自分の顔を見てごらんなさい。女はあなたに言い寄るのじゃないのよ。あなたのお金に言い寄るのよッ」

主人が一番嫌がることも言ってやったりしましたけれど、とにかく夜は、ワイシャツに香水の匂《におい》がしているなどは序の口で、背中に引掻《ひっか》き傷《きず》をつけていたり、派手なんですから。私も、見て見ぬふりは出来ませんし、本当にそういうときの夫婦《ふうふ》喧嘩《げんか》というのは嫌なものですわ。

こんなくらいなら戦争中に安否を気づかって、朝晩、神様や仏様に、日本が勝ちますように、主人が無事に帰れますようにと祈っていた頃の方がずっとよかったと思いましたよ。軍隊にも慰安婦は、いたといいますけどねえ。

平和になって、焼け野原の東京で、主人がバリバリ働き出したときは、本当に男というのは頼もしいものだと思いましたけれど、一難去ってまた一難というのは、このことですわ。男なんですから、浮気は仕方がないと自分に言いきかせはしましても、歴然とした証拠を身につけて帰って来られると、私も子供の手前、一度は自分を抑制するんですけど、そうも出来ないことがありましてねえ、地獄みたいでした。子供には気取られないように、ちゃんと育てなければいけないし。

ですから、主人の身辺に女がいれば、まず疑ってかかって間違いないんです。大概そうなんですから。ただまあ、今になって思いますのは、深入りしたのは、あの女だけでしたね。

でも当時はそこまで気がつかなくて、高飛車に、

「あなた、白状しなさいよ」

なんて問いつめたものです。

「お前ね、俺の女癖の悪いのは認めるが、俺はこれまでド素人《しろうと》には手をつけていないよ」

「女中に手出ししたじゃありませんか」

「一盗《とう》二婢《ひ》三妾《しょう》といって、女中はスリルがあるんだ。お前の目の先かすめてやるからな」

「冗談じゃありませんよ。戦前と違って堕胎が罪にならなくなったから、よかったものの、今ごろは、あなたの子供があっちにも、こっちにもごろごろいるんじゃないかしら」

「そんな下手なことはしていないから安心しろ。男にとって山の神ほど怖《おそ》ろしいものはないんだ。それに子供に対する責任がある。家庭はきちんと大切に守るから、俺の唯一《ゆいいつ》の道楽だ、認めてくれ」

「嫌です」

随分言いあったものですが、あの女のことだけは、主人も白を切りぬきましたね。

「社員だよ、君、あの女は。第一だ、手をつけた女を自分の家に呼ぶ間抜けがいるものか。あの子は若い割にはしっかり者だ。新橋の店がしまうと、夜学へ行って、簿記は二級の資格をとっているという感心な子なんだ。一級も合格して税理士の資格を取るつもりで、今も猛烈に勉強している子なんだよ。いつか君が言った通り、いい相手を僕も探すから、君も親類にいいのがいたら見合でもなんでもさせてやれ。僕は文句を言わない。ただ、僕のところで働くのをやめるのは困るんだな。あの子の指を見たかい？あのしなやかな白い指にはめると、どの宝石も百万円は高く売れるんだ。宝石鑑定などと馬鹿なことを言う奴《やつ》らがいるが、買う側にしてみれば、女なら美しく見えればどんなに高くてもいいのさ。男は財産と思って宝石を見るから、あの女のもの静かなすすめ方で、大概ごまかされて高い値で買って行く。新橋の店にとっちゃ、貴重な人材なんだ。まあ、お前が嫌がるなら、家には来させないようにするが、宝石の売買は闇米《やみごめ》と変らないからね。新橋の番頭たちにも知られたくない品は此処《ここ》へ持ってこさせていたんだが」

そうまで言われてみると、私も言いまかされて、黙ってしまうよりありません。心配を解消するためには、彼女のお婿さんを探すことしかないわけですが、あの時代の男はみんな敗戦ショックのせいでしょうか、私の親類でも予科練くずれとか、特攻隊くずれなんかがいて、シャンとした若者というのは探し当てることが出来ませんでした。

主人は宝石から料理屋から、手広くやっていましたけれど、私は宝石には関心がありませんでした。何しろ子供を育てるのに精一杯でしたし、台所をして荒れた指に、宝石なんて似合いませんからね。高いお金を出して宝石を買う女の気がしれませんよ。まあ綺麗といえば綺麗ですけど、硝子《ガラス》で作っても同じものが出来るんですからねえ。

ともかく、私たちの夫婦喧嘩から、ふっつり彼女が家に姿を見せなくなったのも、私は別段怪訝《けげん》にも思わなかったんです。

だって、まさか、あんなことが起るとは思いませんもの。

あるとき、あの人が、そうですね、半年もたっていたかしら、もっとたっていたかしら。ともかく、一人でやって来たんです。こんな大きなお腹《なか》で、ですよ。もちろん私は三人子供を産んでますから臨月間近だということは分りましたわ。

「あらま、君子さん、あなた結婚していたの？　知らなかったわ。私は主人に頼まれていいお婿さんを探しかけていたんだけど、そんな必要なかったのね」

軽い気持で、その次は、おめでとうと続けるつもりでした。

ところが、どうでしょう。あの女は、そのソファに坐ったまま、あの眼に涙を浮かべて、私の顔を黙って見ているんです。

「どうしたの？　何か、困ったことでもあるの？」

「いいえ、困ってはいないんです。覚悟はしていたんですから。ただ、私は、やっぱり奥さまには本当のこと知っておいて頂きたかったんです」

私は首から下の血が一瞬で凍ったように思いました。いつかの予感が当ったんだと思うと、喉《のど》が渇いて、なかなか言いたい言葉が口から出ないのです。

「まさか、あなた、それは主人の」

「はい、そうなんです」

どこの国に私のような経験をした女がいるでしょうか。私は妻なんですよ、本妻なんです。そこへ、妾《めかけ》が、一時の浮気の相手にもせよ、子まで孕《みご》るとなれば妾でしょう。私に遠慮して内緒で産むなら、まだ話は分りますよ。それなのに、主人を飛び越えて、いきなり私に、大きなお腹を見せに乗りこんで来たんですから。

「あなた、どういうつもりなの。私は妻ですよ。子供が三人います。決して離婚なんか、主人が言い出したって応じませんよ」

「それは奥さまが、そう仰言《おっしゃ》るの当然ですし、私も奥さまを泣かせるようなことは何もしないように心掛けて来ました」

「私が承知して、覚悟して私生児を産むのですから、御迷惑は何もおかけしません」

こういうことを、御存知でしょう、あの人の物言いの調子。静かに、静かに、囁《ささ》やくように言い続けるんですから。私はと言えば、正反対に声は大きくなるし、甲高くなるし、逆上してましたからね、完全に。それというのも、あの女が、涙はほろほろこぼしているくせに、言葉ばかりは静かで、丁寧なんですよ。

「御迷惑は、かけないって、どういう意味なの？　はっきり言って頂だい」

「ですから、私生児として産みますと申し上げておりますでしょう」

「よしなさいよ、君子さん。生れてくる子のことも考えた方がいいわ。父親のない子なんて可哀《かわい》そうじゃないの。私にだってむろん失礼よ。だけど、生れてくる子供のためにも、無茶なことはすべきじゃないと思うわ」

「奥さま、子供を産むことが、どうして無茶ですの？」

「無茶じゃありませんか。結婚もしないで、うちの主人みたいに女癖の悪い男が手出しをしたからって、あなたは若いんだし、まだまだ人生は長いのだから、いい相手が見つかるまでは、こんなことは無かったことにした方がいいわ」

「奥さま、御主人さまの悪口を仰言るのは、御自分のお子さん方にお悪くありません？　少くとも、私は、相手のことはとやかく申すつもりもありませんし」

「それじゃ、あなた、何しに家へ来たって言うの」

「奥さまなら分って下さると思ったんです。お腹の中で、子供がピクンと動いたとき、私、本当に嬉《うれ》しかった。一つの生命が、もう生れているんだっていう実感がありますわ。奥さまも、同じ経験をお持ちでしょう？　人の子の親なら当然だと思いますわ。一緒に喜んで頂きたいのです」

「まあ、一緒に喜ぶだなんて。そんなこと、あなたと私では立場が違いすぎますよ。私たち戦争になる前から結婚していたんですよ。れっきとした神前結婚よ、親類からお祝いが届いたわ。もう非常時になっていたから簡単な披露をしただけだけど、でも式だけはきちんと神様の前であげたんですよ。私の子供たちは、だから三人とも、みんなから祝福されて生れてきたわ」

「それだけが羨《うらやま》しいんですの。それで奥さまに会いに来たんです。分って頂きたくて」

「何を、分れと言うの」

「たとえ誰に祝福されることがなかったにせよ、子供を持つ喜びの純粋さは、奥さまなら お分りになると思いましたの」

「私、分りませんよ、断じて分りませんッ」

際限もない押し問答を続けているときに、門柱の呼び鈴が鳴って、主人が帰ってきたんです。応接間に明りがついているのと、私が迎えに出ないので、変だと思ったのでしょうかしら。主人が自分で、あのドアを開けて中を覗《のぞ》きました。

私は睨《にら》みつけましたけど、主人はあの女の姿を見て仰天したようでした。

「君、どうしたんだ。どうして家へなんか来たんだ」

あの女は、黙って、坐《すわ》ったきりで、でも、もう泣いてはいませんでしたね。

「あなたの子供だって、君子さんは私に言いましたよ。こんなに大きくなるまで放《ほう》っておいて、いったい、あなたはどうするつもりなんです。いくら言えば、あなたの悪い癖は止《や》まるんですか。社員だから手出しはしていないと、あれほど言っていたのが大嘘《おおうそ》だったじゃありませんか」

私は主人に向って、喚《わめ》き立てて、思いつくかぎりの悪口を喋《しゃべ》りまくっていたんです。何しろ逆上していましたし、相手がひどく静かに口をきくもので、却《かえ》って神経をさか撫《な》でされるみたいでしたから、主人の顔を見ると、爆発してしまったんです。何をどう言ったか、今ではまるで思い出せないくらい。

主人はと言えば、私を抑えようとしたり、彼女に何か言いかけてやめたり、やはり思いがけない出来事だったのでしょう、酔いも何も醒《さ》めはてたという感じでしたね。

「君ねえ、君。どういうつもりで家へ来たんだ。子供のことなど、僕は知らんぞ。誰の子だか、分るものか」

それまで黙っていたあの女が、そのとき突き刺すように冷たい声で、こう言ったのを覚えています。

「あなたの、子供です。それだけは、はっきりしています。いくら奥さまの前だからといって、仰言っていいことと悪いことがあるんじゃございません？　そういうことを仰言るのでしたら、私、出るところへ出て、はっきりさせますわ。奥さま、ご免遊ばせ。奥さまは御主人さまが卑怯《ひきよう》な男だとは思っていらっしゃらなかったんじゃありませんかしら。私も、たった今まで、そんな方ではないと思ってました」

これが早口でまくしたてるのでもなければ、声高に言うのでもなくて、静かに、こちらが苛立《いらだ》つほどゆっくりした口調なんです。

あの女が帰りかけると、主人は、

「おい、待てよ。どうするつもりなんだ」

って呼びながら追いかけて行こうとしました。私、言ってやりましたわ。

「放っておいた方がいいんじゃないの？」

でも主人は、彼女の後を追って外へ飛出してしまったんです。

私、この部屋に一人になってから、たった今のことが信じられなくて、髪の毛かきむしって悲鳴を上げながら、床に崩れてのたうちまわりました。完全にヒステリーの発作ですわね。そのときから、ぴたっと生理が止まってしまいましたの。ええ、後も長い間、苦しみました。主人とはそれきり、同じ家にいてもお互いに顔も見ないようにして暮しました。だって私は許す気になんかなれませんでしたし、主人だってバツが悪かったでしょう。

二人の間で、彼女の話は、それきりしたことがありませんでした。その代り、主人の女道楽が、随分下火になりましてね、ええ、様子で分りますよ。お酒だけで帰って来たのかどうかということはね。私にも大ショックだったけど、主人にも懲《こ》らしめになったのだと思いますわ。

歳月が流れて、家庭の平穏な生活が戻って来る頃は、やはり夫婦ですから、忘れるべきものは忘れるのですね。

でも、あの女ときたら、こちらが忘れた頃にテレビに登場して、例の調子で、

「苦労らしい苦労は致したことがございませんわ。ただ、人を信じていれば、人も信じて下さいますのね。キザなようですけれど、愛というものですわね、人と人を結ぶのは。そうなれば、どんな仕事でも順調にはかどりますわ」

なんてまあ、私、よっぽどテレビ局に投書してやろうかと思ったんですよ。でも、こちらの恥にもなると思って思い止《とど》まったのです。テレビも無責任ですよねえ。出演させるからには、身許《みもと》や身辺をよく確かめるべきじゃありませんかしら。

あら、主人ですわ。鈴《ベル》の鳴らし方で分りますの。主人が、あの女のことをどういう顔で話すか、見てやりたいと思いますよ。

その九　沢山栄次の話

こりゃあ、どうも。沢山ですが。

会社にお電話頂いたときは忙しい最中だったものですから、家でと申したのですが、お早くいらしたようですな。

富小路公子について——えッ、女房からもうあらましお聞きになったのですか。それは、どうも、まずいなあ。

お前は、あっちへ行っていなさい。お茶でも淹《い》れて来たらどうだ。何をにやにや笑っているんだ。紅茶でも煎茶《せんちゃ》でも、なんでもいいから、早く。

ちょっと、外へ出ましょう。すぐ近くに、真夜中まで営業しているスナックがありますから。女房に聞かれるのはまずいですし、女房が知ってるのは、ごく僅《わず》かなことだけですから。出ましょう。女房が、茶を淹れてるすきに。

よろしいですか。

ああ、お茶は、もういい。ちょっと出かけてくる。お客様の御都合で、だ。すぐ帰って来るからね。

いや、どうも、女房というのは、いつまでたっても亭主の失敗を許さんものですな。あなたに何を言いましたか？

あの家に臨月になって乗りこんで来たときの話ですか。

あれには、まったく肝を潰《つぶ》しました。いやあ、女房の目の前でしたからねえ、一層、男としては立場に困りましたよ。まさか、あんなことをするとは思いませんでしたからなあ。温和《おとな》しくて、従順で、僕の言うことには逆らったことがない女でしたからねえ。

彼女を知ったのは、神田にある簿記の学校です。僕は三級の複式簿記を習いがてら、目星しい若いのがいたら、店で働かせたいと思っていたんです。夜学でしたし、三級には碌《ろく》なのがいなくて、その中でたった一人の女がいたのが彼女でした。現役の学生なんかはたちまち熱を上げていましたが、私は狙《ねら》いをつけたら機の熟するのをゆっくり待つ方でしてね。

なかなか身綺麗《みぎれい》にしているので、

「昼間は働いているのかい？」

と訊《き》くと、

「はい。でもなかなかいい職場がないので、簿記を身につければ、立派な会社の採用試験でも通るのじゃないかと思っているんです」

と正直なことを言ってました。

「それだったら、僕は新橋に小さな店を出してるんだが、よかったら資格試験に合格するまで、昼間はその店で働かないかい？　勉強する時間は充分あるよ」

「どういうお店ですの？」

「宝石店」

「まあ」

女は宝石について全く無知な少女でも、宝石と聞いただけで眼を輝かせますな。僕は中華そば——当時はまだラーメンという言葉が今のような日常語になってない時代でしたが、僕が中華そば屋だというと、女は見向きもしませんが、宝石屋だといえば、バアなんかでは今でも女の目の色が違いますよ。だから、彼女に新橋の店で働かせることについては自信がありましたな。給料も、普通の三倍がところの値段を言いましたから、

「考えさせて頂きます。母とも相談いたしまして」

と、彼女は慎重なことを言ってましたが、結局、僕の術中に落ちましたな。

「兄弟はないのかい？」

「はい」

「お母さんと一緒に暮している？」

「はい」

「お父さんは」

「戦死しました」

「いつ？」

しばらく黙って、

「実は、父は、私の小さい頃に亡《な》くなったことになっているんです。母が話したがらないのですけれど、戦前は華族でしたの、父は」

と、言う様子から、訳は手にとるように分りましたよ。華族の若様が小間遣いにでも手を出して孕《はら》ませたのでしょう。よくある話ですからね。

しかし、敗戦で、華族は御破算になりましたから、脇《わき》へ出来た子の面倒は見きれなかったのでしょう。彼女が、相当いい学校を出ているのは、言葉づかいや態度が上品でしたから察しがつきましたよ。

私は宝石屋ですから地口で言うんじゃないですがね、これは磨き甲斐《がい》のある原石《たま》だと思いましたよ。ゆっくり手なずけてやろう。華族の落《おと》し胤《だね》と思えば、舌なめずりもしたくなろうというものです。それに、自分では十七と言ってましたが、十五歳ぐらいにしか見えなくて、まるきり子供だと思っていましたから、すぐ手を出す気にはなれませんでした。紫の上の成長を眺める光源氏のような心境で、なかなか、おつなものでしたよ。

新橋の店は私の番頭一人にまかせて、私はほとんど私の事務所でありとあらゆる仕事に手をつけて没頭していました。今みたいに税制の厳しい時代じゃなかったですから、進駐軍に目をつけられるようなことさえしない限り、どんな仕事でも思うようにはかどりました。

神田の簿記の学校には、行ったり行かなかったりでしたが、一度みんなで一杯飲みに行こうと出かけたところ、彼女が途中で、

「お先に失礼いたします」

と言い、学生が送って行ったのが印象的でした。折目がきちんとついていて、あの行儀のよさは、やはり並のものじゃないと思って満足でしたよ。昼間は私の店で働いているのには誰も気がついていなかったようでしたな。三カ月で三級をパスし、それから半年で二級も合格したのは、あの頃では珍しいし、優秀さを物語るものだったんですが、新橋の店は客がよく来るところではないから、じっくり勉強が出来たんだと思うんです。番頭からも、随分難しい本を読んでますよと報告を受けましたしね。

二級試験の合格祝いに、用意していた小粒のダイヤモンドの指輪を贈りものにしました。

「ありがとう存じます」

「新橋の店はやめるかね、続けたいかね」

「できれば続けさせて頂きたいのですけれど。一級の試験はじっくり勉強して、一つ一

つの試験を受けないと、私の学力では……」

驚きましたよ。一級を通れば税理士になる国家試験は受けられるし、一人前の税理士に間違いなくなれるんです。しかし、簿記学とか、所得税、法人税、固定資産税などの専門的な法律も学ばなければならないんですから。大学卒業したって、なかなか一級の試験はパス出来るものじゃないんですからね。

「税理士になるつもりだったのかい」

「はい。何か資格を持っていた方が、母と二人で暮して行くのに安心ですし」

「それじゃ新橋の店にいたいだけいて、税理士におなりよ。いくらでも応援するよ」

「社長さん」

「なんだい？」

「私は折角二級の免状を持っているんですから、夜はその方の仕事を持って働きたいと思うのですけれど。新橋のお店では算盤《そろばん》持つ必要がないし、どこかいい所ないでしょうか」

「夜も働こうっていうのか」

「はい。母が病身ですし、私は若いから夜学に行くと思えば働くのは少しも苦痛じゃないと思います」

「それじゃ、日本橋の店で、夜だけレジをやってみるかね」

「まあ」

嬉《うれ》しそうな顔をしましたね。その夜は、銀座七丁目にある贅沢《ぜいたく》な店で食事をしたあと、日本橋の店を覗《のぞ》かせて、それからあとはほろ酔いの彼女を連れこむのに苦もありませんでした。サカサクラゲという名で当時は呼ばれていた旅館ですが、彼女は少しも抵抗しませんでした。しかし処女だったのは間違いありません。私も手荒なことは出来ませんでした。

「一緒に風呂《ふろ》に入ろうか」

と私が言ったとき、彼女は、我に返ったようでした。

「私、帰ります。母が心配していると思いますから。母は私のこと、まだ子供だと思ってるんです。早く帰らないと」

急にそわそわして、こちらが興醒《きょうざ》めするほど、手早く身支度をしてしまいました。送って行こうと言ったのに、僕を振りきるようにして飛んで帰ってしまったのです。

しかし翌日は、いつものように新橋の店に出勤し、日本橋の中華そば屋で午後六時半から十時半まで働き始めたのでした。僕は、次の夜、日本橋の店でチャーシューメンを啜《すす》りながら、

「どうだね、元気かい？」

「はい。元気でやらせて頂いてます。このお店は活気があって、楽しいわ。母に社長さ

んの話をしましたら、大変喜んでおりました。おかげさまで親孝行が出来ます」

こう言われれば、特別の関係なのだし、給料もはずむようになりますよ。昼は宝石店、夜は中華料理屋とぶっ通しに働くとなれば、僕と逢《あ》う機会は極めて限定されたものになりますよね。宝石店を早い目に出て、ラブホテルで落合うとか、ですね。何しろ、夜は、彼女、徹底拒否でしたから。

「駄目ですわ。母が心配しますもの。それに、こういうこと、いくらなさぬ仲だって言えませんでしょう」

「なさぬ仲？」

「ええ、申しませんでした？　母は生みの親じゃないんです。でも、育ててくれた恩がありますし、本当の親と同じように私のこと気の毒がってくれてますし」

「気の毒がる？」

「ええ、母は女が働くってことは本当はとんでもないことだと思っているらしいんです。男が働いて、女は家の中に落着くのが当然と思っているものですから、私が働いていることに自責の念があるらしいんです。でも、母のような年の女こそ働き口がありませんでしょ。それに、私は働くのも、勉強するのも大好きだから、今の環境は夢みたいに幸せなんです。社長さんが、私のこと好きだなんて、思いがけなかったし」

「初対面のときから、こうなるつもりでいたよ」

「まあぁ」

彼女も若かったが、僕の方も壮年期を迎えて気負いたってましたから、朝であろうと、昼であろうと、それでへこたれることはありませんでしたがね。しかし、僕もその頃は男の盛りだから女は彼女一人ってわけじゃない。こちらが少しばかり遠ざかっていると、彼女は忘れられたかと心配になるらしくて、新橋の店から直接、僕の家に来て待ったりするんですよ。何かと口実を設けてね。たとえば指輪を一つ持って、女房に、これをお届けするようにと社長さんから頼まれました、などと言って置いておくんです。帰って、それを聞けば、どきっとするじゃないですか。

「君のお袋さんに僕が会いに行ったら君は困るんじゃないのか。お互いに、家庭には入りこまないようにしようよ」

「でも、お店じゃ、こちらから声をかけることも出来ないんですもの。あんまり辛《つら》くなったものだから。ご免なさい。もうしません」

身悶《みもだ》えする彼女を抱きしめていると、この女を開花させ、育てているのは俺なんだという喜びで、この子だけは別扱いにしなきゃいけない。大事にしようと思ったものですよ。

しかし男は仕事に没頭して、女どころでない日々を過すこともありますよね。そうすると、彼女は、又もやわが家に現れるんですな。そのうちに女房とすっかり仲良くなってしまうし、二人で芝居を見に行ったりして、あの頃は女房が彼女の話をすると複雑な思いがしたもんです。

「あのね、社長さん、おかげさまで、アパートに引越したのよ。今まで間借りで母も肩身が狭かったから、随分ありがたいわ。お礼を申上げます」

二人きりのときでも、こういうことは行儀よくきちんとしていました。男としては、てれますよね。どちらも裸のときなんだから。

「それより大丈夫かい。アルバイトの学生と親密だって噂《うわさ》がたってるよ」

「渡瀬さんのことでしょう？　毎晩アパートまで送ってくれるの。夜道が物騒だから助かるわ」

「それだけなんだろうね」

「そうよ。他《ほか》にどんなことが考えられるの」

「新橋の店では、君は結婚したと言ってるらしいじゃないか」

「だって、妊娠してるんですもの。そう言っとかなきゃ先へ行って困るでしょう」

「妊娠？」

僕は仰天しましたよ。まだまだ花の蕾《つぼみ》のような小娘が、他人事《ひとごと》のようにけろけろと言うのですからな。彼女の生理については、よく確かめて、しかるべくやってはいたつもりでしたが、無防備なときもなかったとはいえません。

「そうか、気の毒なことをしたな。早いほどいいから、明日でも医者に行けよ。僕がついて行こう」

「なんのために？」

「なんのためって、産むわけにはいかんじゃないか」

「どうして？」

「どうしてって、君には気の毒だが、知っての通り、僕には妻子がある。これを捨てるつもりはない」

「そんなこと、私から頼んだこともないのに、わざわざ言うのは残酷だわ。ひどいわ」

小声で呟《つぶ》やいてから、静かに涙をこぼし始めました。見ているうちに不憫《ふびん》になって、こんな若い娘に手を出したのは罪だったなあと僕も反省しましたよ。

しかし、それから後は大変でした。どう説得しても彼女は産むと言い張ってきかないのです。

「一つの生命が芽生えているのよ。それを医者に殺させるなんて、考えただけでも身震いがするわ。私、人が車にはねられて死んだの見たことがあるんです。同じことでしょう？」

「全然違うね。これから生れる子の幸せを考えて見ろ。僕は認知しないよ。僕は家長として自分の一家を乱したくないからね。第一、君は母親になるには若すぎるよ。本当は十六歳だろう？」

「子供が生れるときには十七歳になっています」

「それでも若すぎる」

「そんなことありませんわ。私の同級生で、中学出るとすぐ結婚して、もう赤ちゃんのいる人がいますわ」

「しかし、その女は結婚しているのだろう。君は結婚していない。僕は君を弄《もてあそ》んだつもりはないが、しかし結婚するとは一度も言わなかった」

「どうして同じことばかり仰言《おつしや》るの。あなたには愛以外に何も求めないわ。私は子供を産みたいの。これから生きて行く上で、しっかりした心の支えにもなると思うし、何よりも私の体の中に宿ったものが大事なの。子供が生れるまで生活に困らないように、貯金はちゃんと出来てますし。社長さんには何も求めないから、安心して下さい。私生児でいいの。私の戸籍だってそうなってるんだから、平気よ、私は」

「お母さんは知っているのかい？」

「いいえ、まだ気がついてないみたい。肥《ふと》ってきたねって言われたけど。妊娠すると乳首が紫色になるのね。初めて知ったわ。躰《からだ》が、大人になったんだって嬉しくてたまらないわ」

「親にはどういうつもりだ」

「ありのままに言うわ。好きな人の子供だけれど、事情があって結婚出来ないって。そのかわり、子供を産んだら、今の三倍働きますって言うわ。本当にそのつもりよ。妊娠すると、女って勇気が出るのね」

うっとりとした眼をして、夢のような言い方をするんですよ。勇気だなんてね。閉口しましたな、まったく。

「いいかい、しっかり考えるんだよ。君にも将来がある。君にふさわしい結婚相手が出てきたとき、君に子供があれば、君の過去がばれて話が御破算になるだろう？」

「私が、結婚ですって。まああ。社長さん以外の人と？　そんなこと考えることも出来ないわ。私の過去って、なにかしら」

「僕のことさ」

「どうして過去なの、現在なのに」

「しかし僕は君より二十五も年上なんだよ。いずれ僕が爺《じじい》になったら、君は女の盛りを迎えるんだ」

「社長さんがお爺《じい》さんになるなんて、そんなこと考えないで頂だい。いつまでも二人で若く美しく生きて行きましょうよ」

「それは賛成だがね、子供を産むのだけは反対だ。責任をとって、君のお母さんに僕が頭を下げようか」

「産ませてやって下さいって?」

「逆だよ」

「だったら会わない方が、母のショックは軽くてすむわ」

「アパートの人たちだって変に思うよ。君が結婚もせずにお腹《なか》が大きくなれば」

「そうなったら引越すわ。でも、どんな眼で見られても私は平気よ。胸を張って見せびらかしてあげるわ。子供が生れるって、素晴らしいことじゃないの? 私がこんなに喜んでいるのに、どうして変なことばかり仰言るの?」

「しかし、君は未成年だろう」

「でも妊娠したのよ。どんな法律だって、子供を産んではいけないというのはないと思うわ。もう社長さんとは、このお話やめましょう。どのお店もやめて、子供が生れてから、お目にかかるようにしましょうか」

実際、彼女は間もなく宝石店をやめました。中華料理のレジは、上半身しか客には見えませんから、それから二カ月ほど働いていましたが、これも黙って、ふいにやめたんです。僕も気にはなりましたが、彼女のアパートへ、そのことで訪ねて行くのも変でしたし、どうしたものかと考えこんでいたんです。アパートのまわりをうろつくのも気がすすまないし、当時は今のように電話がどこにでもある時代じゃありませんでしたからね。

彼女の姿が見えなくなると、母親もついていることだし、父《てて》なし子を産むことに賛成する筈《はず》がないのだから、戦後の風潮として、いずれ始末してしまうのじゃないかと思うようになりました。私も仕事が八方にひろがって多忙を極めていましたしね。で、決して忘れたわけではないけれども、さほどの気がかりではなくなった頃に、彼女が臨月の腹を抱えて、わが家の応接間に坐《すわ》って、女房相手に泣いていたというわけです。

女房の手前、腹の中の子が誰の子供か分ったものではないと言ったのが、いたく彼女のプライドを傷つけたようでした。結局、その夜は、彼女の心が鎮《しず》まるまで夜の町を歩いて、もうここまで育ったなら俺も肚《はら》はくくらねばならんと思いました。

「女房の手前、認知は出来ないが、経済的なことだけは僕が面倒見るよ」

「まあぁ。私、お妾《めかけ》さんになるのは断然、嫌よ。貯金が出来ていると言ったでしょう。生れたら電話で知らせますから、花屋に言って、お花だけは毎日沢山届けて頂だい。それだけでいいの。私は何も求めないって言ったでしょう。社長さんのお金を狙《ねら》って子供を産むみたいに奥さま誤解してらしたけど、私は自分の働きで、子供を育てたいの。幸い、母がいますから、産めばすぐまた働けるわ。社長さん、また使って下さる？」

それから半月して、会社に彼女から電話がありました。

「男の子よ。社長さんに、そっくりよ。お約束覚えていて下さる？　お花よ。七号室に沢山、届けて。お願い。アパート中の人たちが、誰が父親か、見定めようと張番をしているの。母も始終いますし。だから、こちらの都合のいい日に、もう一度お電話します。三千八百グラムあったのよ。ええ、昨日。母子とも健在。ありがとう存じます」

花屋に頼んで、毎日いろんな花を当分の間届けてくれるように頼みましたが、彼女の無邪気な心の喜びが、僕には精神的な負い目になっているのを感じましたね。

三日後に、明日の夜、来られないかという電話があり、七号室に入って行くと、

「いらして下さったわ。嬉《うれ》しいわ。早く見て下さい。坊やを」

彼女のベッドのすぐ隣に、小さなベビー用の箱型のベッドがあって、そこに赤い顔をした子供が、すやすやと眠っていました。僕は思わず涙を流したです。責任を痛感したんです。戸籍上は何も出来ないかわり、経済的には、しっかり僕の力でこの子に何か残してやらねばならないと思いました。

二カ月後には、彼女が働きたいと言いますので、日本橋の店で昼から夜までレジをやらせました。躰の方も、すぐよりが戻りましてね、驚いたことに、女房のときはそんなこと感じもしませんでしたが、一人子供を産むと女の躰は変りますな。僕は、情痴に溺《おぼ》れるというのは、このことかと思いましたよ。前より、もっといい女になっていたんです。四十過ぎて、こんな思いを味わえるとは本当に思わなかったです。

そんなわけで、また彼女は一年たたぬ間に妊娠してしまったんですよ。

「兄弟がいる方がいいと思うわ。助けあって生きていけるでしょ。私は一人っ子で、兄

弟のある人が羨《うらやま》しくてたまらなかったのよ。まあ、なんて大きな喜びでしょ。二人も子宝に恵まれるなんて！」

二人目が生れたときは、彼女に将来は日本橋の店をやろうという気になっていました。場所が場所ですから、女が二人の子供を育てるのには十分だと思っていたんです。ところが、上の子が小学校へ上った年、それを言うと、彼女は、

「それは嫌。それより、私に売って頂だい。買うわ」

と言ったんですよ。それも毎月五万円という月賦《げっぷ》で、ね。可愛《かわい》いと思いましたよ、そのときは。

それが、隣の角地と裏側にあった小さな店も、いつの間にか買ってあって、ご覧の通りの立派なビルが建ってしまったんですから。あまりの不思議さに、僕の方が唖然《あぜん》としたくらいです。

店の譲渡については、彼女の名義に早いうちにしてありましたが、それを担保にして銀行から借金して土地を買ったと言ってました。

「忘れないでね、パパ。私は税理士の資格があるのよ。簿記学だって伊達《だて》にはやっていないわ」

彼女は花やかに笑いました。それに彼女は、よく僕に金を借りに来ました。沓掛《くつかけ》の土地を五千坪とか、田園調布に五百坪とか、三年たつと元金を返してくれましたが、彼女

の勘は冴《さ》えてましたね。地価の暴騰《ぼうとう》を見越していたんですよ。彼女が安く買った沓掛の地所などは、今は軽井沢と名を変えてます。土地はホテルが買いにきました。面白いほど儲《もう》かったと思いますよ。

日本経済の高度成長の波に、彼女はあの若さで、誰より早く乗っていたんです。一級簿記で固定資産税というのを学んだとき、彼女はすぐ実践にとりかかっていたんですな。

僕は現在、六十五歳です。昔ほどの精力はありませんが、彼女との関係は、彼女が死ぬ四日ばかり前まで続いていました。昔ほどの精力はありませんが、あの女を知ったら、捨てる男はいませんよ。

しかし、何故《なぜ》、死んだのか。僕には何も思い当りません。彼女は、数年前にテレビに出始めてから、仕事の相談は何もしなくなっていました。逢《あ》うのが人目にたつといって、昔ほど気軽く旅行することも出来なくなりましてね。それまでは女房に内緒で外国旅行までしていたんですが。

それにしても驚いたのは、彼女が二回も結婚してたって、彼女が死んでから週刊誌が書いたことですよ。どこにも僕の名が出てなくて、渡瀬って昔のアルバイト学生との間に二人の子供が出来ていたって書いてあったでしょう。御丁寧に、戸籍謄本《とうほん》まで写真入りでねえ。僕は信じられんですよ、未《いま》だに。そんなとんでもない女じゃなかったんです。心の優しい、嘘《うそ》のない、どちらかといえば潔癖な女だったんですから。僕以外に男がいたなんて、どの夫も、騙《だま》された、騙されたと言ってるようですが、だらしのない奴《やっ》らだねえ。子供は二人とも僕の子です。次男なんか、僕と瓜《うり》二つですよ。お会いになってご覧なさい。しかし子供には、父親のことは何も言ってないようですな。僕を、おじさん、おじさん、と昔から呼ばせていましたからね。今でも、相談相手になっています。僕の子に間違いないんですから。

その十　林梨江の話

富小路公子さんについて——はい、私は長いお付き合いをさせて頂いておりますから、よく存じ上げております。

まだ渡瀬公子さんというお名前の頃に、日本橋でレストランを経営していらした時代からでございますもの、二十年あまりになるのではございませんでしょうか。私は最初、私の店の前にお立ちになっているのをお見かけしたときは、どこかのお嬢さまだとばかり思いましたんですよ。何しろ、お若かった上に、ああいう愛くるしいお顔でいらっしゃいましょう？

「どういうものをお求めでいらっしゃいますか」

最初は私の方から声をおかけしたと思います。するとあの方は、囁《ささ》やくようなお声で、

「このウィンドウのワンピースですけれど、薄い紫色で作って頂くと、どのくらいのお値段になりますかしら」

って、心配そうに仰言《おっしゃ》るんです。

「同じお値段でございますよ」

と申上げると、

「まあ」

安心したのか、驚いたのか、私の顔をしげしげとご覧になりましてね。

その薄紫のドレスを御注文頂いたのが、そもそものお付き合いの初めでございます。

お顔が小さいので小柄な方だと皆様おっしゃるようですけれど、あの方は珍しく着やせするたちでいらして、お寸法頂いたときには、胸囲もヒップも、お見かけよりずっとございました。私がメモをとっておりましたら、

「やっぱり子供を一人産むと寸法が変るのねえ」

と仰言るので私びっくり致しました。

「まあ、御結婚なすっていらっしゃいますの。お嬢さまだとばかり思ってましたわ。でも高校生でいらっしゃるのじゃありません？」

「高校にも大学にも行きたかったんですけれど、強引に結婚させられちゃったのよ」

「まあ。お綺麗《きれい》でいらっしゃるから、相手の方がお待ちになれなかったのでしょう」

「まああ。どうして、そんなことお分りになるの？」

「戦争前から、ずっと同じこと致しておりますから、お見受けすれば、ね」

それでも、まだまだその頃は、夜の商売の方々以外で、そういうカクテル・ドレスの

ようなものを御注文下さる方はありませんでしたから、私は大変嬉《うれ》しかったのを覚えています。すっ堅気《かたぎ》の方とお見受けしていましたから。だって、お年はまだ十代でいらしたんですし、決してお安いお買物ではございませんでした。

お仮縫は、お店の方にお昼頃いらっしゃいました。私は相当派手なデザインだったつもりだったのですが、あの方がお召しになると、しっとり落着いた感じになって、

「このフリル、もっと賑《にぎ》やかに致しましょうか」

「いいえ、これで結構ですわ」

「でも、なんですか大人っぽくなって見えましてよ」

「その方がいいの。若い若いって、馬鹿《ばか》にされたくないんですもの」

「誰方《どなた》がそんなこと仰言るんですの。御主人様なら、お若いのが御歓迎でしょう」

「主人は、よろしいんですけれど、使用人がね、甘く見ますでしょ」

まさかそのとき、お店の経営してらっしゃるなんて思いませんから、女中さんのことかしらと思っていたんでございます。とにかく戦前の御大家は、みな一様に御不自由になって、古着の縫直しなどたまに御注文があって、お気の毒に思っていました頃で、戦争に敗《ま》けても、こういうお家がまだ残っているとすれば日本は大丈夫だって気になったものでございます。

それに、あの方は、私にとっては福の神でしたんですよ。あの方がいらっしゃるよう

になってから、私の店は大変はやるようになって、縫い子を大急ぎで殖《ふ》やしたくらいでございますもの。

お名前と御住所を伺いましたら、文京区の本郷にあるアパートでしたので、少し面喰いましたが新婚生活を気楽に送っていらっしゃるのかしらと思いました。

「お子さまは、お嬢さまでいらっしゃいますか」

「いいえ、それが男の子なんですの。女の子ならねえ、親子でお揃《そろ》いのドレス作ったりして楽しめるのにねえ」

「きっと御姉妹に見えますのにね」

「まああ。まだ赤ン坊なのよ」

「子供はすぐ育ちますわ。十歳ぐらいにおなりになると、お揃いのお洋服でお出かけになれますのに」

「そうね。それはきっと楽しいわね。じゃ、この次は、女の子を産まなくちゃ」

カクテル・ドレスの仕上りが、大層お気に召したらしくて、スーツとか、アンサンブルとか、でもその頃は、あまり派手なものをお好みになりませんでした。堅い布地で地味なスーツをテーラードでお仕立てすると、却《かえ》って若さが強調される感じで、あのくらい着るものの性格を躰《からだ》で表現なさるお客さまは、私もこの道に長いんでございますけれど、少いんでございますよ。

妊婦《マタニテイ》ドレスの御注文は、それこそ一年たたないうちにございました。

「お芽出とうございます」

「ありがとう。今度は女の子だと思うから、はなやかなものを作って頂くわ」

一時に三着もお作り致しました。お買物用とか、お家でお過しになる分は、とびきり派手なお柄に致しました。

「花とか絵とか、美しいものばかり眺めて暮そうと思うの。そしたら、可愛《かわい》い女の子が飛出してくるんじゃないかしら」

「ええ、胎教って大事でございますものね。お産は、どちらの病院で？」

「前に大きな病院に入って懲《こ》りたことがありましたから、今度は家の近くの小さいけど家庭的な産婦人科でと思ってますの」

「御予定は、いつでいらっしゃいますの」

「十二月の上旬よ。私、年子を産むことになっちゃいましたの」

「お知らせ下さい。すぐお祝いに伺いますわ。ベビー服の御用意も致しましょうね」

「ありがとう。でも、ベビー服は前にも頂だいものが多すぎて困りましたから、よちよち歩きでもするようになったら、それこそ、お揃いを」

「楽しみでございますわ」

お仕立上りの頃には、必らず御自分で受取りにいらっしゃいました。はい、時には外国製の大きなお車で。いったい御主人様というのは、どういう御職業かと思ったものでございますけれど、私どもはお客さまの方から仰言らない限り、こちらから立入って伺えないものでございまして。どちら様にも複雑な家庭の事情というのが、おありでいらっしゃいますからね。

お勘定は最初から、きちん、きちんと、現金でお支払い下さいました。いつでもよろしゅうございますと申上げましたのですけれど。

「私、借金って大嫌いなの。借りていると思うのが、頭を押さえるようで、一銭でも嫌なのよ」

って、その頃から仰言ってらっしゃいました。

お亡《な》くなりになったときのイヴニング・ドレスも、私の方でお納めしたのでございます。週刊誌がいろいろ書いて、私は呆《あき》れたんでございますけど、あの方は、どちらかといえば金離れのいい、綺麗なお金の使い方をなさる方だったんですのよ。あのイヴニングだって、私はお代金頂いてますし。あの方が、お金儲《かねもう》けにかけて強引で、無茶なこと随分なさったとか、近所のおそば屋さんに山のように借金を残していたとかいう話は、きっと間違いだと思いますわ。だって、私の存じ上げてる公子さまからは考えられませんもの。死人に口なしと思って、悪女だなんて書いたところもありましたが、私、憤慨して眠れないくらいでしたわ。この頃の週刊誌は、特にひどうございましょう。一流の週刊誌でも、ろくに取材しないで書くことがあるんだそうですのね。私も店を拡張しまして、女優さん方のドレスもお作りしていますけれど、皆さん本当にお気の毒でございますよ。あることないことどころか、ないことばかり書かれるんでございますって。記事が面白ければいいと思って書くんでございましょうね。無責任に。

公子さまだって、借金を苦にして自殺したんだとか、金の恨みで殺されたのだろうなんて、週刊誌ごとに違うことが書いてあるんですもの、呆れてしまいます。あんな御立派な、いい方が、人から恨まれたりするものですか。自殺なんて、なさる筈《はず》もございませんよ。お子さまの成長を、あんなに楽しんでいらっしゃった方が。何かの間違いでなくなったんだと思いますわ。だって、昼間にイヴニングをお召しになって、亡くなったのでしょう？　あの方は、ドレスの着方をよく御存知でした。昼間からイヴニングをお召しになるような方ではなかったのです。ですから、私、何がなんだか分らないんでございますよ。

お洋服のお好みでございますか。紫色が大好きで、いつも紫のかたまりだったなんて書いてた週刊誌がありましたが大間違いでございますよ。ドレッシーとスポーティに分ければ、ドレッシーなものの御注文の方が多うございましたけれど、スーツも随分お作り致しました。

ただ、あの方が新しいお洋服を御注文になるについては、他の誰方にもない、はっきりとした一つの基準というものはございました。

　それは宝石なんでございます。

一番最初の薄紫のワンピースも、仕立上ったのを御試着なさったとき、ハンドバッグから小さな宝石箱をおあけになって、

「ね、この指輪に似合わない？　紫水晶《アメジスト》なんだけど、セットが面白いでしょ？」

あのふっくらして形よく伸びた左の指にはめて見せて下さった。

私は、ドレスが着る人に似合うことを考える職業でございますけれど、このとき、はっきりと一つの窓が開いたという気がいたしました。人とドレスとアクセサリーが、一体になってこそ本当のお洒落《しゃれ》だってことを、誰からでもなく私は、公子さまから教えて頂いたんでございます。

　本当に、あの方は私にとって福の神様でいらっしゃいましたわ。格別あの方が、お客さまを紹介して下さるわけでもないのですのに、あの方がお電話下さっただけで、その日はお客さまがたてこむようなこと始終だったんです。

　いつだったか、何かの機会にそのこと申上げましたら、

「まあ。私、よくそう言われるのよ。たとえばお料理屋さんなんかに行くでしょ、そうすると、私が行く日は大繁昌《だいはんじょう》になるんですって。日本料理のお店なんて、幾つもお部屋があるでしょう？　それが駄目な日は、一人もお客が来なくて、女中さんさえ溜息《ためいき》が

出るようなことあるんですって。それが、私が顔を出すと、ああこれで当分は大丈夫だって思うんですって」

「方々に福を撒《ま》いていらっしゃるんですのね」

「その分、私の幸福が減っているのかしら」

「そんなことございませんよ。奥さまみたいにお幸せな方、滅多にいらっしゃるものじゃございませんよ」

「そうかしら」

「だって御主人様がお金持で、二人も子宝に恵まれてらして、お綺麗で、お若くて。それで幸福じゃないのだったら、世の中に幸福なんてなくなってしまいますよ」

ああ。思い出しました。その頃、離婚の話が持ち上っていたのかもしれません。でも、私などは想像も出来ませんでした、離婚なさったって公子さまのお口から伺うまでは。

だって、

「これ、主人が買ってくれたブローチなんだけど、この色にあわせてカナリア色のドレス考えてみて下さらない？」

「綺麗でしょう、このオパール。みんなムーンストーンぐらいに思うんだけど、あえかに色が動いては消えるもので、あら、なに、その石はって訊《き》かれるのよ。ほら、虹《にじ》を、そっと月の雫《しずく》に閉じこめたみたいでしょう？　これにはどういうドレスがいいかしら。

色が濃い方が、指輪が目立つわね？　主人が面白いの見つけたねって、褒めてくれましたの」

「主人のお誕生祝いに、お客さまするの。ごく小人数でね。そういう場合、私は目立たない服装にするべきでしょう？　でも、黒は嫌なの。指輪と首飾りは真珠にするつもりなんだけど。結婚する前の主人の最初のプレゼントなのよ」

という具合に、お目にかかったことはございませんけど、御主人様の御性格とか人となりが公子さまの言葉の端にいつもちらついていて、几帳面《きちょうめん》で、御趣味のいい貴公子然とした方だと思っていましたわ。

離婚なさったのは、急にお寸法がお変りになったので、

「何か御心配ごとでもおできになったのですか？」

って、思わず伺ってしまったのです。

それまでは、たとえばバストの寸法などは出産前と、出産後では、どうしても変って、お一人でもお産みになれば体型は崩れるものなんですのに、公子さまはずっと豊かで、形のいい理想的な寸法でいらしたのです。だものですから、うっかり立入ったことを訊いてしまったのですわ。

「やっぱり分るのねえ」

「いえ、急にお痩《や》せになりましたから」

「離婚したのよ」

私は耳を疑いました。そんなことが、こんな方に限って、あるものではないと思ってましたもの。

細くなった手首をじっと眺めながら、

「まあぁ。痩せているわ、確かに。女にとって離婚というのは一大事だったのねえ」

御自分に言いきかせるように、囁《ささ》やくように仰言《おつしや》るのです。私は喉《のど》もとまで、何が原因だったのですかと言いかけて、無理やり押さえこみました。私どものような職業は、お客さまの方からお話しになるのでない限り、こちらからプライバシーに興味を持ってはいけないのです。うっかり弱味を見せたばかりに、こちらが言いふらすわけでもないのに、遠のいておしまいになる方がいらっしゃいますし。やはり、職業に徹しなければ、十年、二十年という御贔屓《ごひいき》は頂けませんもの。

はい。再婚のときのウェディング・ドレスは、私がお作り致しました。

「びっくりしないでね。私、また結婚するのよ」

「それはお芽出とうございます。こういうびっくりなら大歓迎でございますよ」

「でも、もう次のびっくりは、ないことよ」

「それは当然でございますとも」

「再婚は、ピンクとかブルーとか薄く色をつけたウェディング・ドレスだって言うけど本当かしら。私、前は日本式だったから、ウェディング・ドレスは着たことがないの。ねえ、白でいいでしょう」

「もちろんでございますよ。お婆《ばあ》さんになって再婚なさるなら、ピンクも悪くないと思いますけれど、奥さまは前の結婚が早すぎたんでございますよ。だって普通の方が適齢期と言われるお年ですもの」

離婚なさってから、三年たっていたように思います。

「ねえ、少女趣味かしら、私、小さな白いバラの花をリボンで綴《と》じつけたみたいにして、全身にあしらってみたいの」

「造花でございますね」

「本もので出来たら一番いいんだけど」

「でも本ものの白バラは傷がつきやすくて、それが目立ちますし、却って穢《きたな》らしく見える心配がございます。造花の方が、本ものに見えると思いますよ」

「まああ。面白いわね、造花の方が本ものに見えるなんて」

あの方は、決してけたたましい笑い方をなさることがなくて、あの方のよくお使いになる言葉ですけれど、あえかに笑っていらっしゃいました。三年の歳月で、離婚の傷あとが癒《いや》されたのだと、私まで嬉《うれ》しゅうございました。

このときのウェディング・ドレスは、私がこれまでお作りした中での最高の作品だったと自負しています。フランス製のチュールの上に、スイス製のレースをフリルにして重ね、その下から、チョロッ、チョロッと、バラの花を覗《のぞ》かせたのです。

お式は青山の教会でした。仮縫の段階で大がい想像がつくものですけれど、あのドレスは想像以上に仕上りました。着手がよかったせいもありますわ、もちろん。公子さまは、まるで白バラの精みたいでしたもの。二人も坊《ぼ》っちゃんがあるなんて、嘘《うそ》みたいでしたよ。誰が見たって処女の花嫁さんでした。腰が細くしまっていて、眼もとが夢でも見ているようで。

私はドレスばかり見ていたのですけれど、でも再婚相手の富本さんて方も見ましたよ。肩幅の広いがっしりしたタイプで、美男ではありませんでしたが、逞《たくま》しさが漲《みなぎ》っていて、私はお目にかかったことがなかったけれど、前の御主人さまとは真反対のタイプをお選びになったのだという気がしました。

その頃には、公子さまが日本橋に大きなビルをお建てになろうとしてらしたことを知ってましたから、お若いのに、女一人でどうしてそんな大事業が出来るのかと思っていたのですけれど、富本さんは実業家として、いいパートナーだったのじゃありませんかしら。

「富本がね、前の主人のこと焼餅《やきもち》やいて仕様がないの。指輪でも一々、買ってもらったのかって訊くのよ。私は嘘がつけないから、自分で買ったのは自分で買ったと言えるんだけど、そうじゃないのは、咄嗟《とっさ》に言葉が出ないで、うろうろしてしまうのね。すると富本は鷲摑《わしづか》みにして持って出て、一廻りも二廻りも大きな石に変えて、黙って突き出すのよ」

思ったより神経質で、でもやっぱりやり方が逞しい方だと思いました。

「ねえ先生、私のビルの中にお店出さない？　主人が焼餅やくから、女の方ばっかりにしてしまおうかと思ってるのよ、経営者は。若いお嬢さんたちが、日本橋のオフィス街からぞろぞろ出てくるのは壮観よ。若い人向きの既製服専門店になさったら、どうかしら。お家賃は、いらないわ」

私も縫い子さんの集団つまり縫製工場を持とうとしていたときでしたし、福の神の御託宣だと思って、あのビルにプレタポルテの店を出させて頂くことにしました。でも、あんなに当るとは思いませんでした。造花を衿《えり》や片袖《かたそで》にひょいと一つ付けたデザインが、私の商標みたいになって、東京中のお嬢さん方が私のデザインしたものを着て歩いて下さるのですから、最高の宣伝効果になりました。

私のプレタポルテの店は、今、東京に五カ所、大阪に六カ所、名古屋に三カ所、京都にも、福岡にも四カ所ずつ、あら、二十二店になりますか、変ね、二十五カ所目がこないだオープンしましたのよ、ああ、金沢と、札幌と、横浜に一軒ずつでした。ホテルのアーケードとかデパートに、私のデザインコーナーがありますの。

テレビに出るようにおなりになって、

「困ったわ、出演料って馬鹿《ばか》みたいにお安いのよ。ドレスは同じもの着られないし、何か考えて、考えて」

と仰言って、あのお洋服は全部、私のこちらの店でお作り致しました。

公子さまのビルのお家賃でございますか。それは、いくら公子さまが只《ただ》と仰言っても、ビジネスはビジネスでございますからね。きちんと所定通りお払い致しております。当然でございましょ？

お洋服の色が鮮やかにおなりになったのは、テレビうつりのいい色をと心がけているうちに、だんだん花が咲いたようになってきたのでございます。世の中全体が派手で、戦前の日本や、焼野原だった東京を覚えている私なんか、ときどきこれでいいのかしら、この国は、などと立止りたくなるようでした。

でも公子さまは、

「ねえ、ちょっと、私、花の四十代に突入してしまったわ」

と、愛くるしい眼をして、

「有りがたい時代だと思うのよ。昔だったら四十の女がピンクのドレスなんて着ていたら色気違いって言われたんじゃない？　私、うんと花やかに粧《よそお》うことで、年を取るのはくい止めようと思っているの。先生もそのおつもりで、立止らないで、すてきなドレスを私に着させて頂だい」囁くように仰言ってました。

ですから、私は自殺ってことは考えられないのでございますよ。

それと私、週刊誌を見て、のけぞるほど驚いたのは、富本さんと離婚なさってたことでした。その前後に、何も変った御様子はありませんでしたし、富小路ってお名前は、一種のペンネームのおつもりで、あの方らしい御主人さまへの心配りだと思っていたのでございます。御主人さまが、有名な女の夫だと言われるのがお嫌いだから、御自分の事業の方は富小路という表札を出した事務所でやってらっしゃったのだと思っていました。

ですけど、私は、今でもまだ信じられませんのよ。週刊誌がまるで悪徳の権化《ごんげ》みたいに書き立てましたでしょう？　あの方は善人でしたわ。善人というのは公子さまを形容するにはふさわしくありませんわね。心が美しくて透明な方だったと私は思っています。どんな強い色でもあの方がお召しになると夢物語みたいな不思議な雰囲気《ふんいき》が生れるのです。私もデザイナーとして、この道もうじき五十年ですが、あんなお客さまはお一人しかいらっしゃいません。いい方だったんです。でなくて、ドレスがあんなに見栄《みば》えがした筈《はず》ございませんもの。私の職業的な直感でございます。あの方は悪いことなど決して何一つしていらっしゃらないと思いますわ。

その十一　伊藤弁護士の話

富本君の結婚ですか。あれはローマンスですよ、あなた。

富本君は僕の何です、大学も一高も同期でしてな、文乙で法科ですから、一高時代は同じ寮の同じ部屋で、だから何です、つまり、その、そう、親友です。酒が好きでしてな、

「ああ玉杯に花うけてェ」

と放歌高吟して蛮からに見えて、大学卒業するとすぐ見違えるような紳士になって、日本銀行に入りました。私は官僚になり、未《いま》だに生きていますから、近頃は誰それの話となると、皆、私に訊《き》きにきますな。

先だっても何です、鎌倉《かまくら》の、何です、東慶寺に向陵塚を建てようというので、私も担《かつ》ぎ出されましてな。一高というのは、戦後の六三制でなくなった第一高等学校ですからな、今の駒場《こまば》にあったといっても、若い人らは知らんですよ。私の孫が今年駒場に入りましてな、

「おい、今日からはお爺《じい》ちゃんの後輩だぞ。一高には先輩と後輩の礼儀は厚く、しかも絆《きずな》が太いという伝統があるのだ」

と言いきかせましたらな、孫が妙な顔してまして、そっと嫁に耳打ちしてるんです。

「お爺ちゃん、やっぱり少し惚《ぼ》けてきたね。僕のこと、一高に入ったと思いこんでるよ。おかしいね」

私は馬齢は重ねとりますが、耳は遠くない。ちゃんと聞こえましたから、

「何を言うとるか、駒場というのは一高だ、本郷が帝大だ」

と怒鳴ったら、

「お爺ちゃん、帝大ってものは、なくなって三十年にもなるんですよ。しっかりして下さいね。せめて僕が、その一高と帝大を卒業するまでは、生きてて下さい。それも、ただ生きてるだけではママたちも迷惑だから、頭と、体と、いい？　両方が、しっかりしててくれないと困るんだよ、周囲の者がさ」

と、子供にものを言いきかすように、親より目上のこの私に向って言うのですからな。

ところで、何の話でしたかな。ああ、向陵塚でした。つまり、昔は一高という学校があって、健児集うところであった。それを記念しておこうというので、卒業生の名を銅板に彫りましてな、向陵塚に納め、永遠に記念しておこうというのですが、富本寛太郎という名を見たときは感無量でしたな。優秀な男でしたが、若死にしました。五十にも

ならんうちでしたから、しかし、ローマンスが実を結んで、実生活は幸福そのものでしたよ。

この頃はロマンスと言うが、僕らの時代はローマンスと発音したものだ。もちろん熱烈なものでしたが、プラトニック・ラブでして、今の人にはこの心情は分らんでしょう。愛が清いというのは昔の話になってしまった。富本寛太郎の話は、ローマンスで、今の時代の小説にはならんでしょう。

ええ、なんですと？　ああ、富本君の息子の結婚ですか。寛一君のことですな。富本君の妻君が、ローマンスで獲得した奥さんの名が宮子さんというので、息子に寛一とつけたのですな。奥さんは大反対だったらしいが、富本君が親の名が一字入っているからいいと言いはったんですよ。

そうですか、寛一君のことで、いらしたのですか。僕はてっきり日銀の富本君のことばかり思っていた。

寛一君は、実に幸せな結婚生活を送っております。人間、一度挫折《ざせつ》すると、逞《たくま》しくなるというが、寛一君の場合は、もともと逞しい男でした。ラグビーやってましたからな。父親とは似ても似つかん青年で、それが、挫折してから賢くなりましたな。物事に慎重になりましたよ。

先年亡《な》くなりました妻《さい》が、社交好きの女でしてな、これが頼まれ仲人《なこうど》が大好きで、寛一君の結婚は、二度とも僕たちが媒酌です。しかし、二度目のは、妻《さい》が勝手に責任を感じて、女子大在学中のお嬢さんばかり探してお見合させまして、先方の両親ともよく交際した上で芽出たく結婚というわけで、これは妻は引受けたがりましたが、私は遠慮すべきだと主張しまして、下拵《したごしら》えだけして、寛一君の恩師に仲人をお願いしたと、こういうわけです。

いやあ、本当によかった。これで何です、僕もあの世に行ってから富本君と安心して握手が出来ますよ。富本君の孫が、もう三人も出来てるんですからな。

富本寛一君の結婚ですか。いま、話したじゃありませんか。至極うまくいっています。

妻が死ぬとき、宮子さんが、

「いい嫁を、ありがとう」

と言って泣いてくれました。

なんですと、前の結婚ですか。

あれは、ひどい話だ。

あんなことは書くべきではないです。戦後の戸籍法改正には幾つも問題はありますがね、戸籍というものは、昔は簡単に本籍を変更することが出来なかった。不当に差別されていた人々が、それで患わされることはあったと思いますが、しかし、戸籍を汚してはならないという思いが、昔の人間なら潜在的に意識していたのです。それが名誉を守るとか、プライドを持つとか、生きていくための土台石にもなったものだったのです。

寛一君の最初の結婚は、まったくの頼まれ仲人だった。ある日、宮子さんが家にいらして、当人同士でもう決めてしまっているのですけれども、主人が生きておりましたら、きっとお願いしたと存じますと仰言《おっしゃ》る。妻がたちまち身をのり出して訊きました。

「どんな方ですの」

「それはもう、ひっそりとしたお嬢さんなんですよ。もの言いが丁寧で、戦後でも、こんなお嬢さんがいたのかと思いましたわ」

「寛一君が一人で見つけて来たのですか」

「そうなんでございますの」

「さぞ熱烈なロ一マンスでしょうな。親の血ですからな」
四、五日してから、若い二人が揃《そろ》って挨拶《あいさつ》に来ました。驚きましたなあ。宮子さんが若い頃には、こんな別嬪《べっぴん》をよくあの男が射落したものだと感嘆したものだが、ひょっとすると宮子さんより美人かもしれん。
「そんなことありませんよ。宮子さんは昔風の美人で、鼻筋が通って口許《くちもと》がしまって、ずっと綺麗《きれい》よ。あのお嬢さんは、ごく普通の顔なんだけど、お化粧上手ね。私たちの時代には、あんなお化粧は素人《しろうと》はしなかったものよ。アイラインって言うんでしょう。なんだか女優さんみたいな人ね」

「そうそう、僕もそう言いたかった。岡田嘉子《よしこ》みたいだ」

「あら、岡田嘉子は、もっと美人だったわよ」

「しかし雰囲気が似ている」

「そうですわね。でも、宮子さんがひっそりした人と言ってたから、どんな地味なお嬢さんかと思ってたけど、花やかな方ねえ。あのダイヤモンド、ご覧になった？」

「いやでも眼に入るよ。あんな大きなダイヤを、寛一君が買ったのかな」

「まさか」

「宮子さんのダイヤモンドだろうか」

「いいえ、宮子さんは、あんな大きなダイヤモンド持ってらっしゃらなかった。それに戦争中に献納なんかして、あれがあったら昭子の結婚も支度がしてやれたのにって、こないだいらしたときも口惜《くや》しがってらしたじゃありませんか」

「すると、あのダイヤモンドは、彼女自身のものかな。だとしたら、金色夜叉《こんじきやしゃ》だ、すっかり揃ってしまった」

「でも、あの人、まさか赤樫《あかがし》満枝じゃないでしょうよ」

　僕らは、まったく悪気ではなかった。しかし、富本君の御子息が寛一で、母親がお宮で、お嫁さんのダイヤモンドが大きいとなれば、どうしても往年の尾崎紅葉山人先生の今ならさしずめベストセラーと呼ばれる小説「金色夜叉」を連想してしまうのは、僕ら

の年代の者なら当り前ですよ。悪気ではなかったが、僕と妻《さい》とは以来、二人の話をするのに、

「あのね、金色夜叉の結婚は教会ですってよ」

「ああそうかい」

と、符丁のように使っていました。まさか現実に金色夜叉と同じ事件が起るとは思いませんでしたからな。

ただ、家内が首を捻《ひね》りながら、こう言ったのを覚えとります。

「ねえ、あなた、あのダイヤモンドは、お嬢さんの指にはめるものとしては、大きすぎるとお思いにならない？」

女の勘というものですかなあ。

結婚式は青山の教会でした。フランス人形みたいな花嫁さんだった。教会での集りは、ごく簡素なものだった。懐《なつか》しい顔ばかりだった。富本君は兄弟が多かったから、寛一君の伯父さんだの叔母さんだの、従兄《いとこ》とかハトコとか、それに宮子さんの方の一族も、漏れなく案内したらしく、僕らは一高時代の友人や、大学の頃の凡友たちと、やあ、やあ、という具合で、式が始まるまで、それは賑《にぎ》やかなものだった。

しかし、

「皆さん、御着席下さい。新郎の御親族と御交友関係の方々は、祭壇に向って、右の席

にお坐《すわ》り下さい。新婦の御親族とお友だちの方々は、祭壇に向って左の席にお坐り下さいますように」

女みたいな声を出す牧師でね、そう言うんですな。言われた通り、みんな着席したのでしょう。僕らは媒酌人だから、新郎新婦と一緒に入場するので、控え室に連れて行かれた。

「よろしいですか、男の方は、私の合図でまっ直《す》ぐ歩いて頂きます。新郎の後から、御媒酌の方がお進みになって、祭壇の前で止まって、お待ち下さい。それから音楽が始まって、花嫁の方の入場になります。ワンステップ、ワンステップと、こういう具合に音楽に合わせてお歩きになりますように」

日本人なんだが、ばかに変な外人みたいなアクセントで説明をするんですな。昔は、キリスト教徒でなければ、教会で式はあげなかったものですが、富本家は宮子さんに訊くと門徒だということで、どうして教会で挙式するのかよく分らなかった。お嫁さんの方がクリスチャンだというわけでもないようだったし。

ともかくです、僕は言われた通り、静まりかえっている教会の中へ、寛一君の後について入場しました。小さな教会で、右側の席は満員だった。それにひきかえ、左側の席は、人が、居《お》らぬ。それに気がついて、僕は途中で足がすくんだ。孤児《みなしご》だということは聞いていた。

生いたちについては、気の毒だから訊かないで頂きたいと、寛一君たち二人が挨拶に来る前、わざわざ私の事務所に電話で連絡があった。

しかし、親も、兄弟もないといっても、小学校や女学校の恩師がいるだろう。女友だちだって呼べばいいじゃないか。結婚式に、新婦側から一人も出席者がいないというのは前代未聞《ぜんだいみもん》ではないですか。

オルガンが荘重な音楽を奏で、花嫁が私の傍《そば》を、すり抜けるようにして寛一君と並んだ。長生きをしてますから、それに妻が社交好きで引受けたがるものだから、随分仲人をやっていますが、まずあんなもの凄《すご》いウェディング・ドレスというのは、後にも先にも見たことがない。今じゃ高名な洋裁師で、日本中に店を持っている女が、特別念を入れてデザインしたんだという話を後で聞かされたが、バラの花、バラの花、ああ、そう、胸といわず腰といわず、そこら中バラの花だらけだ。裾《すそ》を長く長くひきずって、それも洪水のようにバラの花だ。色は、白でしたかな。いや、とにかく本物のバラを着て歩いてきたんですよ。いや、造花じゃないでしょう。強烈な花の香りで、しばらく頭がぼんやりしたのを覚えてますからな。

厳粛な歌ミサの中で、カトリックの牧師、はあ、カトリックは神父といいますか、なるほど。その神父が、結婚の誓の言葉を、男から先に誓わせる。次に同じことを、花嫁に誓わせる。

花嫁が、

「誓います」

といったのが、異様でした。声が震えていたんです。

式が終って新郎新婦がこちらを向いたとき、花嫁の眼から涙が溢《あふ》れ落ちているのを見て、そうなのか、やっと幸福が来たと思って感動しているのだろうと、僕は納得して、左側の空席を忘れようと思いました。

寛一君は、何しろラグビーに熱中していて、親父《おやじ》のような秀才ではなかったのだが、富本一族は優秀だし、宮子さんの実家は名門だから、それと肩を並べられるような客は、あの若さではある筈《はず》もなかろうと思ったのですよ。

挙式から一時間後に、帝国ホテルで、五十人ばかりの宴会になった。つまり、みんな右側の席に坐った人たちだ。

「先方の親が反対している結婚なのか」

と、私のところへそっと訊《き》きにきたのが何人かいたな。

「いや、親がいないんだそうだよ。まったくの孤児だという話だ」

訊かれればそう答えていたが、みんな不思議そうな面持ちだった。友だちも呼んでないのですからな。おかしいと誰でも思うのが当り前だろう。私も長い間、そのことは忘れなかった。

料理は豪華版だった。フルコース・ディナーでしてね。富本君が生きていたら、と思った。感無量だったが、驚いたことに、花嫁は一刻《とき》たりと席に落着いていないのだ。バラの花盛りから、ピンクのイヴニングに着替えたかと思うと、次は水色で、シャンデリアみたいに、ピカリピカリと輝く。それから花模様あり、羽衣のごときものありで、コースの皿が変る度に、花嫁さんが着替えて来るんだ。その度に妻《さい》は迎えに行って、一緒に戻って来るんだから、何も食べてる暇がなかったと言っていたよ。

「西洋の道成寺《どうじようじ》みたいでしたねえ」

って、妻《さい》が、うまいことを言いましたよ。

私の知りあいで、三井家と縁組みしたのに若い頃お呼ばれしたことがあったが、五回か六回着替えるので、五十年も前のことですから、みんな振袖《ふりそで》ですがね、驚いたことがありますが、五十人ばかりの、まあ小宴といったところで、オードヴル、魚、肉、デザート、コーヒーと、やはり五枚とりかえたことになりますかな。いや、もっと多かったと思いますよ。道成寺が九枚着替えるといいますからな。

私は、媒酌人として挨拶するに当って、花嫁の学歴は青山学院短大卒と言った。年齢は二十三歳と言った。寛一君がくれた草稿にそう書いてあったからですよ。

「寛一君はサラリーマンとして職務に徹することはもとよりでありまするが、公子さんにおかれましては結婚後も従来のお仕事はお続けになり、わが畏友《いゆう》富本寛太郎君の孫が生れたら、家庭に専心するとのことであります。仲人といたしましても、一刻でも早く、といっても今日から半年以内というのも困りますが、いや当節は、そういうことも珍しくありませんな、ともかくです、早くいいお子さんを儲《もう》けられて、楽しい御家庭を築くことが出来ますように、どうぞ皆様の御厚意よろしくお願い申上げます」

こういうふうなことで結びました。僕は演説、得意なんですよ。とにかく左の席が空だったことを忘れてしまいたくて、客を笑わせるのに熱中して、かなり成功したと思いました。

富本君は、日銀のエリートで、若くてもあれだけ出世した人だったから、家は田園調布に敷地五百坪の立派なものがある。庭がひろすぎるから一部分売って離れを建てようかと思うと宮子さんが相談に見えたのは、結婚して一月たらずだった。

なんと若い二人はアパート暮しで、宮子さんは一人ぼっちで暮しているというではないか。僕は寛一君を呼んで叱《しか》りつけてやった。この親不孝者めが、僕の生きている間は、アプレ・ラ・ゲールの真似《まね》はさせないぞ。姑《しゅうとめ》と同居を嫌がる嫁など、放《ほう》り出せと、強いことを言った。

寛一君は、当惑しとったな。

「色々事情があるんです。実は、家は新築しようと思っているんです」

「あの立派な家の、どこが不足なのだ。それは公子さんの意見か」

「いえ。もちろん僕という、男の意志です」

「なぜだ」

「それは言えません。なんとか、母を説得するつもりです。公子も親の味を知らないので、早く一緒に暮らしたいと言っているのです」

「そうか。それなら君が女たちを説得して、とにかく母上に淋しい思いだけはさせないように。富本君に代って、僕から頼むよ、な」

「はい。有りがとう存じます」

それから一年後でしたかな。新築披露をしたいから、家に飯を喰いに来てくれという案内があった。戦後、間もなく富本君は亡《な》くなったので、あの家の財政が昔のようではないぐらいの見当はついている。寛一君は商社マンになって、まだ三年で、独力で家を建てられるわけがない。敷地がひろいから、半分も売れば離れなど必要もない。五十坪ぐらいの文化住宅が建ったのだろう。そう想像して出かけて行った。

しかし、魂消《たまげ》たね、西洋式の門柱に英語でＴＯＭＩＭＯＴＯと横書きでね、車寄せがあって、ホワイトハウスそっくりの巨大な建築が聳《そび》え立っているじゃないか。

日曜日で、三時半という時間だった。

「やあ、豪勢なものを建てたんだねえ、驚いたよ」

と言いながら入って行ったら、なんと客は結婚式のときと同じ顔ぶれで五十人も呼んでいる。その五十人が、てんでに坐《すわ》っても、まだ空間があるんだよ。玄関のロビーから応接間までが、日本赤十字の本社みたいな広さで、もっと豪華版なんだ。

そんなものに驚くのは序の口で、庭へ目をやって、僕は自分の眼を疑ったね。目の前に林がひろがっているんだ。五百坪どころじゃない。倍ではきかない敷地の広さだ。

「奥さん、これは、どうしたんです」

御新築おめでとうなんて、言えるような雰囲気じゃないから、僕は率直に宮子さんに訊いた。

「公子さんが、隣の地所は借金しても買えというから、お母さま買いましょうと申しましてね、お隣の梅谷さんの地所を、そっくり買ったんですの」

「梅谷といえば、尾上松之助の映画を庭で撮ったという家でしょう」

「はい、さようでございます」

「すると、この林は、目玉の松ちゃんがチャンバラやってた林ですね」

「そうなんですの。でも、嫁は目玉の松ちゃんなんて古い話は知りませんでした」

「そりゃそうでしょうとも。どのくらいの広さですか」

「三千坪だそうでございます」

「買ったですか」

「はい、嫁が」

「失礼ですが、公子さんは何をして働いているんです？」

「日本橋で、レストランを経営しておりまして、近々そちらの方も改築するそうでございます。固定資産税なんかにも詳しくて、計算も数字をあげて、銀行から、これだけ借りて、私の貯金もございますから、お母さま御心配なくと申します。宝石屋も致しておりますらしゅうございます」

「あの若さで、見上げたものですな。戦前の人間である我々は取り残される時代ですよ」

「心細うございますわね、本当に」

「奥さんが心細がることはないでしょう。働き者の嫁さんを持たれて、お幸せなことだ。この家に、女中なしでは暮せんでしょう」

「はい、コックもおりますし」

「えッ」

「レストランをやっておりますから、この家でまず仕込むのだそうでございます。もちろん、どこかのホテルで修業してきたのを引抜くとかで、仕込むのは公子さんの好みに変えることでしょうかしら」

「なるほど」

応接間の隣は五十人が百人になっても、ちっとも困らないような食堂になっていて、シャンデリアが六代目の藤《ふじ》の花みたいに、むやみとぶら下っている。

ウェイターが恭《うやうや》しく給仕をして、帝国ホテルに勝るとも劣らぬ料理の数々が出た。客はみな茫然《ぼうぜん》としてましたな。皿の音に混って、日本橋のレストランとか、宝石屋だそうだなどと私語が交されている。富本一族は、教会で左側の空席を疑いのまなざしで眺めていたのだから、この日は公子さんにすっかり返り討ちにされた結果だった。土産物まで持たされて、帰りは全員にハイヤーを呼んであった。大散財だよ。二十代の若さで、あんなことが出来るとは、しかも女で。

「怕《こわ》いもの知らずなのだろうな」

「今日は着替えませんでしたわね」

帰り道で、僕も妻も、憮然《ぶぜん》たるものだったな。

それから二年たたなかったな。ある日、寛一君が、僕の事務所に姿を現わした。相談に乗ってほしいと言う。相好が変わっているんだ。あの逞《たくま》しい、ラグビーで鍛え上げた躰《からだ》が骨と皮のがさがさの姿になっていた。

「どうしたんだ」

「どうしたらいいのか、分らないんです」

「何があったんだ」

「公子が、公子に、こんなこと考えられるでしょうか」

「嫁さんが何か不始末をしたのかね」

「子供がいるらしいんです」

「えッ」

「…………」

「どこに」

「それが、分らないんです」

「本人は何と言っている」

「否定しています」

「それを君が信じられないのか」

「そうです」

「何から分ったんだ」

「二人で出歩くと、公子の知り合いが必らず言うんです。坊《ぼ》っちゃん大きくなったでしょうねって。それも、一度や二度じゃないのです」

「公子さんは、なんと言うのだ、そのとき」

「ええ、おかげさまで、などと」

「どういうことだ」

「後で、僕に、誰と人違いされてるのかしら、などと。しかし、僕はだんだん不安になってきました。問い詰めると公子も機嫌が悪くなります。信じられないのなら、仕方がないわ。私に子供があると思いなさい、などと」

「そんなことは君、戸籍謄本《とうほん》を取寄せれば分ることだろう。婚姻届のときに、彼女の戸籍謄本を見てないのか」

「見ています。子供など、記入されてありません。僕は、処女と結婚したつもりでした。齢《とし》も僕より三つ下だと思いこんでいたのですが、届を出すとき、僕と同じ昭和十一年生れだということが分ったんです」

「そう、披露のとき、僕は君の草稿通り、公子さんは二十三歳と言った。すると、あのとき二十六だったのか、彼女は」

「二十五でした、正確には。誕生日が、式のあとでしたから」

「それで、君は何に悩んでいるのだ」

「友だちに弁護士がいます。相談としてでなく、僕の知りあいにこういう不思議な女と結婚したのがいるんだと話したら、ああ、本籍を変えれば、前の結婚や離婚歴は消せるんだ。よくある話だよ、と言われました。その先は調べられるのかと訊《き》いたら、ああ、調べる気になればね、子供の住所姓名が分ればすぐ調べがつくと。それから先、僕には勇気がないんです」

僕は前にも言った通り、法学部出身だ。官僚になったが、戦後は弁護士として事務所を開いている。富本君が生きていたらどうするかと考えた。そして、まず、彼女の戸籍を洗いにかかった。

彼女は孤児だといったが、母親が生きていて、その戸籍に、彼女の産んだ子供が二人、養子として入籍されていた。父親は渡瀬義雄。母親は鈴木君子。結婚から六年後に、協議離婚している。渡瀬という家にも調査員をやって離婚の原因を訊いたら、無断で入籍していて、婚姻無効の訴えを起したが、彼女が頑として応じないので、ともかく協議離婚したあと、父子関係不存在の訴えを起したが、何年たっても彼女が譲らないし、婚姻届の筆跡鑑定も何年もかかり、それも百パーセントの資料にならないので、渡瀬家の方ではもう諦《あきら》めているというのだな。なんでも相手の父親の目の前で首を縊《くく》ろうとしたのだそうだよ。服毒自殺？　いや、目の前で首をくくりかけたそうで、ま、狂言自殺だろうが、危いところだった。離婚するのに、とんでもなく金をむしりとったということも分った。五億とかいう話だったよ、君。

これだけの資料をもとにして、私はあの女を呼んで、訊いた。

「そんな不幸な過去をほじくり出すのも法律家のお仕事でいらっしゃいますの？　私は、心美しく生きたいと思っております。過去の悲しい思い出などを、寛一さんにまでお聞かせするつもりは毛頭ございませんでした。いけないことではございませんでしょう？」

顔色一つ変えないのだからな。

富本寛一がそれで、どうやってあの女と離婚したかは、直接本人に訊きたまえ。なに？　寛一君は海外出張中か。それはよかった。あなたの連載小説が終るまで、日本に帰らないように祈りますな。今は幸せな結婚をしとるのですからな。

その十二　富本宮子の話

伊藤先生にお会いになりました？　それで、私にどういう御用でいらっしゃいましたの？

まあ、富小路公子……。

伊藤先生が全部御存知でいらっしゃいますわ。寛一は東南アジアに出張中で、来週には帰って参りますけれど、きっとお目にかからないと存じます。あの方が亡《な》くなったとき、週刊誌から追いかけまわされましたけれど、息子は誰方《どなた》にもお会いしませんでしたし、何も話しませんでした。私が、どうぞお引取り下さいまし、今は平和に暮しておりますのですから、息子は、ただ騙《だま》されただけのことでございますからと申しましたのに、週刊誌には寛一の談話としてそれが載りましてね、私は後でさんざん息子から叱《しか》られたんでございますよ。

あなた様が、どうしてあの人に興味をお持ちになりますの。分りませんわ。これまでお書きになったものを読ませて頂いておりますけれど、いつも主人公は立派な方々じゃございませんか。少くとも、正義というものについて、あなた様は強い御主張をお持ちでいらっしゃると存じ上げておりましたのに、どうして、ああいう人のこと書きたいなどとお思いになりますの？

女としては恥しいほど、あの人は悪徳の持主でしたのに。

寛一と、どういう機会に知りあったのか、息子は口数の少い子で、何も申しませんから私は存じません。何しろ高校も大学もラグビー一途《いちず》でございましたから、就職もなんとかラグビーの先輩の方がいらしたので、一応のところへ入社致しました。主人が秀才だったのが、寛一にはコンプレクスと申すのでしょうか、小さい頃から勉強は嫌いで、

「お母さん、お父さんと違って僕は頭が悪いんだから期待しないで下さい。お父さんにもそう言っといて下さいよ」

などと申しまして主人も私もどきっとしたのが小学校の五年生のときでございました。妹の昭子が、ずっと級長を続けていましたのも、寛一にはやりきれないものがあったのかもしれません。学校でも、私は度々呼ばれまして、お父様の学歴から拝見しても、やれば出来る筈《はず》なのに、本人は教室では、まるでふて腐れた態度だと先生から御注意を頂きましてね、どうしたらいいのか、主人も困ったものだ、能力というのは生れつきもあるから、何も親と同じ大学へ無理して入ることはない。などと申しておりましたが、敗戦のショックもございましたし、主人はあの子が中学に入って間もなく亡くなりまして、

家はまあ広うございましたので、学生さんの下宿屋みたいなことで、どうにか最低生活で生きていたのでございます。

寛一がラグビーに熱中しだしてから、性格も明るくなりましたし、顔が主人と似ておりますので、私もようやくほっとしたのでございますよ。戦争が終っても、私はもんぺはいたまま、庭に野菜を作り続けていました。このあたりのお家は、みんなそんなものでございましたよ。預金封鎖でございましょう？　新円切り替えでございましょう？　私のような苦労知らずできた人間には手も足も出ませんでしたもの。ただ幸いなことに、田園調布は戦火を免れましたから、家に何かと古いものがありまして、布団地《ふとんじ》で昭子のワンピースを縫ったり致しましたわ。寛一も昭子も大学時代はアルバイトで学費をどうにかしてくれましたし、昭子は奨学金も頂けましたから、人並に大学を卒業することが出来ました。私は無力な母親で、何もしてやることが出来ず、お恥しく思っております。

寛一が就職して二年目に、

「お母さん、僕、結婚したい人いるんだ。紹介するね」

と申しましたとき、来るべきものが来たと思いました。

「どういうお家のお嬢さんなの？」

「古いことというなあ。家柄なんか、言ってられないよ、僕はお父さんと違って一高も東大も出てないんだからね。それに家だって、現状は大したものじゃないよ」

「それはそうよ、本当よ。でも誤解しないで頂だい、家柄を訊《き》いたわけではないの。どんなお嬢さんかしらと思っただけよ」

「見れば分るよ。ただ、僕より気の毒なんだ。お父さんも、お母さんも、いないんだ」

「まあ、まあ」

「夜学で勉強したらしいよ。頭のいい女だから、僕はプロポーズするときは、振られてもともと覚悟していたんだけど、彼女が、私が孤児《みなしご》でも、お嫁さんにして下さるの？お母さまが気に入って下さるかしらって、そのことばかり心配している」

「昭子だって恋愛結婚で、身一つで貰《もら》って頂いたのだから、私は寛ちゃんが気に入った人なら決して反対はしないわよ。あなたの言う通り、いいお家からお嫁さんが来て、肩身の狭い思いするよりいいわ」

「僕も、そう思ったんだ。きっと、お母さんも気に入ってくれると思うよ」

土曜日の夕方、息子の後からそっと入ってきたあの人は、一輪の白百合《しらゆり》みたいに思えました。感じのいいことが何より第一の印象でした。息子が見誤ったのを私も文句が言えません。齢《とし》だって、二十歳そこそこにしか見えませんでしたもの。言葉づかいが丁寧で、私が話しかけると、ひっそりと答えるのです。両親がいないというのに、よくもこんないいお嬢さんが育ったものだと私は驚きました。

娘の昭子は前年結婚しておりまして、妊娠中でしたが、嫂《あによめ》になるわけですから、お茶やお菓子を出す手伝いをしに来てくれてまして、年齢の話から、昭子と同い年だということが分りました。

「夜学に行ってらっしゃいましたって、おえらいわねえ、寛一は勉強嫌いでしたのに。どちらの学校に？」

「夜学と申しましても、お恥しいようなもので、ただ昼間は働かなければなりませんでしたから、仕方がなかったのでございます」

「今のお仕事は、伺ってよろしい？」

「はい、日本橋のレストランでございます」

昭子と同い年なら、その若さでまさか経営者だとは思いませんでしょう？　ウェイトレスだと思ったのでございますよ。私は、悪いことを訊いてしまったと、おろおろいたしました。

「ご免なさいね。昭子、お茶は私が淹《い》れてきましょう」

私は早々に台所へ逃げて、自分がお見合でもしているように胸の動悸《どうき》が激しいのを感じていました。想像以上に感じのいい上品なお嬢さん。日本橋のレストランのウェイトレス。この二つが、頭の中でごちゃごちゃになりましてね、なかなか平静になれません。家柄など言える現状じゃないけれども、まさかウェイトレスが富本家の嫁になるとは考えてみたこともございませんでしたから。主人が生きていたら、どう言ったか考えてみましたが分りません。主人だって絶句したと思いますわ。昭子とは結構話が弾んだらしゅうございます。

「こんなお腹《なか》でご免なさいね。でも、もっと大きくなってからお目にかかるよりましだと思って、思いきって出て来ましたの」

「不思議なことでしょうね、赤ちゃんが生れるというのは」

「現実になると悪阻《つわり》というものがあって、苦しい苦しいで、あらと思ったら悪阻が終ってました」

「どんな具合にお苦しいんですの？」

「それこそ不思議よ。終ったら、もう思い出せないの。歯痛や、頭痛と違って、記憶に残らないのね」

「まああ」

「喉《のど》のところをビー玉みたいなものが、とろとろ上ったり下ったりして気持が悪いって、人に言った自分の表現は覚えているのよ。でも、感覚的には思い出せないの。きっと動物的なものなのだろうと思うわ」

「まああ」

「でも胎動が始まったときは嬉しかったわ。お腹がいきなりひっくり返ったかと思ったのよ。それが胎動だったのね」

「神秘的ですわね」

「そうじゃないのよ、やっぱり動物的なものなの。食慾《しょくよく》がもの凄《すご》いんですもの。確かに二人前は食べているのよ。右手でカステラ食べながら、左手がもう一切れ取ろうとしているんですもの、我ながら呆《あき》れ返っちゃう」

「旺盛《おうせい》な生命力なんですのね、きっと」

寛一は、かなり我慢していたらしいのですが、到頭途中で口を入れて、

「昭子、よせよ、妊娠の話ばかりいつまでしているんだ。僕たちはまだそんな間柄じゃないんだぜ」

昭子も面目なげに、

「ご免なさいね、公子さん」

と謝りましたし、私は二人の関係が清らかなのを知って、ほっと致しました。戦争に敗《ま》けてこの方というものは、週刊誌の挿絵《さしえ》でも展《ひろ》げたとたんにどきっとすることばかりで、日本中が色狂いになっているようでございましょう？　新聞の社会面も、高校生の売春とか大きな見出しで出てますものね。私のような昔の人間は、三十年たってもまだ馴《な》れることが出来ません。

夕食は、二人でデートするという予定でして、寛一が公子さんを従えて大威張りで出て行ってしまいました。

「可愛《かわい》い人ねえ、ママ」

「本当ねえ、あんな上品な人がウェイトレスしてるとはねえ」

「ウェイトレス？　なあに、それ」

「日本橋のレストランで働いてると言っていたじゃないの」

「それはママの誤解よ。あの人はレジをやっているのよ」

「レジって、なあに」

「出口で伝票の通りお勘定を受けとる役よ」

「あら、そういう仕事があるの」

「いやだわ、ウェイトレスなんかじゃありませんよ。計算がす早く出来て、帳面もつけられなきゃ、勤まらないのよ。閉店後、帳尻《ちょうじり》を合わせてから帰るというのだから、相当責任のある仕事よ。だから、お給料もいいのね。お兄さまより多いらしいわよ」

「おやまあ」

「義務教育が終るとすぐから働いておりましたからって、お兄さまに遠慮して言うのよ。よく気のつく人だし、頭がいいわ。よく兄貴にイエスと言ったわねえ。お兄さまはラグビーと同じ勢で攻めぬいたのよ、きっと」

「私は反対じゃないのよ、昭子」

「私は大賛成よ、ママ」

私は複雑な気持で、姑《しゅうとめ》根性が早くも芽生えているのかと思いました。昭子の結婚には、息子が一人殖《ふ》えたと嬉《うれ》しかったものですのに、公子さんのどこにも難がないのに、娘が一人殖えると考えることができませんでしたから。

結婚式について、披露宴《ひろうえん》について、私は寛一から何一つ相談を受けませんでした。

「ママ、結婚式はカトリックの教会でやってもらうことにしたから、そのつもりでね」

「ああ、そう」

「ママ、帝国ホテルで披露宴をするけど、式のすぐ後にしたいんだ。それで、富本家として誰と誰を招待するか書き出しといてくれないか」

「はいはい」

戦前の留袖《とめそで》を、昭子のとき何十年ぶりで手を通したのですが、新調する余裕などございません。それより帝国ホテルなどで、どれほどお金がかかるものか、私には見当もつきません。

「帝国ホテルで結婚披露をするのが夢だったんだって。費用は僕らでやれるようにする」

昭子のときのように、友だちばかりがわいわい集って、会費制でやるものとばかり思っておりましたのです。そうしましたら、当時で一人に一万円くらいかかるような宴会でございましょう。公子さんは目まぐるしくイヴニング・ドレスを着替えて、まるでファッションショーみたいだと皆さんに言われまして、私は身のおきどころがございませんでした。主人が生きていてくれたらと、そればっかり考えていました。このお勘定は誰が払うのかと思うだけでも、心配で、心配で。

驚きましたのは、伊藤先生が、公子さんの学歴を青山学院短大卒と仰言《おっしゃ》ったことでございました。青山学院に夜学があったのか、不思議でした。それなら決して恥しがることもないのに、どうして私には夜学へ行っていた、昼間は働いていた、と公子さんは言ったのでしょう。結婚式場に、公子さんのお友だちが一人も姿を見せなかったのはなぜでしょう。私は、誰かにすがりついて大声で叫び度《と》うございました。

「私、何も存じませんのよ」

って。

新婚旅行はハワイに行きたいと言ったとき、私、はっきり釘《くぎ》を差したのです。

「いけません。分を心得ていらっしゃい。あなたも公子さんも若いのですよ」

って。それで関西へ行くことになりまして。公子さんは私の前では決して不平がましいこと申しませんでした。

新婚旅行から帰って来たとき、寛一の顔色が青く憂鬱《ゆううつ》そうなのが気になりました。でも私は機嫌よく迎えたのです。

「お帰りなさい、公子さん。どうでした？」

「はい、お母さま、これでいいのかと思うほど幸福です」

公子さんは花が咲いたような笑顔で、でも眼から涙があふれました。

「寛一は、どうなの」

「うん」

さっさと二階に上ってしまい、公子さんは京都で買ってきたおみやげを、これはお母さまに、これは昭子さんに、これは昭子さんの赤ちゃんに、と、まだ生れていない孫にまで到れりつくせりでした。

「寛一は何も言わないのね、変な子」

「あら、心の優しい方ですわ。お母さまのことを大切に思ってらして、私も子供を産むなら男の子にしようと思いましたわ」

「京都はどうでした？」

「夢みたいでした。私たちを待っていたように桜が満開で、東京の桜と随分違いますのね。円山公園のしだれ桜の赤いのにびっくりしました。本当に美しい花だと思いました。綺麗《きれい》なものばかり眺め暮して、幸せでしたわ。こんな幸福が私を待っていてくれたなんて、本当に夢みたい。お母さま、大丈夫でしょうかしら、寛一さんは優しくして下さっていますけれど、この人に嫌われたらどうしようと思うと、涙が、もう、出ますの」

「大丈夫よ、私がいるじゃないの。二人で仲良しになりましょう。よろしくね」

「はい。よろしくお願い致します」

公子さんは早起きで、さっさと手順よく朝食を三人前揃《そろ》えて、私は楽隠居の身分に急になったようでしたが、二人が揃って会社とレストランへ出かけてしまうと、急に一人ぼっちの淋しさが身にしみて、姑になるってこういうことなのかと思いました。

一週間もたたないうちに、寛一が、二人だけアパートで暮したいと言い出したときは、目の前がまっ暗になりました。

「どうして？　私の何がいけないの？　公子さんがそう言い出したの？」

「いや、僕の意志です。そうじゃないと、僕が参ってしまいそうなのだ。ママ、僕のわがままだと思って許して下さい」

何がなんだか分らないうちに、本郷のアパートに引越してしまったんです。

「公子さん、これは寛一の意志だということですが、私には得心がいきません。どうして私がいてはいけないの？　正直に聞かせて頂だい。どんなことでも我慢しますから」

「お母さま、私も訳が分りませんの。親と一緒に暮すのが私の結婚の夢でしたのに、寛一さんは一人でもアパートへ行くと急に言い出して。私は、お母さまが私のことお気に召さなくて、こうなったのかと思っていました。もしそうでしたら、許して下さいね、お母さま。私は教養がないし、何も知りませんから、お気のついたことは叱《しか》って下さい。そのつもりでお嫁に来たのですから」

「すると、あなたが言い出したのではないのね、アパートは」

「寛一さんが、さっさと見て決めてしまったのです。行動力のある方だと頼もしく思っていましたけれど、あんまり引きずられていてもいけませんわね」

「私が公子さんをどうこう思っているのでは決してありませんからね」

「じゃ、私、これからはお母さまに御相談してから寛一さんの言うこと聞きますわ」

週に一、二回、揃って顔を見せてくれますから、何がいけなくて出て行ったのか、今もって、私は理由が分りません。

それから半年ほどしたでしょうか、公子さんが一人で私を訪ねて来て、おいしいケーキを大きな箱に一杯詰めて持ってきてくれまして、はい、いつも。

「お母さま、耳よりなお話よ。お隣の方が、地所を手放そうとしてらっしゃるのですって」

「どちらのお隣？　門馬さん？」

「いえ、梅谷さん」

「まあ、梅谷さんが？」

「お母さま、隣の地所は借金を質に置いても買えと言いますでしょ。私、八所《やところ》借りして算段いたしますから、お隣にお話しして頂けません？　周旋屋の手数料も省けますでしょう？　お付きあいはありませんの？」

「よく知ってますよ。パパが生きてた頃、あちら様とは碁仇《ごがたき》でね。でも、あのお爺《じい》ちゃまが亡《な》くなられて、相続税がきたのね、きっと。だけど公子さん、梅谷さんは、私のところの倍ではきかない広さなのよ」

「三千坪でしょう」

「そのくらいあると思うわ。お庭に林があるのですもの」

「お母さま、買いましょうよ、チャンスですわよ、きっと。今は土地を買うといえば、銀行は安心して融資してくれますから、日本橋のお店も拡《ひろ》げますので、一どきにやってしまいます。担保物件はありますし、税理士も居《お》りますから、お母さまは安心していらして下さいね」

まさか息子が、こんなやり手の女と結婚したとは思わず、文字通り子供の使いで言われたまんま梅谷さんへ伺いましたら、どこの馬の骨に買われるより、富本さんなら願ってもないことだ、林は親父《おやじ》の自慢でしたから、切り売りされるのは嫌だったのですと、話は公子さんの言う通りトントン拍子で進んだのです。

それから、寛一が一人で来て、

「ママ、この家、新築しようよ。そしたら一緒に暮せるから。公子もママと一緒に暮したいって言うから、しばらく、ママも工事中はアパート暮しして下さい」

あれよあれよという間の出来事でした。

伊藤先生が、ホワイトハウスと仰言いましたって？　私も驚きましたけれどねえ、ハリウッドの女優さんの家みたいな洋館と、その奥は、まるで大名屋敷みたいな広間ばかりの日本建築なのです。

「お母さま、お好きな部屋をお選びになって」

と言われましたけど、それこそこっちも夢かしらと思うばかりで、どうやってこんなお金が、あの若い女の思うままに動くのか。不思議やら心配やら。

息子も地に足がつかないような顔して暮していました。女執事やら、メイドやら、運転手つきの車まで、あっという間に私たちのまわりに揃っていたのですもの。

「それより、ママ、日本橋のビルを見たらもっと驚くよ。十階建てのビルを建築中なんだよ」

「誰が建てているの」

「公子がさ」

「どうしてそんなことが出来るのかしら」

「優秀なんだよ、彼女は。度胸もあるんだ。義務教育だけで社会へ飛出した人間は強いと思うよ」

「青山学院短大卒って、結婚披露のとき」

「あれは、僕が咄嗟《とっさ》に思いついて、そうしたのさ。あんまりママが書き出した親類の肩書きが立派なので、彼女は自分の方はみすぼらしいから誰も呼ばないと言ったんだぜ」

「ああそうですか。あれも私がいけなかったのですか」

昔は西にあった門が、今は東側にあり、富本家のあった場所は車寄せに変って、洋館と御殿を棟続きにした駄々っ広い家におりますとね、何もかも新しいものの中で、古いのは私だけだ、と壁も障子も喚《わめ》きたてるようで。たまりませんでしたわ。前は林でしょう。一人で見るには淋しすぎましてねえ。

それに、やたらと見識ぶった女中頭が、

「大奥さま、お早うございます。今朝は、若奥さまは、朝のお食事はお上りにならないのでございますけれど、大奥さまはどう遊ばします？」

どうでもいいようなことばかり、お伺いに来るんですのよ。何しろ主人側は寛一が旦《だん》那《な》さまで、私が大奥さまで、公子さんが若奥さまの、この三人きりでしょう。それなのに使用人が十人からいるのですから、煩《わずら》わしくって。一人でいると淋しい。しかし使用人は多すぎるという矛盾で、私は何を頂いてもおいしくなくて、味気ない日々というのは、あの頃ですわ。

離婚の経緯《いきさつ》は、もう御存知でしょう？

私は寛一が、新築の家で一年過ぎた頃、急に様子が変ったのに気がつきました。林の中を夜中、歩きまわっていたりしましてね。

「寛ちゃん、あなたそこで何をしているの」

「散歩だよ」

「この真夜中にですか」

「ママはどうして寝てないんだ」

「年をとるとぐうぐう眠れるものじゃないのよ」

「僕は若いけど眠れない」

「夫婦喧嘩《ふうふげんか》でもしたの？」

「夫婦喧嘩？」

それから寛一は笑い出しました。気でも狂ったのじゃないかと私は足袋はだしで庭に飛降りて、私の部屋までひき上げました。鍋島侯爵《なべしまこうしゃく》の御別邸をうつしたとかで、馬鹿《ばか》に床の高い家でしたから、男の体を私がひき上げるのは大変でした。

何があったのか、さっぱり分りませんでした。離婚を言い出したのは寛一の方でした。公子さんが同意しないものですから家裁では埒《らち》があかず、結局、寛一は富本家の土地五百坪を慰藉料《いしゃりょう》代りに公子さんに渡して、私と寛一の二人きりで、神田のアパートに移りました。

そうなってから、伊藤先生に、公子さんの過去のこと詳しく伺いまして肝を潰《つぶ》しましたのです、私。

それから三年後に伊藤先生の奥さまのお世話で、寛一がいいお嫁さんと再婚できまして、本当に今は幸せでございます。

六年前でしたでしょうか。テレビに富小路公子という名で、公子さんが登場して、身の上相談とか、「お金持ちになる方法」なんて話しているのを、晴子さんが、今の嫁でございます。熱心に見ているので、ぎょっとしました。それから、三年ばかりして、嫁の名宛《あ》てで富小路公子という印刷された封筒が届いたときは、又々ぎょっとしまして、

「どうしたの、これは」

「ファンレターを出したのよ。そしたら、お家の皆様に山々およろしくって、ほら、すてきなカードで、別便で心ばかりお送り致しましたって、何かしら」

翌々日、棺桶《かんおけ》かと思いましたのよ、私。だって同じ大きさの箱が、富本晴子さまへ、富小路公子よりというカードつきで届きましたの。私が呆然《ぼうぜん》としておりましたら、晴子さんが、

「何かしら、重いわ。ここで開けるしかないわね」

と言いながら木箱の蓋《ふた》を苦労して開けましたら、中にはマダム・ゴダイバのチョコレートが、ひと抱えもの硝子《ガラス》の壺《つぼ》に、ぎっしり詰って、上にはバラの造花が、赤だの、黄色だのそれぞれ一つずつのせて、出てくるわ、出てくるわ。全部で一ダースございましたの。

「本当なのね、あの人って、なんて素晴らしいのかしら。お母さま、このチョコレートはきっと世界一なんでしょうね。ベルギーって書いてあるわ」

「子供に食べさせちゃいけませんよ。虫歯になりますからね」

「可哀想《かわいそう》よ、それは。ただ見せるだけじゃ。でも飾り切れないわ、十二も、こんなに沢山。御近所に分けてよろしいですか。いつも子供を可愛《かわい》がって下さってる方々に、富小路さんからの贈りものよって、見せびらかしたいんです、私」

「そんなこと、およしなさい」

「でも、この団地じゃ、富小路さんのファンが多いんですよ。お金って、愛ですわ。なんて言って、富小路さんがテレビに出た日は、春風が一杯たちこめたような気になりますもの」

私も、寛一も、マダム・ゴダイバのチョコレートがなくなってしまうまで、本当に嫌でした。嫁には申せませんでしたけれど、嫌がらせに違いありませんもの。ファンレターに一々、あれだけのもの送っていたとは思えませんから。

その十三　菅原ふみの話

富小路公子さまについて――はい、私はあのお方に十四年おつき致しましたから、よく存じております。あんな御立派な、心の美しい方は、私も今年で還暦でございますが、私の人生では、あんなお見事な方には他《ほか》でお目にかかったことございません。

私、戦前は大財閥のお屋敷に長く勤めておりましたけれども、どこの御宅にも、それぞれ複雑な御事情がおありになるのは、お金がおありになれば当然のことなのでございますよ。閨閥《けいばつ》という言葉がございましょう。親も御当人も思惑があって、御結婚なさいますから、当然そこには邪念から生れるごたごたがございます。大金持とか、名門というお家の内情というのは、醜いものなのでございますよ。それは、そういう家に生れて大らかにお育ちになる方もいらっしゃいます。けれど、そういう方は、決して賢くはないもので、天は二物を与えないというのを、私は長い人生で見て参ったつもりでございます。

けれども、若奥さまは、最初から違っていらっしゃいました。富本さんとの御結婚に、何一つ邪心がおありにならなかったのは、私、何にでも誓って申上げることが出来ます。だって、そうでございましょう？　若奥さまの方が、お金がおありになって、才覚もおありになっていたのですから、富本さんの方のお力を利用するようなおつもりなどなかった筈《はず》でございますわ。あの方は、旦那《だんな》さまを純粋に愛していらっしゃいましたし、大奥さまにも、それはそれは、よくお気を使っていらっしゃいました。

お食事でも、

「あ、このスープはお母さまのお口に合わないわ。コックによく言って頂だい。バタをよく吟味するようにってね。お母さまは、スープをよくお残しになるでしょう？　お皿を下げたとき、誰が何を残したか、それは何故《なぜ》か、考えるのがシェフの能力というものですよ。よく言っておいて頂だい。私は若いから我慢が出来るけれど、お母さまには、おいしいものを沢山召上って頂いて、長生きして頂かなければ私の立場がありません」

という具合に、お叱言《こごと》が出るのでございます。ですから、コックは随分、大奥さまでは泣かされました。肉は召上らない、デザートもお残しになる。パンは家で焼きましたが、なかなか大奥さまのお口に合わなくて、みんな苦労いたしたものでございます。グリンピースのスープはお好きでいらっしゃいましたが、まさか毎日グリンピースというわけには参りませんからねえ。

私が若奥さまに最初にお目にかかったのは、日本橋のレストラン「モンレーブ」でウェイトレスの教育が出来る人を探してらっしゃる方があると人伝《ひとづ》てに聞いたものですから、私の方から出向いたのが初対面でございます。敗戦で財閥は解体され、私どもはお屋敷からおひまを出されて、まさか家政婦になるわけにもいかず、困っていたところでございました。

若奥さまは、私の経歴を御覧になると、

「まああ。待っていた人がやっと来たわ。あなたよ、そうなのよ。ウェイトレスの教育は暫定的《ざんてい》なものと思っていて下さい。田園調布に主人が家を新築してますの。私は仕事を持っていて家庭の主婦というわけにはいきませんから、私の家の方で働いて頂きましょう。その方が、あなたにはふさわしいわ」

と仰言《おっしゃ》って下さって、お給料は、その場でお決めになりました。思いの外の高額で、有難く思いました。

お屋敷が落成すると、すぐ私は、そちらの方に移りました。そのときあの方が仰言った言葉をよく覚えております。

「いいこと？　あなたはこの家に百年も前からいたのよ。あなたの思う通りに切り廻して下さい。私は信用して、全部おまかせします。ただ、主人と、主人の母には、粗相のないように、それだけはよく気をつけて下さい。でないと私の立場がなくなります。お給料を私が払っていることは忘れてほしいのよ、分りますね」

物静かな口調？　いいえ、どうしてそんなことをお尋ねになりますの。若奥さまの声は、ぴりっとして、威厳に充《み》ち満ちていらっしゃいましたわ、いつも。でなくて、あのお若さで人を率いていけるわけがございません。

それは旦那さまには甘えていらっしゃいましたし、大奥さまには、何しろお気難しい方でいらっしゃいましたから、私どもへの物言いと違ってらしたのは当然でございましょう？

コックに対しては、厳しいものでございましたね。あるときなどは食堂から、お皿を持って、キッチンに入っていらして、

「高村、これを私の目の前で食べてご覧」

などと仰言るのでございます。厨房《ちゆうぼう》というところは刃物がございましょう？　煮えたぎった油もございますし、帝国ホテル育ちが自慢のコックだって顔色が変っています。ああいう人たちは気性が荒《あろ》うございますからね、私など手に汗を握りましたわ。

額に脂汗《あぶらあせ》を流しながら、ナイフとフォークで食べ終るまで、若奥さまは何も仰言いません。そしてコックが食べ終ってしまうと、黙って食堂へお戻りになるのです。そして、いつまででも、同じものがやり直してサーヴされるまでお待ちになりました。才能のあるコックは、ですから本当に腕が上りましたね、お屋敷にいる間に。才能のないコックは、

「何言ってやがんでえ、このソースの、どこがいけねえってんだ」

なんて後で悪態をついて、結局勤まりませんでした。才能と心掛けの両方が大事なのでございますね、どの道も。

大奥さまが、どうしてああ何もかも御不満だったのか、私には分りません。歌舞伎座《かぶきざ》や帝劇に、お気晴らしのためにお友だちと御一緒にお出ましになりませんかと私が見かねて申上げますと、

「ああそう、私がこの家にいては邪魔なのですね。それでしたら、いつでも出かけますよ」

と仰言います。

若奥さまの御仕事にも御理解がなくて、

「どうして毎晩こんなに帰りが晩《おそ》いのでしょうね」

などとおこぼしになる。

でも、お帰りの晩いときは、いつも旦那さまが御一緒で、旦那さまの方は、お酔いになっていらしたのでございますよ。

旦那さまは、もちろん若奥さまが御結婚なすったお相手ですから、御立派な方には違いありませんが、何分にもお若くいらっしゃいまして、お年は若奥さまとお違いにならないのに、何しろ、お若くいらしたのでございます。それはそれは威張っていらしたも

のでございます。お玄関で靴を脱がせたり、朝はネクタイまで若奥さまが結んで差上げていました。若奥さまは、それはそれはよくお仕えになっていらしたものでございますよ。大奥さまも、若奥さまには女中相手のような口のきき方をなさっていました。旦那さまも、見ていて私などお気の毒なくらいだったのでございます。

「そうですわね。そう致しましょう。はい、畏《かしこま》りました」

って、若奥さまは、じっと耐えていらっしゃいました。

新築祝いには、旦那さまの方のお知りあいばかり五十人もお出《い》でになりまして、どなたも若奥さまには冷たい視線をお投げになるのです。女が働くというのを卑《いや》しいこととお考えになっていらっしゃるようでした。でも若奥さまは、なるべくお地味なドレスをお召しになって、控え目にお相手をしてらっしゃいましたわ。まあ口々に「ホワイトハウスみたいだ」「ハリウッドに来たみたいだ」と軽蔑《けいべつ》したように仰言いましてね、戦前の大金持の暮しを御存知ない方々が旦那さまの御一族には多うございましたのですわね。

戦争を境に、日本は変りました。当然でございましょう。歴史の上で初めて敗《ま》けたのですから、大財閥のお家の狼狽《ろうばい》ぶりというのは、それこそ小説になりましてよ。ことに女の方々は、力も才覚もおありにならなくて、途端に惨《みじ》めに見えてきたものでございましたが、若奥さまは、お若いのに、敗戦を知らない女王陛下のように凜然《りんぜん》としてらっしゃいました。

私が、感嘆して、そう申上げましたら、

「まああ。私、易者に言われたことがあるのよ。絹の座布団《ざぶとん》を背負って、走っている女王だって。いずれ玉座につけるのだけれど、今は走っているのですって。当っているかもしれないわね。本当に息をつく閑《ひま》もないほど忙しいのですもの」

若奥さま専用の電話は、四六時中鳴りっぱなしでした。いくら鳴っても、他の人は出ないようにと言われておりましたから、どういう方からの電話か、私は存じません。お二階の旦那様とお二人の寝室のお隣が、若奥さまの化粧室で、そこに若奥さまがいらっしゃると、まるで事務所みたいでしたわ。

「あら、そう。すぐ手付けを打って頂だい」

「いかほどですか。それなら、すぐ買わせて頂きますわ。使いの者を出しましょうか。おいで下さいますの。では七時に、はい。では後ほど」

「まああ、知りませんよ。その話は存じません。私、耳がよごれるような仕事は嫌なのです。美しくて、正しくなくては、いくらお金になっても楽しくございませんもの。お断り致します。私に不向きなのですわ」

電光石火に裁いてらして、ヴィクトリア女王のようでしたよ。でも、旦那さまが、

「おい、いつまで電話の相手をしてるんだ」

と仰言いますとね、電話の上下に布団をおいて、鳴っても聞こえないようにして、す

ぐ寝室へ飛んでらっしゃいました。それはもう、旦那さまの声が聞こえると、小鳥のように可愛《かわい》くおなりになるんですの。でも、旦那さまの方にも、大奥さまと同じように、女が仕事を持つことについて御理解がないようにお見受けしました。

富小路という御苗字《みょうじ》は、日本橋のあのビルディングが落成したとき、七階に置かれた若奥さまの事務所で初めてお使いになったものですが、いかにも若奥さまらしい愛情の表現だと思ったものでございます。富本公子がもし有名になって、旦那さまが富本公子の夫と呼ばれるようなことにならないように、というお気づかいもあったのでしょう。いわばペンネームのようなものだと思います。あくまで富本という名を立てて、富小路としたのは、可愛らしいお思いつきじゃございません？　それなのに、

「おい、公子、あれは変だよ。いかにも偽《にせ》ものの華族みたいで、みっともないよ。第一、京都にあった小路じゃないか」

「そうよ、新婚旅行のとき、あそこの天ぷら屋さん、おいしかったじゃないの。思い出の小路よ、富小路は」

「ああ、あの天ぷら屋は富小路にあったのか」

「私、あの旅行のこと、何一つ忘れていないわ」

「そういうことはない筈だよ」

「まあ」

「早く着替えろよ。また電話か。ちえッ」

「ちょっと、これだけ済ませてから」

「来ないんだな、よし」

「じゃ、行きます。さあ、電話なんてこの世からなくなったわ」

まあ少年少女の物語のようなものでございますわね。でも、甘い甘い時代は、二年も続かなかったようでございます。

急に旦那さまが、若奥さまをお呼びたてになることがなくなりました。それで、若奥さまは延々とお化粧部屋でお仕事を続けていらっしゃることになります。ときには明け方まで交渉が長びいていたりすることがございました。取引きのお話でしょうと思います。夜は私ども寝室に引退《ひきさが》りますけれども、ふと目ざめたとき、お声が聞こえるときがあったのです。

若奥さまは、てきぱきと仕事をなさるようでいて、ねばり強いところもおありになって、何度でも同じことを繰返して、まるで鸚鵡《おうむ》にでもなってしまわれたかと思うことがございました。

「何度も申上げますわ。私、美しい人生を生きたいと思っておりますの。そういう条件では、仕事が出来ません。公明正大に致しましょう」

もの静かな口調で？　どうして同じことを二度もお訊《き》きになりますの？　奥さまは大

声で、こういうお話は宣言のような切口上で仰言っていました。

私がメイドを叱《しか》っておりますと、後で必ずこういう御注意を受けました。

「菅原さん、あなたはあの子の欠点ばかり指摘しているわね。それはよくないわ。誰にも欠点はあるものよ。でも、それを指摘するよりも、その人の持っている美しいものを、ひきのばしてあげる方が、その人の成長も早いし、欠点をカバーできるわ。私は一度きりの人生なのだから美しいものだけ見て生きたいと思っていますから、あなたもそのつもりでね」

意地悪婆《ばあ》さんになるなと、ぴしりと釘《くぎ》を打ちこまれたように思いまして、私、肝に銘じたことでございました。あの難しいお姑《しゅうとめ》さんを、

「根は優しい方なのよ」

と仰言ってましたし、コックを叱りつけた後で、私にだけ、こうお漏らしになるのです。

「私、本当はあのコックの腕を世界で一番信用しているのね。だから、逆上してしまうのよ。ここのところを分ってもらえれば嬉《うれ》しいのだけれど」

旦那さまと、どうして離婚なすったのか、私は存じません。旦那さまが、朝食を摂《と》らずに御出勤になり、一人で泥々に酔ってお帰りになることも続いてましたし、どんどんお痩《や》せになってくるのは見ていましたが、どんな御事情でか私は存じません。

とにかく、ある日、大奥さまと旦那様が一緒に家を出ておしまいになったのでございました。今でもおかしいと思いますのは、富本という表札の出ているお屋敷から、どうしてあの方々がお出になったのでしょう。若奥さまは、はっきり主人が家を新築していますので、と仰言ってましたのに。あんな宏壮《こうそう》なお屋敷を、戦後になっても建てる力が日本人にあるのか、と、私は最初感動していましたのに。きっと若奥さまが気を使って、御自分のお建てになったものを、御主人が建てたことにしておいでになったのだとお察しはしておりましたけれど。

若奥さまがお帰りになると、すぐ御報告いたしましたら、

「そうですってね。私はもう前から宣告を受けていたから平気よ。明日は主人の妹が荷物の運び出しをするそうですから、欲しいものは何でもお持ちになるようにって、丁寧に言って頂だいね」

「まさか、お別れになるようなことではございませんでしょうね」

「まさかねえ。私がどんな悪いことをしたっていうの？」

「若奥さまが、ですか？」

「全部、私が、いけないんですって」

「はあ、さようでございますか。それでは私も、さぞいけなかったんでございましょうね」

「いいえ、何もかも私が悪いという結論になったらしいのよ」

御様子からは、ショックを受けたところは見えませんでしたが、急にお一人におなりになったのですから、お淋しくない筈《はず》はありません。

若奥さまに叱りつけられていたコックさえ、

「まあ、位負けだね、出てった方がさ」

と申しましたのが印象的でした。

間もなく工事夫が来て、お化粧室にあった電話が、寝室の枕《まくら》もとに取つけ直されました。お電話の声が階下に漏れてくることは、それからは決してございませんでした。あんな大きなお声でしたのに、不思議なくらいでございました。

離婚が決定的になったか、あるいは若奥さまが気分転換をしようとなさったのか、半年しないうちに、寝室が模様がえになりました。前は落着いたブルーで統一されていたインテリアが、花やかなピンクにあふれ出したのには驚きました。若奥さまは、まだ二十七歳でいらした筈です。まだこれから一花も二花も咲かせて頂きたいものだ、と、私は思いました。

でも、そういうことは、それから十年たっても起りませんでした。誓って申上げますが、若奥様は、潔癖な方だったのです。模様がえした寝室に、出入りした男は一人だっていませんでした。週刊誌は吉田御殿みたいな生活をしていたように書いたりしていましたが、どうして嘘《うそ》が書けるのでしょうね。私に取材もせずに。私以外の誰が若奥さまの私生活を知っているものですか。

そりゃ、坊《ぼ》っちゃま方は、別でございますよ。ことに、下のお坊っちゃまは、甘えん坊さんでしたから、ママ、ママと呼びながら、よくお部屋へ駈《か》けこんでいらしたものでしたが。

はい、若奥さまにお子さまがおありになったのを知りましたのは、日本間の方を少し改造なさってからでしたから、寝室のインテリアが変って三月後のことでございます。

「菅原さん、びっくりしないでね。私には二人の子供がいるの。何が嬉しいといって、晴れてわが子と同じ家で暮せるのよ。三年ぶりなのよ。離婚のこと、私が平気だって言ってたのは、痩せ我慢じゃなかったわ。何がつらかったといって、子供と別れて寛一さんと暮しているほど心の痛むことはなかったわ。明日から、この家で私の人生が新出発をするのよ。びっくりした？」

「はい、驚くなと仰言《おつしや》ったって無理というものでございますわ。いつお産みになっていらしたのでしょう」

「富本とは、再婚だったの。私は十七で長男を産んで、十八で次男を産んでいたの」

「そんなお躰《からだ》には見えませんでしたわ」

「あんまり若すぎたからでしょう。上の子供は五年生なのよ。下の子は四年生。この林で、力いっぱい遊ばせてやりたいと、どんなに心の底で願っていたかわからないわ」

「旦那《だんな》さまは子供を捨てて結婚するようにと仰言ったのですか」

「私の方で遠慮していたの。だって、混乱が起きるのは目に見えていたでしょう？」

「さようでございますわねえ」

「私は、愛に生きるつもりでいたけれど、誰よりも子供がいいわ。愛の対象としては、やっぱり子供ね。菅原さんが、子供好きだったら助かるけど」

「私は子供を産む機会を失った女でございますから、お子さま方が私になついて下さるとよろしいのですけれど」

「男の子だから、ほっとけばいいのよ。夫とか姑は他人ですから命を削るほど気を使ったけれど、子供は私のお腹《なか》から出たのは間違いないの。特別に気を使わないで頂だい。でもしばらくは、きっと動物園みたいになるんじゃないかしら」

前の御結婚がどういうものだったか私は存じません。でも週刊誌が書いたようなことは、みんな嘘だと私は思います。若奥さまは、翌日から二人の坊っちゃまを迎えて、それはそれは明るく楽しい生活が始まりました。コックは若奥さまに叱られることがなくなりました。坊っちゃま方は食べざかりで、カレーライスやスパゲッティが大の好物でいらしたからです。フルコース・ディナーのお客様をお迎えすることも滅多にありませんでした。

坊っちゃまのお誕生日には同級生を大勢お呼びになりましたけれど、サンドイッチや、ケーキをまぜた、ビュッフェになりますから、コックは腕のふるいようがなくなりましたんですの。若奥さまも御一緒にカレーライスを召上って、それはそれは楽しそうでした。

「これ、辛すぎない」

「ううん、おいしいよ、ママは？」

「ママも、おいしいわ。ああ！」

ある日、しみじみと、こう仰言ったのを覚えています。

「どうして再婚なんか、したのかしらね、私。こういう幸福を捨てていたのよ。自分で判断に苦しむわ。子供と仕事に恵まれていれば、もうそれで結構だわねえ、菅原さん。多くを求めるものじゃないわ」

「まだ、そんなにお若いのに」

「ええ。でも、私はこの子たちのために生きるわ」

そして、それからずっと、清らかにお過しになっていたのです。

沢山さん？　いいえ、そんな方は、お見えになったことございませんですよ。誰方《どなた》ですか？

「ここは、私と子供だけの世界。男の子ばかりだから、せめて庭に花を沢山植えましょう。草花もいいけれど、花の咲く木もいいわね。でも義彦たちがテニスを始めたら、テニスコートも作りたいわねえ」

お若いのに、仕事一途《いちず》に生きていらしたのですもの、やはりお淋しさをまぎらすためにお庭がどんどん変りました。年中、お花はたえたことがなく咲いているようになりました。それから、カナリアを、お飼いになったり、犬に夢中におなりになったり。

上のお坊っちゃまは勉強好きで、三人もの家庭教師が交る交《かわ がわ》るお相手になって、勉強ばかりしていらっしゃいました。下のお坊っちゃまは、家庭教師が来ても、林の中を逃げまわったり、床下にもぐりこんでしまったり、どちらも個性的でいらっしゃいました。若奥さまは、お仕事がおありになり、坊っちゃま方と三人で顔を合わせる機会というのは、夏休みぐらいのものでしたでしょうか。そうすると、三人お揃《そろ》いでヨーロッパ旅行なさったり、アメリカへいらしたり、で、私は犬とカナリアの世話にあけくれておりました。それと牡丹《ぼたん》。随分、気楽な仕事になりましたが、

「老後の設計はちゃんとしてお置きなさいよ」

と、マンションの頭金をポンと出して下さいまして、私の住いは私の名義でございますし、銀行ローンは十年で完済いたしましたから、若奥さまが亡《な》くなられても暮せる場所は確保してございました。足腰の立つ間は働いて、と思っておりますけれど、あれだけ気持よく家をまかせて下さるような方にはもうお目にかかれないでしょうねえ。

はい、マンションの頭金を出して下さったのは十年も前のことでございます。まさか十年も前に、若奥さまが自殺なさるおつもりだったとは考えられませんし、私には、どうしてあんな亡くなり方をなすったのか、原因には全く心当りがございませんのです。

はい。

その十四　富本寛一の話

僕が富本寛一です。

あなたが、僕の母や、伊藤先生にお会いになったことは帰国してすぐ知りました。僕の方から、あなたに御連絡して、お目にかかることにしたのは、僕自身が、今では、あの頃と違いますし、母とも、伊藤先生とも違うことを考えていますので、それをお話ししたかったのです。

富小路公子について――彼女の死後、週刊誌が一斉に何かと書き立てました。僕は一切の取材を拒否したにもかかわらず、実に多くの週刊誌に僕のコメントがのりました。僕もあの女に騙《だま》されたという具合に。しかし、それではあまりにも彼女が可哀《かわい》そうです。気の毒です。

すべては、僕の不徳の致すところでした。いえ、結婚じゃありません。彼女と離婚したことです。彼女の過去を知ったとき、なぜあんなに自分が取乱したのか、思い出す度に醜態だったと反省していますし、人間が出来ていなかったのだと思う他《ほか》ありません。

ラグビーで心身を鍛えていたつもりだったのですが、全然駄目だったんですよ。

ラグビーの先輩が、就職したなら一人前のものを喰わねばならないといって、僕ら四、五人の後輩を御馳走《ちそう》に連れて行ってくれたのが、「モンレーブ」という日本橋のレストランだったんです。彼女はレジのところにいて、

「いらっしゃいまし」

と、頭を下げて、そのとき僕と眼が合った。僕は一瞬、全身に電流が通ったような気がしました。この人だ、と思ったんです。何かが閃《ひら》めいたというのか、俗にいう一目惚《ひとめぼ》れです。無我夢中でナイフとフォークを使っていると、

「お味はいかがでございましょうか」

という、ひそやかな声が聞こえて、顔をあげると、彼女が先輩に顔を向け、ちらっと僕とまた眼が合った。

「うん、旨《うま》い。今日はね、ラグビー部の後輩たちに、そろそろ社会人としてテーブルマナーも心得て、上等の洋食も食べられるようにしろといって、つれて来た。ああ、富本、お前の会社は、すぐ傍《そば》じゃないか。彼はまだサラリーマンになりたてだから、割引いてやって下さい」

「承りました。どうぞ、いつでもお出《い》で下さいまして。お待ち致しております」

丁寧に挨拶《あいさつ》をして、あちらへ行ってしまった。僕は汗が噴き出ていました。

「おい、富本、どうしてそんなに力一杯ナイフとフォークを握っているんだ」

「はッ」

「美人に見惚《みと》れてたんだろう？」

「…………」

「相当いかれたようだな、こいつ」

帰りに先輩が金を払っている後で、僕は瞬《まばた》きもせずに、彼女の横顔を見ていました。

「ありがとうございました。また、どうぞ」

そう事務的に言ってから、僕には、

「お待ちしております」

と、花のように笑いかけてきたのです。

僕は、翌日の昼食に行き、ランチ・タイム・スペシャルというのを食べました。毎日、毎日、行きました。昼食はラッシュアワーで、日本橋中のサラリーマンが押し寄せてくるようでした。

「こんちは、公子さん」

「まああ、渡辺さん、ごきげんよう」

「やあ、公子さん」

「いらっしゃいまし」

「来週の日曜、ゴルフ一緒に行かないか」

「私、ゴルフは駄目なんですのよ。それに来週の日曜は、お休みとれませんの」

「残念だなあ」

僕は焦《あせ》りました。色々考えて、毎日、名刺を渡して帰ることにしました。会社で刷ってくれる名刺が、一箱が二カ月半でなくなってしまってから、

「公子さん、こんにちは」

と声を出したんです。

「あら、今日は名刺下さらないんですの」

「どうせポイと捨てられるだけだと思ったから、やめたんだ」

「まあ、何枚下さるおつもりかと楽しみながら数えてましたのよ」

「僕の名前、覚えましたか」

「富本寛一さままでいらっしゃいましょう？　会社のお名前と電話番号も空で言えましてよ」

「ありがとう」

僕は、その日は、夜も一人で食べに行きました。夜は、値段が一段高くなって、そのかわり客種もがらりと変り、店のムードもシャンデリアが輝いて、豪華な感じがあふれていました。いや、あなたが御存知の「モンレーブ」は、僕と彼女が結婚してから、彼

女が建てたビルの地下に出来たものですが、その前の店は、もっと小ぢんまりしていて、ただ、シャンデリアだけが、ひどく目立つという店でした。彼女はどう見ても若くて、女主人だとは到底思えませんでした。僕は、彼女は、その店で働いているのだと、結婚するまで思いこんでいたんです。

ときどき彼女は店を休むことがありました。入口に彼女の姿が見えないと、どうしていいか分らなくて、まごついたものです。

「彼女は？　今日はどうしたの？」

ボーイに訊《き》くと、

「お休みです」

というときは、

「ああ、それじゃ、やめた」

と言って出てきました。

翌日、

「いらっしゃいまし。昨日はご免なさいね。でも、私がいなくても召上って下さいよ」

「それは無理だよ」

僕は、ぶっきら棒に言って、ただひたすら通いつめていたんです。給料日前は、紅茶だけ飲んで、帰りました。月給取りにとって、ランチ・タイム・スペシャルでも、毎日となれば決して安いものではなかったのです。

水曜日と日曜日が彼女の休む日だということに気がついたのは、名刺がなくなる頃と前後していたと思います。

「水曜日は何してるの？　デート？」

「まあ。学校に行ったりしてますの」

「学校？」

「ええ、千駄ヶ谷《せんだや》で英語を少しだけ。でも週一度では語学は無理ね。フランス語も習いたいんですけれど、時間がなくて」

「才媛《さいえん》というのは違ったものだね」

「どうしてですの？　親のない子は義務教育だけしか受けられないものですわ。親のお金で大学出た方には分って頂けないでしょうけど、やれなかったことは、やりたかったといつまでたっても思うものですわ」

参ったなあ。僕は、父親と妹が秀才で、その間に挟《はさ》まって悩んでいた男だから、親がなくて中学までしか行ってないと知ったとき、やっと勇気が出て、

「一度ぐらい学校の帰りに映画見に行かない？」

「まあ。嬉《うれ》しいわ」

最初に見た映画は忘れもしません。「名もなく貧しく美しく」でした。映画館が明る

くなると彼女が眼を泣きはらしているのが分りました。

「いい映画だったね」

「綺麗《きれい》な心になる映画ね。よかったわ」

「高峰秀子《ひでこ》って、好き？」

「大好き。あの人も親を知らなくて、苦労した人なんでしょう？　ああいう生き方をしなくちゃって、いつも思っているの」

「ね、君、独身」

彼女はしばらく僕を見ていました。恰度《ちょうど》、日活会館の前を歩いてるときでした。彼女は立止ってしまったんです。

「ええ、そうよ」

「僕と結婚しないか」

「まああ」

それから彼女は、眼からあふれ落ちる涙をハンカチで押さえていました。

「私が誰の子で、どんな育ち方をしたのか、何も知らないで、結婚なんて、無茶じゃないこと？」

「なんでも構わない。初めて見たときから好きだった」

「私も」

こう言われたときは意外で、僕は、断られても押しの一手で押しまくるつもりだったから、どうしていいか分らなくなった。

その日から、彼女を母のところへ連れて行くまで一年かかりました。接吻《せっぷん》も彼女は拒否したのです。

「嫌よ、私、そういう女じゃないわ」

赤線がなくなって三年たっていました。僕はもちろん童貞ではなかったけれども、彼女の拒絶は僕に安心というものを植えつけていたのです。

母も妹も賛成して、仲人《なこうど》の伊藤先生のところにも挨拶に行って、綺麗だ、上品だと言われるのが僕には得意でした。母は名門出で美人で、それを秀才の父がアタックして結婚した話はきかされていましたが、公子の方が母よりはるかに美人だったし、妹は秀才だけど美人じゃなかったし、僕の長い間の劣等感が、解放されたような気分でした。

「私が、あんな御立派な家のお嫁さんになれるの？　信じられないわ」

初めて田園調布の僕の家に連れて行ったあと、彼女がこう言ったとき、僕の心はくすぐられ、優越感を味わったのを覚えてます。

結婚式はお聞きになった通りです。彼女が、僕の方の親戚書《しんせきが》きを見て、

「まあ」

と絶句し、

「あなたの御親類って、こんなに立派な方々なの？　私、結婚するの、怕《こわ》いわ。あなたのお父さまも日銀の監事役までなすったんでしょう？　それでも、私、貰《もら》って頂けるの？　お母さまは、きっと心の中では反対していらっしゃるのよ。私、怕いわ。私の方には、親類はもちろんないし、だって親が誰か分らないのよ。それに、貧しく育ってきたでしょう。教養がないから、きっと恥をかくわ。私、怕い」

「何を言うんだ。君は僕の親類と結婚するんじゃない。僕と結婚するんだ。どうして、そんな古臭いこと言うんだ」

「だって、私、肩身の狭い思いするの苦しいわ。苦しいことには馴《な》れてるつもりだったけど」

「大丈夫だよ、僕がいるじゃないか。僕にすがりついていればいいんだ」

「あなた、本当に私みたいな女でよろしいの？　教養もないし、ただ一生懸命、清く正しく生きてきただけなのよ」

「大丈夫だって、何度言えば分るんだ」

僕は、優越感に充《み》ちあふれて、彼女を抱き寄せ、大胆にキスをしました。彼女は、抵抗したけど、僕はもう離さなかった。彼女は接吻のあと、喘《あえ》いで、泣いてました。

新婚旅行で、僕らは初めて結ばれたのですが、あのときほど驚いたことはありません。彼女が、大声を出すんです。乳房にふれたとき、もう泣き始めていました。敏感というのか、どこを触っても逃げようとするし、声が大きいし、初夜は、僕も夢中だったけど、しかし鶯《うぐいす》を鳴かせるとかいうのは、このことだったのかと思いました。僕の経験した商売女ではそんなことなかったですから。

「ふだんは小さい声なのに、びっくりしたよ」

「え？　何のこと？」

「大声を出すんだもの、君」

「いつ？」

「今さ」

「嘘《うそ》でしょう」

「嘘なもんか、僕は一度口をふさいだじゃないか」

「覚えてないわ。だって、何がなんだか分んなかったし、気絶したと思ってたわ」

「かっとなるのかなあ」

「どんな風に？」

「こんな具合にさ」

朝まで、何度か繰返しましたが、肩に手を当てただけで喘ぎ始めるし、最初のうちは痛いと叫んだり、僕は興奮して、眠れなかったし、眠らせなかった。二人とも眠ったのは朝からで、昼すぎ、あんまり腹がすいたのでルームサービス摂《と》ったんです。京都へ行っても、碌《ろく》に外に出なかった。一度だけ天ぷら食べに外へ出ましたが、あとは都ホテルにこもりきりで。

でも、帰りの汽車の中で僕は心配になってきた。僕の家は木造建築なんです。母にあの声は聞かせられないと思いました。どうしよう、と僕は考えこみました。

「君、声出さずに出来ない？」

「いやな方ね、声なんか出してないって何度も言ってるでしょう？」

彼女に自覚がないのだとしたら、家では抱けないなと、心配になってきた。だけど、母と一緒に暮すのを、彼女も楽しみにしていたし、母も当然と思っている。これは困ったことになったと思いました。

新婚旅行から帰ると、母は待ちかまえていましたが、僕は一層憂鬱《ゆううつ》になりました。その晩、ちょっと彼女に手を出すと、抱き寄せただけで、もう声が出るんです。

「声を出すなよ。ここはホテルじゃないんだから」

「声って、何？」

「だから、そういう声さ」

僕は、諦《あきら》めるより仕方がなかった。ラグビーで鍛えた躰《からだ》だし、若かったし、それが家の中で、横にいる妻に手が出せないっていうのは苦痛ですよ。

それで結婚後は、彼女の店がしまったあと、帰り道に、その、つまり、バアの女と行くような御休憩八百円というところで落合うことにしたり、昼の休憩時間に、そこへ駈《か》けこんで行ったり、という変則な夫婦生活をすることにしましたが、安いところは、出てくるとき、きまりがわるくてね。転々とそういう宿を変えましたよ。

「ねえ、あなた、私、いやよ、こういうとこ、変な女の人が来るところでしょう?」

「だけど、君が声を出すから、家ではやれないよ」

「私、そんなに声が出ているの?」

「うん」

「そうなのだとしたら、困ったわねえ」

「うん」

「じゃ、アパート買っときましょうか。いつでも二人で寄れる場所を、日本橋と田園調布の恰度まん中ぐらいに」

「買うったって、金がいるからね」

「私が買っておくわ」

「どうして君にそんな金があるんだ」

「だって、モンレーブとっても流行《はや》ってるんですもの」

「君の給料どのくらいあるんだ」

「いやだわ、給料って、私はあの店の主人なのよ」

「えッ？」

「あなた、私のこと、あの店で働いてると思ってらしたみたいね。お母さまなんて、初めはウェイトレスかと思ったら、レジしてらっしゃるんですってねって仰言《おっしゃ》るのよ」

「僕も、そう思ってた」

「レジやウェイトレスの給料では、帝国ホテルの宴会はやれませんよ」

「君、貯金って言ってたじゃないか」

「ですから、それだけの貯金はたまらないって申上げてるのよ」

「モンレーブが、君の店？」

「ええ」

「なぜそれを今まで言わなかった」

「私、お金を目当ての男の人に言い寄られるのは警戒していたんですの。だから、私のアパートに、あなたを決して入れなかったでしょう？　それに、お母さまも私が働いてるの、お気にいってないようだし、言い出す機会がなかったの」

「あの店、君の店だったのか」

「ええ、働きながら簿記の学校に行ってたのよ、実は。夜学で」

「水曜日が簿記の勉強だったのかい？」

「いいえ、簿記はもう一級まで卒業してしまって、税理士の資格があるのよ、私。だって、中卒だけじゃ、いいところで働けなかったもの。だから、あの店が中華料理屋だった頃、昼間はあそこで働いて、夜は、三年間神田の簿記の学校に通ってたの。そのうち、あの店のオーナーに任されるようになって、フランス料理に切替えたのよ、中国人の中国料理にはかなわないんですもの。それが当ってお客が来るようになったでしょう？　そのうちにオーナーが倒産したの。他《ほか》の仕事で失敗してね。だから、安く買えたのよ。本当に、お安かったわ。資金ぐりに詰まってくると、ほんの小さなお金でも欲しくなるのね。だから、私の貯金と、私の生命保険を担保にして借金して、それで買ったのよ」

「生命保険って、担保にできるの？」

「できるわよ。二千万円借りられたわ。私が若かったのと、お客の信用があったことが元手になったのね」

僕は呆気《あっけ》にとられて彼女の話を聞いていました。考えてみると、その頃から、彼女に対する劣等感が潜在的に芽生えていたのだと思います。

「じゃ、僕が生命保険に入ろう。それを担保にしてアパートを買おう。君の金で、アパートを買うのは、僕は嫌だ」

「まあ、嬉しいわ。私、本当に、お金を儲《もう》けるにつれて、心配なのは私のお金を当てにする男が寄ってくるのが怕かったの。あなたみたいにお金に潔癖な方に出会えたの、幸せだったわ」

神宮前にあるアパートは、僕の生命保険を担保にして、買ったのは事実ですが、当時で千五百万円もするマンションが買えたのは、保証人が富本公子になっていたからだということには、随分長い間、気がつきませんでした。僕は、大威張りで、家具調度類は、そのマンションについていたものと思っていたんです。

「気分がいいな。友だちに教えてやろうかな。こういう方法があるのを知らなかったよ」

保険金が月々、彼女の方から支払われていることにも気がつかなかったんだから、僕は馬鹿《ばか》でしたよ。世間知らずだったんですねえ。彼女が、その頃、自家用車を持ってることも知らなかった。間抜けとしか言いようがありませんが、彼女は僕の性格に気がついていて、僕の劣等感を刺戟《しげき》しないようにしていたのだと思います。

夢のような生活が始まりました。立派なマンションで、隣の物音が聞こえない。だから、こちらの声も聞こえる心配がない。僕は、彼女の躰に惑溺《わくでき》して過しました。初めは、事をすませてから田園調布まで帰りましたが、だんだん億劫《おっくう》になってきて、アパートで暮すと言い出したんです。母は、顔色を変えましたが、僕は、彼女に溺《おぼ》れきっていて、親など、どうでもいいという気になっていました。

「ねえ、あなた。お母さまと一緒に暮らせる方法考えついたわ。お家を鉄筋コンクリートに建て直せばいいのよ」

「僕もそれを思ったこともあったけど、金がかかるじゃないか」

「このアパートを売って建てればいいでしょう。もう二千万円じゃ、ここ買えませんってよ。インフレなのねえ」

「ああそうか、二千万円あれば、鉄筋で家が建てられるね。土地があるんだから」

「ええ、設計してみない？」

二人で間取りを考えて、白い紙に鉛筆で描いている頃は、本当に楽しかった。

「お母様のお部屋は、日本間にしないとお気に召さないんじゃない？」

「そうだな。洋式の生活は知らないからな」

母にはすぐ報告しましたが、喜んでくれると思ったのが意外にも、

「この家を壊そうって言うんですか、公子さんは」

と、大層な剣幕なんです。

「僕が建てるんですよ。公子の意見じゃありません」

「どうやって、お金を作るの、あなたが」

「いつまでも僕を子供だと思わないで下さい。公子も三人で暮したいと言ってるんだから」

「この家のままで、三人で暮せますよ。戦前は、パパとママと、あなたと昭子の四人に、女中もいれて五人で暮していたのよ」

しかし、セントラルヒーティングのある高級マンションで暮す味を覚えた僕には、冬には隙間風《すきま》の吹き抜ける、古色蒼然《こしょくそうぜん》とした木造建築は、もう住む気にもなれなかった。母の反対を押し切って、家を建て直すと言いました。僕らがアパートで暮しだした前後、仲人《なこうど》の伊藤先生にも呼ばれて叱《しか》られましたが、まさか理由は言えないでしょう？　体質っていうものがあるのかもしれないし、僕と彼女が特別の合性だったのかもしれません。とにかく僕らは燃えに燃えたし、毎晩、僕は彼女を求めずにはいられなかった。僕が特別性欲の強い男だったと思わないで下さい。ラグビー部には赤線がなくなってから鼻血が出るという先輩や、毎晩自分でやらなければ眠れないという奴《やつ》らがいましたが、僕はそんなことなかったのです。ラグビーは激しい運動ですし、それで僕には充分快い消耗になっていた。僕は御存知のように再婚していますが、今のワイフに決して言えないことですが、公子のときのように熱狂したことがありません。公団住宅で母と三人暮しでも、一向に困ることがありません。きっと公子が特別の躰の持主だったのでしょう。彼女に言わせると、僕とでなければ意識を失うようなことはなかったという話ですが。これはもちろん、あの悪魔の声を聞いた後で彼女が一生懸命言ったことですが。

ともかく、僕も彼女も図面をひいて、熱心に設計図を描いていたときは、まさか、あんな大きな家が建つとは思わなかった。僕が八畳ぐらいと思っていた部屋が、公子は十八畳の大きさで考えているとは思わなかった。

「僕らの寝室は二階にしようね。防音装置がいるよ」

「まああ、あなたって、そんなことばっかり仰言るのね。なんだか私が特別淫乱《いんらん》な女みたいで、悲しくなるわ」

「もっと悲しませてやろうか」

二人だけでは広すぎる空間で、僕らは太古の人類のように愛しあっていました。今思い出しても、夢のように楽しかった。あんないい思いを見たのだから、後の地獄は当然だったのだと今では考えているくらいです。どの週刊誌にもセックス記事が満載されているし、近頃は女もオープンに喋《しゃべ》り出していますが、僕はどれを読んでも、こいつらは最高の性に出会ってないんじゃないかと思いますね。ポルノ小説など読むと、失礼ながら、書き手が決定的な相手にまだ出会ってないのではないかと、いつも思います。

本当に、愛も性も理屈はないし、古い言葉ですが、星の数ほどある男と女の中で、一人の男が、自分のために生れてきた女と出会うのは、よほどの幸運と言わなければならないでしょう。僕は、その幸運を、自分から捨てた大馬鹿です。

発端は、お聞きになったと思いますが、彼女と二人で歩いているとき、

「あら、渡瀬さんじゃないの？　お久しぶりねえ」

「まああ」

「坊《ぼ》っちゃん大きくおなりでしょうねえ。あれから何年になるのかしら。うちの子が今

は中学生だから、きっと四年生ね、義彦ちゃんは。お元気？」

「おかげ様で」

「一度ゆっくりお目にかかりたいわ。急ぎますから、またね」

「はい、私も急いでますの、ご免遊ばせ」

僕は耳を疑って、中年女が公子に話しかけるのを聞いていました。坊っちゃん？　四年生？　それに公子を鈴木さんとは呼ばなかった。

「誰と間違えたのかしら、変った方ね」

「知らない女だったのかい？」

「ええ」

「それじゃ違いますって言えばいいじゃないか」

「だって、あんなに喜んでらっしゃるのに、違うと言ったらお気の毒でしょ？」

彼女は平然としていましたが、僕は釈然としなかった。

田園調布に建った家は、なるほど僕らが下描きした間取りと似てはいたけれど、設計者が拡大したとしか思えないほど大きかったのです。建築にかかると、母は僕らの住んでいるマンションに来てもらいましたが、母は不機嫌で仏壇の前でくらい顔をしているし、僕は僕で、彼女と前のように発散できないので不愉快になった。家が建つまで、また「御休憩」というところに行きましたよ。

ようやく新築落成したとき、僕は彼女と見に行って、仰天しました。僕の考えていたのは鉄筋建築ではあったけれども、あんな大きな家ではなかった。隣の梅谷さんの家の方に南を向いて建っていて、昔の僕の家は玄関前の車寄せになっているじゃないですか。そう言えば、母が愚痴のように、梅谷さんが土地を手放しておしまいになったのはお気の毒だけど、公子さんがどうとやらしたのを見ていると時世の移り変りを見るようだと、くどくど言っていた、と思い出しました。

「君、梅谷さんの地所を買ったのか、僕に相談もしないで」

「あら、お母さまに御相談していたのよ。どうして御存知なかったの。お母さまが話をつけて下さったのに」

「金はどうした？」

「私も生命保険に入り直したの。前のはもう満期に近いし、今度は別の保険会社。それに、梅谷さんの方は地上権だけ買ったから、お安かったのよ。お母さまのおかげだわ。あなた、この頃お母さまとよく口喧嘩《くちげんか》してらっしゃるけど、あれはやめて下さらない。お母さまは私が言わせているように誤解なさっているのよ」

彼女の説明で、僕が全面的に信用してしまったわけではないのです。むしろ逆でした。彼女の生活力の旺盛《おうせい》さに、僕はショックを受けていたのです。子供の頃から、家の中に僕より勝《すぐ》れた父や妹がいることで悩まされていた劣等感が、またぞろ頭を持ち上げてきました。大勢の使用人たちは、彼女の経営しているレストランを建て直す間、「モンレーブ」で働いている連中をこちらで使うという説明でしたが、僕は奴らの手前も、大威張りで暮らしてやろうという気になった。彼女の仕事の邪魔をしてやろうと、召使いの前で寝室に大声で呼びこんだりしました。悪あがきだったのです。

家が建ってから、彼女と一緒に帰るとき、電車の中や、道端で、また悪魔に出会った。前とは別の女だった。

「あら、渡瀬さんじゃない？　まあ、やっぱりそうだ。坊《ぼう》や、大きくなってるでしょうね。あれから、随分たってるんですものね」

「ええ、ええ」

「今どこにいらっしゃるの？」

「田園調布ですわ」

「まあ、そう。私も引越したのよ、あのあとすぐ。今は渋谷《しぶや》の近くに住んでます。坊やと一緒に一度ぜひいらして頂きたいわ」

「いずれ、ね。ちょっと急ぎますから」

相手の女は、横に立っている僕の顔を不審げにじろじろ見てから、公子に会釈《えしゃく》して行ってしまう。こういうことが、一再ならずあると、疑うのは当然でしょう。彼女が不動産屋も、宝石屋もやっていることが分ってくるにつれて、僕の劣等感はいやが上にも高まっていました。そして、悪魔との出会いが引き金になってしまったのです。伊藤先生からお聞きになったと思います。彼女に母親がいた。彼女は一度結婚して、二人の子供を産んでいた。それが分ったとき、僕は取乱しました。僕より前に、あの声を聞いた男がいたのかと思うと、気が狂いそうになったのです。

「なぜ黙っていたんだ」

「言えば、あなたに嫌われると思って怖《おそ》ろしかったの。あなたを失いたくなかったのよ」

「親がいないと言っていたのに、それまで嘘《うそ》をつくことはないだろう」

「私、貰《もら》いっ子なのよ。籍は鈴木に入っているけど、私の本当の親が誰か、どうしても教えてもらえないの。育ててくれた恩はあるけど、私は継母《ままはは》と較《くら》べれば、あなたのお母さまの方がずっと好きだし大事に思っているのよ」

「僕は、君が知ってる男は僕だけだと思っていた」

「あなた、そう思い続けて頂けないこと？　私が十六、七の頃のことなのよ。男に騙《だま》されて、子供が出来ると、すぐ捨てられたわ。私、歯ぎしりして働いてきたのよ。子供を育てるためにも。あなたを見たとき、もっと早く会えたらと思ったわ」

「婚姻届が出ている。協議離婚のとき、君は大金を受取ったそうだね」

「当然じゃないこと？　私はどうしていいか分らなかったから、家庭裁判所ってところへ飛込んだのよ。そうしたら、男の方の心が離れているのだから、あなたの心を傷つけた分は慰藉料《いしやりよう》請求する権利があるんだって、私はお金の問題だとは思わなかったけど、あちらも弁護士を立てたから、結果はお金で始末されてしまったのよ。私の子供は、私と同じ不幸を背負ったのだわ。考えて下さらない？　十六、七で男を見る目があるかどうか。強姦《ごうかん》されたも同然だったわ。ちっとも好きな相手じゃなかったわ。今では災難だったと思っているの。でも、生れた子供には何の罪もないでしょう？　それ以来、私は男性に対して、いつも警戒していたわ。あなたの結婚申込みだって最初は半信半疑だったのよ。お母さまに会わせて下さったとき、感激したわ。今度は本ものの愛だと思ったの。前の人は親にも会わせなかったわ。いずれ捨てるつもりでいたのだと思うの。親切なおばさんがアパートにいて、それを見抜いていたんでしょう。婚姻届は出しときなさいよ、でないと先へいって、女は泣くだけだからと言ってくれたの。だから妊娠したとき、泣いて頼んで入籍してもらったわ。好きじゃなかったけど、子供が出来るなら仕方がないと思ったのよ。若すぎたの。若い女が一人で働いていれば、悪い男に出会えばひとたまりもないってこと、私は、だから身をもって知っていたのよ。あなたが、ちゃんと結婚式をあげて下さったとき、私が泣いたのは、私を一人前に扱って下さることに感激したからだわ。ねえ、あなたしか愛した人はいないわ。私の過去のあやまちは、どんなにしてでも謝りますから許して下さらない？」

彼女の哀訴も嘆願も、ノイローゼになっていた僕には聞き入れる余裕がなかったのです。今にして思えば、彼女の言う通りで、僕はもっと寛《ひろ》い心で許すべきだったのです。しかし、僕は、過保護な環境で育ち、劣等感にさいなまれ、彼女を抱き寄せる度に、別の男が同じことをして、彼女も同じように声を上げたのかと思うと気が違いそうでした。使用人たちは、そういう僕を軽蔑《けいべつ》した目で見ている。このまま生活を続けたら発狂するだろうと思いました。地獄から逃れるために、極楽も捨てたのです。

離婚しようと口走ったとき、彼女は言いました。

「あなたも、私を捨てるの？　私の何がいけないの？　十六、七の頃の失敗なのよ。どうして許して下さらないの。私、どんなことでも、あなたの気に入るように償うわ。ねえ、あなただけなのよ。私が愛したのは。子供を捨ててまで、あなたと二人で暮したのに、それでも許せないと仰言《おつしや》るの？」

彼女の言う通りでしょう？　僕が狭量だったのです。彼女の事業家としての手腕に劣等感を持っていなかったら、あるいは許せたかと思いますが、その当時の僕は彼女の仕事ぶりにも圧倒されていましたから、すべてに余裕を失っていました。度量が足りなかったのです。

再婚してから、ワイフがテレビに出ている彼女のファンになったのには参りましたが、ワイフのファンレターを見た彼女から、会社に電話がかかり、

「お幸せなのね。羨《うらやま》しいわ。お目にかかりたいけれど、お食事御一緒に、いかが？」と言われましたが、僕は、そんなことをしたら、きっと昔と同じ関係に戻って、今度は妻子をも泣かせることになると思って断りました。

「まだ許して下さらないの？　私は、あなた以外の誰も愛したことがないのに」

彼女が泣いているのが分りましたが、ここが男の我慢だと思って、非情な電話の切り方をしました。

彼女が死んだとき、ワイフは僕の前の結婚相手が富小路公子だと知って、

「あんな素敵な人と、どうして別れたの？　私、分らないわ。私よりずっと素晴らしいのに。あなたが捨てられたのかしら？　変ねえ、あんなに愛の美しさを話していた人が、あなたを捨てたなんて。でも、いいわ、おかげで私が幸せなんだから。あのチョコレートは、あなたに食べてもらうつもりだったのかもしれないわね。だとすると、あなたチョコレートは見るのも嫌だと仰言ってたから、あら、あなたが捨てたのね、きっと。まあ、ひどい男なのね、あなたって」

こういうワイフを持って、僕の家は平穏無事に暮しています。母もワイフと仲がいいし、僕は結局こう思うんですよ。僕が凡庸な男なのだから、この生活でいいのだと。僕には過ぎた女だったのです、富小路公子は。

それにしても、どうして死んだのでしょう。週刊誌にはひどい記事がのっていました

が、彼女を知っている僕は、どの記事も信じませんでした。彼女は痒《かゆ》いところに手の届くほど、よく気がつくし、母にも一生懸命やってくれたんですが、母は気に入らなかったのです。合性が悪かったか、母も僕と同様に、一種の劣等感で参っていたのかもしれません。秀才だった父が生きていた頃より、ずっと贅沢《ぜいたく》な生活が出来るのが、不愉快だったのでしょう。

彼女が悪女だなんてことは絶対にありません。優しくて、涙もろくて、美しいものが好きな、夢みたいな女でした。抱きしめると溶けてしまうような躰《からだ》を持っていました。が、心はもっと素晴らしかったのです。どうぞ、公子を悪く書かないでやって下さい。あなたが、世間の誤解をといて下されば、と思って、お話ししました。彼女の旺盛な生活力が、人々の嫉妬《しっと》を招いたのでしょう。嫉妬というのは厄介なものです。僕らの会社の中でも渦巻いていますから、女一人で成功した人間を、嫉《ねた》ましく思って悪く言う人々がいることは分らないではありませんが、しかし、僕は公子を今は信じていますし、今でも愛しています。もちろんワイフも現実の生活で僕の妻としてバランスがとれているし、公子と同じように無邪気で、いい人間です。公子に対する僕の愛は、つまり現実離れしたものなのですね。短い間だったけれど、彼女と暮した夢のような二年間は、忘れることができません。一言でいいから、彼女が死ぬ前に、許していると言うべきだったと後悔しています。いや、許してくれと僕の方が詫《わ》びるべきでした。そしたら、彼女は死ななかったのではないかという気さえするときがあります。

田園調布の土地ですか？　彼女が別れたくないという以上、そして、その上に彼女名義の家が建っていたのですから、僕らが出るのは当然でしたし、あんなに泣いて別れたくないと言った女をがむしゃらに捨てたんだから、今思えば慰藉料として少なすぎたくらいだと思います。僕には親父《おやじ》ほどの能力もなかったのだから、あの土地を持っていても、どうせ売り喰いしていたでしょう。公団住宅あたりが、僕らには分相応の住居なんです。母は年寄りですし、昔のことが今も忘れられずに愚痴ばかりこぼしていますが、あの土地を公子に取られたなんて、若《も》し言ったとしたら、聞き逃して下さい。お願いします。

その十五　烏丸瑶子《からすまようこ》の話

えッ。

もう一度言ってよ。誰が、誰の親友だったって？

私が？　富小路公子の親友？

冗談じゃないよ。

ついこないだも、ある人から、親友だったんだそうですねって言われて、違うよって答えたら、でも富小路さんは親友は烏丸さまだけと言ってたし、口をきわめて私のこと褒めてたって。

「どう言って私のこと褒めるのよ。悪女っていうのなら、私じゃないのさ」

「御自分に正直で、飾らなくて、御立派だって言ってましたよ。親友と言っているけれど、それ以上に尊敬してるって」

「へええ」

まったく、へええ、としか言いようがないわよ。

そりゃ私、一緒に麻雀《マージャン》もしたし、旅行もしたし、サウナにも二人で裸になって入ったことありますよ。十年近い交際期間がありますよ。おいしいもの食べたり、夜中に長電話でお喋《しゃべ》りしたりしてましたよ。私自身も、あの人とは大の仲良しだと思っていましたよ。

あの人も私に、

「私、めったに人に心を開くことのできない損な性格なんですけれど、あなたの前では気持がほぐれてしまうのね。不思議だわ。どうしてかしら」

と、よく言ってました。

「ひょっとすると、お公《きみ》のお父さんてのは、私の親父《おやじ》なのかもしれないよ。相当尻癖《しりぐせ》の悪い男だったらしいからね。とすると、私と、お公は、腹違いの姉妹になるね」

私がこの声で、がらがら言ってやると、あの子は蚊が鳴くような声で、

「私も、ときどき、そうなのかもしれないと思うことがありますの」

と言って、遠くを見るような眼をしてた。

だけどさあ、私はあの子が死んで、週刊誌読むまで、あの子が二度も結婚していてさ、しかも子供が二人いたなんてこと知らなかったんだよ。

そんな親友って、ある？

あの子は私に自分の父親が誰か分らないので悩んでるって打あけ話はしたことがあっ

たけど、あとは専《もっぱ》ら私の話の聞き役で、よく考えてみると自分のことは、あんまり喋ってないんだよ。それで親友だ、親友だって、あっちこっちで言ってたらしいんだね、どうも。

迷惑は受けたことなかったよ、あの子があんな妙ちきりんな死に方するまでは、さ。

「あの富小路さんて方、どのくらい信用してよろしいのかしら」

って相談を他の人から受けたことが、ちょくちょくあったけどさ、その頃は私もあの子の言うこと真に受けてたからさ、

「信用できないと思ったら、信用しなきゃいいでしょ。私は信用してるけど」

なんて返事してたからね、死んでからは大騒ぎになっちゃったよ。困っちゃったよ。だけど私は関係ないからさ。

「信用できないなら信用しなきゃいいって言ったでしょ」

って、嘯《うそぶ》いてたけどさ、

「でも、あなたは信用してるって仰《おっしゃ》ってらしたわよ。だから私も信用してたんですの。あなたのような方が信用してらっしゃるんだから、間違いないと思ってましたの」

なんて、ねちねちやられてさあ、これがみんな古い友だちだからさあ、参っちゃったよ、本当に。それに、そういう人たちの受けた被害を聞くとさあ、ええッて、のけぞるほどひどいからさ、弱ったよね。だけど、私が紹介したわけじゃないし、責任ないじゃ

ない？　だから、あっさり言うのよ、ご免ねって。私も信用してたっていうか、付合ってる間は悪口言いたくなかったんだよって。だけど、妙なとこ大分あったよねって言って慰めてあげてるつもりでいると、あなたみたいに人の悪口をよく仰言る方が、あの人のことは決して悪く仰言らなかったから、なんて具合にさあ、今でも会うとぐじゃぐじゃ愚痴の相手させられてるよ。今はさ、そうかよ、私が悪かったのかよって、開き直った気でいるからさ、あんたの相手だってするよ。なに訊《き》いても本当のこと答えたげるよ。参考になるんならね。だけど言っとくけど、小説なんかにならないよ。小説にしたって、まさかって読者は思うよ、きっと。ほら、事実は小説より奇なりって言うじゃないさ。

初対面？

何年前のことか、忘れちゃったけどね、私はぞろっぺだから、昭和何年の何月何日なんてこと言えないよ。でも、そっちで調べたら分るんじゃないかな。婦人実業家の集いだか、女流実業家の集いとかいうのがあったんだよね。三流の経済雑誌の企画だったと思うよ。ホテルの宴会場で食事してさ、演説の好きなのが交《かわ》るがわるスピーチしてさ、変な会だったけどさ、私はそんなとこ出たくもないと思ってたんだけど、誰が誘いに来たのかなあ、ああ、雑誌社の方から是非御出席いただきたいって、しつこく言って来て、迎えに編集者がついて車を寄越したんだっけ。

あんまりうるさいから、断るのが面倒になって出ることにしたけどさ、

「女ばかり集めたって面白くもなんともないだろ。どんな連中が来るの？」

「は、笹原よし江先生も御出席下さいますし、美容界でお仕事なさってらっしゃる方々も皆さん御案内してあります。先生のようなお仕事の方や、レストランの経営者も大勢お見えになります」

「ちょっと、その先生っていうの誰のこと」

「先生ですよ」

「あ、た、し？」

「はい」

「嫌だねえ。やめてよ、先生なんて呼ぶのは。気持悪いよ。学者でも、指圧師でもないんだからさ、私は」

「は、失礼しました」

「他の先生たちも、こうやって一々車で迎えを出してんの？　大変だねえ」

「いえ、お迎えに上ったのは、先生だけです」

「その先生っていうの、やめてって言ったでしょ。笹原よし江ほど婆《ばあ》さんになってるわけじゃないんだから」

「は、申し訳ございません」

車の中で助手席にいる編集者と話してるだけで、私はもううんざりしてた。やっぱり何がなんでも断った方がよかったかなあって思ってさあ。だけど車は会場のホテルの宴会場入口に着いちまって、まあ仕方がない、こういう成行きだったんだと思って入ってったんだよ。シャンデリアのぶるさがった宴会場に集った面々を眺めて私は呆《あき》れ返っちゃったね。私は普段着で行ったんだけどさ、笹原よし江って、婆さんから、ほとんど全員がイヴニング・ドレスだったよ。三流のキャバレーみたいだったね。みんな似合いもしないのに宝石つけちゃってさ、知らない顔ばっかりだよ。胸に名札ぶら下げられてさ、入口で。ああいうの、本当に嫌だね。

ところが、そういうのが好きで好きでたまんないっていうのがいるんだから。笹原よし江にしてからが、そうなんだもの。五年ほど前に病気でくたばっちまったけどさ、前っから婆《ばば》ァだったんだから長生きしたもんだよ。だけど、あの婆さんにしてからが戦後の成り上りだからね。戦争中に軍部に取入って軍需物資をしこたま横流ししてさ、いわば国賊だろ、そもそもは。それから戦後の混乱期にボロ儲《もう》けしてのし上ったんだろ。その婆さんが、婦人実業者会会長とかって肩書きでさ、テーブルに全員が着席してから、やおら立上ってスピーカー使って演説ぶったんだからね。やれやれだよ。新憲法で男女同権の時代が来たから、女の実業家もこんなに大勢になったんだ、こんな嬉《うれ》しいことはない、なんて東条英機《ひでき》みたいな調子で三十分も喋ったよ。たまんなかったね。

私はどういうわけか、メーンテーブルでさ、十人ほどいるんだけど、知った顔が一つもないんだもの。笹原の婆さんの演説は退屈だし、それをまた一々肯《うなず》きながら尤《もっと》もらしい顔して聴いてる女たちばっかりだからさ、「ぎゃあッ」て叫び出したかったよ。

そのとき、そのテーブルに、彼女がいたのさ。婆さんばっかりイヴニング着てる中で、彼女が一人だけ若いから、テーブルにつく前のカクテル飲んでる間から目立ってたよ。私はてっきり、誰かの娘なんだろうと思ってた。それに、婆ァ連中がけばけばしい身装《みな》りでいる中で、あの子だけ品のいいカクテル・ドレス着てたからね。宝石も、大粒の真珠一つだけペンダントにして、ドレスは紺色だったかなあ、胸も肩もあけてなかったからね。婆さんたちが老斑《しみ》だらけの肌を恥しくもなくむき出していたから、よけい目立ったんだよね。

だから、退屈まぎれに見てたのさ。美人ってわけじゃないけど、他が婆ァばっかりだから、なかなか綺麗《きれい》に見えたよ、うん。そいでさ、私と視線が合ったら、にこっとして丁寧に会釈《えしやく》するんだ。胸のリボンの下には富小路公子って書いてあったよ。だけど私は乱視だから、眼鏡はかけてたけど富の字はよく読めなくてね、綾小路《あやのこうじ》さんのお嬢さんかなって、ふっと思ったの。やっと同類見つけたって気がしてさ、私も、にやりと笑い返してさ、笹原の婆さんの演説の方を顎《あご》でしゃくって、手で口叩《たた》いて、退屈だねって合図送ったんだ。そしたら、あの子が、噴き出してね、下向いちゃってね、困ってんだよ。

いい子だなって思ったよ。

この初対面の印象が良すぎたんだね、今から思えば。だけど、まわりが悪すぎたからだよ。私の隣にいた婆ァなんて、厚化粧でね、皺《しわ》だらけのところへファウンデーション塗りこんで、そこへ粉白粉《こなおしろい》を目一杯たたきこんでるもんだから、皺が、ちょうど亀裂《ひび》みたいになっちゃってさ、気味悪かったよ。おまけに口紅もどぎつくってさ、それで始終私に話しかけて来るんだ。

「世が世なら、とてもあなた様のような方と御一緒のテーブルにつける身分じゃございませんのに、光栄でござあますわ」

なんて言いやがんの。鯛《たい》の目玉みたいな大きいダイヤ指にはめてさ、テーブルマナーは全然なってないんだ。私のやり方をじっと見て真似《まね》してるようだったからね、わざと魚のとき、肉のナイフ使ってやったら、その通りにしたよ。おかしかったね。私の正面に、あの子が坐《すわ》っていたから、顔上げて見たら、あの子はちゃんと魚のナイフ使ってた。そいで、私が隣の婆さんに悪戯《いたずら》してるところ気がついたかって片目つぶって見せたらさ、また吹き出して、下向いて、ナプキンで口を拭《ふ》いてるんだよ。だから、私は単純に、この子は成上りじゃないって、頭からきめちゃったんだね、あんとき。

ウェイターが肉の皿くばりに来て気がついて、私と、その婆ァだけ、ナイフとフォークを肉用に取り替えた。婆ァが妙な顔してたよ。葡萄酒《ぶどうしゅ》なんかも、みんなさかんに飲んでさ、酔っぱらって大声で喋り出すのなんかいてさ、とにかく女成金の大パーティってのは、後にも先にも、私はあのときこっきり行かなかったけどさ、凄《すご》いもんだと思ったね。男の成金の方が、まだましだよ。男は、気どらないだろ？　女は、気取っちゃってさ、ギラギラ着飾っちゃってさ、ざあます、ざあますで酔っぱらうんだから、見られたもんじゃなかったよ。

だけど不思議に思ったのは、料理の方は上等でね、葡萄酒はあまり大したものは出てなかったけど、ステーキのソースなんか、私は久しぶりでおいしいと思ったね。だからパンで皿拭くようにして、ソースを食べちゃったよ。私以外は、みんなパンにバタつけて食べててね、隣の婆ァは行儀悪いと思ったらしくて、もう真似してなかったね。料理があるのにバタを出すのはアメリカ式の田舎作法だけどね。ナイフとフォークで、懲りたのかもしれないな。だけど、正面見ると、あの子が私と同じこと、してた。だから、私から大声で話しかけたんだ。

「さすがに帝国ホテルだわね。このソース、素晴らしいわ」

彼女が、なんて返事したのか、聞こえなかった。笹原の婆さんが、演説だけでは足りなかったらしくて、ぎゃあぎゃあ喋ってたしさ、彼女は蚊が鳴くような声だから、聞こえなかったんだよ。私は、まわりに気兼ねしてるんだと、そのときは思ったんだけどさ。デザートになってから福引きが始まったよ。これも驚いたね。福引きつきの宴会なんて、私は聞いたこともなかったからね。そう言えば入口で番号札渡されてたから、なんだろうと思ってたんだけどね、カラーテレビとかステレオとか当るんだよね。その度に司会者が、その商品の提供者を呼び上げるんだ。そうするてえと、まずその女が立って、みんなが拍手する。それから番号言って、当った人が立上るとまた拍手だ。籤引《くじび》きするのは、笹原会長ときたもんだ。好きなんだね。

「次は素晴らしい真珠とダイヤモンドを組合せたブローチでございます。富小路商会の社長さんが提供して下さいました。富小路公子さんです。綺麗でしょう？　ブローチも、でございますよ」

あの子が立って、恥しそうに一礼して、私にも気まり悪そうに会釈して坐った。私は綾小路さんじゃないのが分って、富小路というのは、聞いたことないな、そういう苗字《みょうじ》って昔からあったのかしらんと思ってね。ちょっと考えこんじゃったのよ。

会がやっとこさっとこ終ったら、笹原の婆さんが私の傍《そば》に来て、

「あなた、本当によく来て下さったわ。有りがとうございました。二次会の方に、いらっしゃいませんこと？」

って言うじゃない。

「冗談じゃないですよ。私はもうくたくたで、帰って寝たいと思ってるくらいなのに。この上、二次会なんかに行ったら、伸びちゃいますよ」

本当にそうだったのよ。左隣の皺苦茶が話しかけて来なくなったら、今度は右隣の婆さんが私相手に喋《しゃべ》り出してさ、

「あなた様のような御身分じゃござあませんから、私は今日までに本当に苦労を致しました。こうして、こんな会に出られて、あなた様のお隣に坐らせて頂けるなんて、夢みたいな気が致します。最初は闇市《やみいち》で、なんでもかんでも売り買いしてました。主人が戦死して、子供が五人おりまして、生きることに必死でしたから。我武者羅でしたわ。それが、いつの間にか会社を作って社長になっていて、子供たちも学校出ましてね、息子が副社長でバリバリやってくれてますから、余裕が出て来ましたんですよ」

「どういうお仕事ですか」

「クリーニング屋でございます。このホテルは違いますけれど、小さなホテルのシーツ類のクリーニングをやっております。ついでにホテルの経営もやり始めたところでございますの」

名刺くれたけどさ、ホテルの場所は渋谷《しぶや》だったよ。連れこみ宿じゃないのさ。呆《あき》れ返っちゃったよ。

帰ろうとしたときに、あの子が名刺持って挨拶《あいさつ》に来てね、

「富小路でございます。どうぞよろしく。お疲れでいらっしゃいますって？　よろしかったら、お送りさせて頂きとう存じますが」

って言うの。雑誌社が帰りの車の用意をしてると言ってたけど、また編集者が乗って来るんじゃうっとうしいから、

「あら、そう。じゃ、頼むわね」

って、言っちゃった。これが、そもそもの始まりでね。

「私、綾小路さんのお嬢さんかと思ってたのよ。富小路って、変な苗字だね。京都の町みたいじゃないさ」

「本名は富本なんですけれど、平凡ですから、富小路と名乗ってますの。これだと、すぐ名前を覚えて頂けますから。まず名を覚えて頂くのが大事なことでございましょう？」

「でも偉いね、あなたみたいに若くて社長さんだなんて。宝石屋さん？」

「はい。いえ、宝石の方は余技でやっておりますけれども、レストランとか、いろいろ、まだ勉強中でございます」

「なんていうレストラン？」

「モンレーブと申しますけど、奥さまにいらして頂けるような立派なレストランじゃございませんわ。でも、近々拡張工事を致しますから、そのオープニングにお出まし頂けたら光栄ですわ」

「光栄だなんて、やめてよ。昔は華族だったたって、今は働いて食べてる貧乏人なんだか

らさ」

「まああ」

「それより、今日の会はたまんなかったね。私の両隣ときたら、ほら、こんな名刺くれたわよ。これ、サカサクラゲじゃないの」

「まああ。あの痩《や》せてらした方ですか？」

「ううん、デブチンの方」

「まああ」

「そういうのまで実業家っていうのなら、八百屋だって魚屋だって、もっと立派な実業家だわよ。冗談じゃないと思ったわ」

「私も、今夜はじめて伺ったんですけれど、皆さま怕《こわ》い方々ばっかりで、それにイヴニングお召しでしたでしょう？　もう、びっくりすることばかりでした。世の中には、いろいろな方々がいらっしゃるのですわね。私なんか駈《か》け出しですから、何も勉強だと思って坐っておりましたんですの」

「何が勉強になるもんですか、あんな会で。笹原さんもどうかしてるわよ。騒ぎたけりゃ自分のお金つかって勝手に遊べばいいのに」

「あの方は、随分あの会にお金をつぎこんでいらっしゃるんだそうですよ」

「えッ」

「笹原さんが呼びかけて、毎年一回、大パーティをしてらっしゃるんだそうです。私も入会金と、今日の会費とでよろしいのかと思っておりましたら、福引きの景品も出すようにって、笹原先生からじきじきにお電話頂きましたので」

「あら、私は会費も入会金も取られなかったわよ」

「まああ。それは、きっと特別のゲストでいらして頂いたのでしょう。そうじゃないと、成り金の集まりになってしまうからじゃございませんかしら。今日はお見えになってませんでしたけれど、戦前の宮様でいらした方々のお名前が、特別会員として名簿にのっていますから」

「名簿があるの？」

「ええ、私のところには送って来ました」

「すると私も、そこんとこへ名前がのるわけね、次からは」

「きっとそうなんじゃございませんかしら」

「おお、嫌だ。笹原さんに電話して、はっきり断っとこう」

車が私の家の前についたときには、私はさんざん悪態をついたおかげで元気になっていて、あの子にお茶でも飲んで行かないかって誘ったの。

「まああ。それじゃ、ちょっとだけお邪魔させて頂きますわ」

「昔の華族のなれの果てってのを見とくのも、勉強かもしれないよ。主人がまるで甲斐《かい》性《しょう》なしだから、私が家にある骨董《こっとう》を持出して、売り歩いているうちに、いつの間にか骨董屋になっちゃったってわけ。だから、家の中はガラガラよ。家具までアンティークとして売っちゃったんだもの」

紅茶とビスケットだけしか出さなかったんだけど、あの子はそのときに、いきなり打あけ話をしたんですよ。自分が貰《もら》いっ子で、父親が誰なのか分らないって。

「戦前は、笹龍胆《ささりんどう》の紋のついた箱を捧《ささ》げて、毎月のように、多分中身はお金だったと思うんですけど、届いてました。男の人が、自動車で来たように思います。ですから、終戦までは、かなり裕福に暮せていたんですけれど、戦後は、養父は交通事故で死にましたし、母の方は、まるでなんにも出来なくて、家も焼け出されて、ですから私が働くしかなかったんです。中学だけ卒業して、あとは夜学で高校を出ました。大学は、通信教育で」

「まあ、あなたって、若いのに本当に偉いのねえ。私なんか、学習院って大嫌いだったわ。仮病使って休んでばかりいたわ」

「お幸せだったのですのね。私、今日、図々《ずうずう》しいようでしたけど、お送りさせて頂いたのは、私の本当の父は誰なのだろうって小さいときからずっと知りたいことだったものですから、それで、誰にも言ったことのない身の上話をいきなりしてしまいました。苗字が分らないんです。母は、自分が産んで育てたと私が思いこんでいると思っているものですから、気の毒できけないんです。それに、母はあまりよく知らないらしいんです。でも、私、父とも母とも、ちっとも似てませんし、笹龍胆の金蒔絵《きんまきえ》の箱が、紫の組紐《くみひも》かけて届いていたのを覚えてますのと、養父の兄に当る人が、私が小さいときに『お姫《ひい》さま、あなたの親御さんは本当は大変な御身分なんですよ』って言われたこと、はっきり覚えてるんです」

「笹龍胆ね」

「ええ、紋帳で、はっきりそういうのだと分ったのが、この頃です。絵なら、前から描けました」

「私、探したげるわよ。華族で、笹龍胆の家紋の家でしょ。宮家には笹龍胆は、ない筈《はず》だから。友だちにきけば、すぐ分ると思うわ。宮内庁《くないちょう》に問い合わせれば一番手っとり早いんじゃない。でも、うけあっとくけど、没落してると思うわよ。あなたが、がっかりするかもしれないわよ」

「もしそうだったら、私、少しぐらいならお助けすること出来るようになれるかもしれませんし。実の親が誰か、分らないっていうのは悲しいものですわ」

「うん、分った。探しといたげるよ」

私も安請合しちゃったものだよね。

実家の母がまだ生きていて、その話をしたら、

「公家華族《くげかぞく》なら、久我《こが》さんが笹龍胆よ」

「へえ、本当？　じゃ家より位は上なのね」

「でも久我さんは先代の方も当代の方も、そんな方じゃないことよ」

「分らないわよ。お家から女優さんが出るのに、誰も反対しなかったじゃない？　富小路って子もなかなか綺麗《きれい》で品のいい子だったわよ」

「武家華族なら笹龍胆は沢山いるんじゃない。明治以来のお家柄はむやみと多いから。でもね、富小路という苗字は、明治以前には確かに公家にあった筈よ。昔の地図で見たことがあるわ。有栖川《ありすがわ》さんの御殿のすぐ傍に屋敷があったようよ」

こんな話を、すぐ電話かけてあの子にべらべら喋《しゃべ》ったんだから、私も軽率よね。とにかく、それからってもの、彼女は何かといえば私のところへ来たり、彼女のレストランに行けば只《ただ》にしてくれるもんだから、私も図々《ずうずう》しく友だちみたいになっちゃったわけ。

「あんた、独身なの？」

「はい」

「早く結婚しなさいよ。あっと思えば私ぐらいの年にすぐなるんだから」

「誰方《どなた》か、いい方があったら紹介して下さいません？　私のような仕事してますと、独身の男の方とめぐり合うチャンスなんて全然ないんですもの」

「恋人もいないのかい？」

「臆病《おくびょう》なもんですから、恋愛の経験ないんです。せいぜい小学校の同級生の顔を思い出すぐらい」

「だらしがないねえ。頑張んなさいよ。若いときは二度ないんだから。言っとくけど、あんまり高望みするんじゃないよ」

十年も、こんなことばっかり言ってたんだよ。私って、馬鹿《ばか》じゃないかと思うわ。

その十六　レイディズ・ソサイエティの事務員の話

私ども「東京レイディズ・ソサイエティ」は、初代会長が一昨年お亡《な》くなりになりました高井《たかい》初音《はつね》先生でいらっしゃいまして、現在は副会長が二人で、会長は空席のままになっております。なんと申しましても高井先生のような派手な御一生をお送りになった方の後には、ちょっとなり手がないものですから、会員の中にも空席のままでいいという声が多うございますので、そのままになっております、はい。

「東京レイディズ・ソサイエティ」が発足いたしましたのは、戦後のことでございます。昭和三十年でございますから、早いものでもう二十余年の歴史を持ったことになります。この会を作りましたのは、学習院出身の方々の常磐会《ときわ》を真似《まね》したというわけではございませんが、女性で教養も経済力もあり、お家柄も御立派な方々というのは決して常磐会だけではないというお考えが、高井先生には前々からおありになりました。そこへ戦後、教育の民主化と申しますのでしょうか、学習院に華族以外の方々が入学出来るようになったのが、一種のチャンスになったのでございました。

はい、聖心とか、東京女子学院とか、山脇《やまわき》とか、いわゆるお嬢さん学校の出身者で、御主人様がエリートでいらっしゃるような奥様方が、最初の頃のメムバーだったのでございます。常磐会が女のロータリー・クラブなら、さしずめ私どもは女のライオンズ・クラブでございましょうか。冗談でございますけれど、最初は「ライオネス・クラブ」という名にしようかというお話もあったくらいでございます。

常磐会と違いますのは、あちら様の会員には没落華族と申しましょうか、戦後は逼塞《ひっそく》していらっしゃる方々も学習院卒業と同時に自動的に会員になっていらっしゃるわけでございますけれど、私どもの「レイディズ・ソサイエティ」の方は、その点では粒選《つぶよ》りの方々がお揃《そろ》いで、何かの催し事のために寄金募集ということになりましても、お金を出し渋るような方は一人もいらっしゃいませんから、私ども理事といたしましては、運営はまことに楽なものでございます。はい、現在では入会金二百万円、年間維持費が五十万円でございます。

おたずねの富小路公子さまについて——こちらの記録がございますから、お目にかけましょう。御入会は昭和四十二年でございますね。入会には御紹介者が三人必要なのでございますが、会員の烏丸さまと御一緒に、ビジターとしてその二、三年前からよくお見えになっております。こちらの記録をご覧下さいまし。ああ、烏丸さまにはお会いになりましたのですか。はあ、さいでございます。烏丸さまは学習院御出身の、れっきとした旧華族でいらっしゃいますけれど、常磐会がお嫌いとかで、こちらの方によくいらっしゃいました。お家の方はよく分っておりましたから、烏丸さまの御入会には、確か紹介者は一人もいらっしゃらない筈でございます。会長先生が、ある日御一存で烏丸さまを会員になさいましたので、あの方からは入会金も頂いてないのでございます。なんでも「箔《はく》がつくから」とかいうことを会長先生が仰言《おっしゃ》ってらしたのを覚えております。烏丸さまのような方は他《ほか》にも二、三人いらっしゃいます。旧宮家でいらした方もお一方いらっしゃいますし、烏丸さまは確か伯爵家《はくしゃくけ》でいらしたと存じますが、旧公爵《こうしゃく》のお姫《ひい》さまでいらした方で、平民と御結婚遊ばした奥さまも、私どもの会員の中にはいらっしゃいますのよ。

　富小路公子さんについて——ちょっと、お待ち遊ばして。その前に、私どもの会は、いわゆる婦人運動とか、近頃のリブなどとはまるで違う性格のものだということ、御説明させて頂きとうございますの。

　これは初代会長の御意見ですけれど、日本は戦後の新憲法で男女平等と、婦人参政権を手に入れたのですから、婦人運動などにはもう意味がないというのでございますね。それよりも女性のための社交場が、男の方々にはバアとか、クラブとかございますけれど、女性の場合にはまさかバアに出入りも出来ないし、あちらにはホステスという女給がいまして、みんな男性を目当ての職業でございましょう？　赤線がなくなりましたのが昭和三十三年でございますけれど、その代り、バアとかキャバレーが赤線よりひどいものになってしまったようでございますのね。私は行ったことがございませんから存じませんけれど、高井初音先生は、公娼《こうしょう》廃止には、はっきり反対していらっしゃいましたのですよ。公娼がなくなれば、良家のお嬢さま方の貞操の危機がくると仰言いましてね。昨今の、世の中の風儀の乱れというのは、性の解放というより、公娼制度の廃止から生れた悲劇だと私ども考えております。

こういう点でも、いわゆる私どもの会の方針が、他の婦人運動と違うこと、お分り頂けると存じます。

ですから、「レイディズ・ソサイエティ」は、女性のための社交機関として発足いたしまして、最初は集って、お喋《しゃべ》りしたり、お食事したりという、ごくささやかなものだったのが、会員の方々の御要望もあり、麻雀《マージャン》台や、ポーカー、ピンポンなどできるような場所を、しっかり持つ必要が出てきたのでございますね。このホテルが新築改装されるという噂《うわさ》の段階で、会長先生がホテルの社長とお話をつけて、現在のこういう豪華なムードの社交場がホテルの一隅にもうけられるようになりました。入会金がお高くなりましたのは、そのときからでございます。マスコミ関係を閉め出す必要もございましたし。何しろ、お金持の奥さま方のお集りでございますから、何かと好奇の眼で見たがる人々もいないとは限りませんでしょう？　事実、なんどか週刊誌から、紹介記事が書きたいからという申込みがございましたが、全部シャット・アウトしていたのでございます。入会金をお高くしたのは会長先生の卓越したお考えからで、これで大たい経済力のおありになる方々ばかりお集り頂けるという目的が、実行に移された感じでございました。

富小路公子さんは、昭和三十九年の四月三日、烏丸さまのビジターとして御一緒にお出《い》でになったのが最初でございますね。はい、ビジターはその都度社交場使用料として、当時で一万円お支払い頂いておりました。会員は、無料なんでございますけれども。年間の維持費を頂いておりますから。

烏丸さまは、お賑《にぎ》やかな方で、いろいろな方をお連れになって麻雀をなさりにいらしてました。富小路さまは、その常連でいらしたのです。私は、最初は妙な苗字《みょうじ》だと思いましたんですけれど、麻雀のなさり方は、烏丸さまのように大声をおあげになることもなくて、役満をつもったときなど、

「まああ。まああ。夢みたい」

と仰言るくらいで、お話も、口調も上品で、受付や、中でウェイトレスとして働いている女の子たちは、烏丸さまと富小路さんを比較して、

「富小路さんの方が、元華族みたいだ。烏丸さんは、あばずれみたい」

などと、悪いこと申してました。あ、これはお書きにならないで下さいまし。

はい、こちらで働いているのは、全部女性なんでございます。最初は男の子も採用しておりましたのですけれど、富小路さんが、御自分のビルの最上階にああいうものをお作りになって以来、現在のような状態になりました。それまでは男の子にしてほしいとはっきり仰言る方もありましたので、専任の医者はもちろん、トレイナーも、随分、男の方が混っていたのですが、でも、これ、変な意味にお取りにならないで下さいましね。トレイナーというのは、美容体操のお相手を致しますので、体操学校の出身者で、品行方正と学校の方で折紙のついた若い人ばかり採用しております。はい、こちらは屋内運動場と、屋内プールと、サウナとマッサージまで完備してございまして、会員の方々の美容と健康維持をモットーに致しております。マッサージも、今では若い女性ばかりでございますが、たいがい教育大附属の盲学校出身で、全盲ではない子ばかり、現在八人ほどおります。交替制でございますから、一日に三人が、いつも待機しておりますわけで。は、どんなマッサージ？　普通のマッサージでございますよ。どちらのヘルス・クラブにも、近頃はおありになりますでしょ？　サウナの後で、オイル・マッサージをなさる方もあります。鍼灸《しんきゅう》の免状を持っているマッサージ師でございますので、更年期障害で肩凝り頭痛にお悩みの方などは、鍼《はり》が一番いいと仰言って、毎日のようにお出でになる方もいらっしゃいます。富小路さまは、会員におなりになってからは、サウナとオイル・マッサージをなさっていらしたようでございました。

「まあ、天国にいるみたい」

と仰言るのが口癖で、マッサージの子たち全員にダイヤモンドのペンダントを下さったりして、びっくりしたものでございます。

でも、烏丸さまのように、お賑やかな方ではありませんでした。ひっそりと、口数が少くて、マッサージのときなんか、お眠りになったかと思うようだって、男の子たちが申しておりました。美容体操は、なさいませんでした。均整のとれたお躰《からだ》でしたから、その必要はなかったのでしょう。

雀風《じゃんふう》と申しますのですかしら？　とにかく、あの方の麻雀は、御自分で楽しんでいらっしゃる風で、大きな手に打ちこんでも、

「まあァ」

と仰言るくらいのもので、これは書いて頂いては困りますが、大きな金額の麻雀なんでございますけれど、滅多にお勝ちになったことはございませんでした。会員の多くは勝ち気な方々で、千円でも負けるのが嫌だと仰言って、美容体操のトレイナーで手のあいているのを呼びこんで、御自分がお勝ちになるまで麻雀をおやめにならない方もいらっしゃいましたんですが、富小路さまは、そういう麻雀は決してなさいませんでした。

麻雀は終ると、現金払いでございましたが、二十万とか、三十万など、なんでもない顔して出していらっしゃいましたよ。ですから、男の子たちには救いの神でした。つまり、

お勝ちになりたい方々のお相手をするために、わざと振込んだふりして負けていた子たちが、富小路さまのお相手だと、負けた分は簡単に取戻せるんでございますからね。

「財布と麻雀してるみたいだ。富小路さんが見えて、メムバーの足りないときは、休みでも僕、来ますから、電話して下さい」

と言う子が何人もおりましてね、男の子たちの間では最高の人気者でしたね。何しろ、お金に綺麗《きれい》で、大まかで、あれだけ若くて、気前のいい方は、会員の中でも決して多くはございませんでしたから。

会員の方々の中でも、あの方は人気者だったんです。随分わがままで身勝手な方もいらっしゃいますんですけれど、何しろ、お金がおありになって、閑《ひま》もおありになる奥さま方が大半でございますから、烏丸さま以外の方々で、麻雀を富小路さんと御一緒になさりたい方も多かったんでございます。働いたことのない奥さま方が、富小路さんから二十万円も勝ったりなさいますと、有頂天になって、お喜びになるのでございますね。

それと、麻雀のとき、富小路さんの指輪が、皆さまの関心の的になっていたこともございます。それはもう、素晴らしい翡翠《ひすい》やエメラルドや、大きなルビーをダイヤモンドで取り巻いた立派な指輪をしたままで牌《パイ》をかきまぜていらっしゃるのですから、どうしても目に立ちます。

「私、公子さんとお目にかかるの、麻雀だけじゃなくて、今日はどんな指輪してらっしゃるかしらって、わくわくしながら家を出てきますのよ、いつも」

「私もよ。だって、凄《すご》い指輪なんですものね。御自分で働いてらっしゃる方って羨《うらやま》しいわ。私なんか主人にどんなに頼んでも、買ってもらえないものは、買ってもらえないんですもの」

「ねえ、公子さん、失礼だけど、それ、おいくらでしたの？」

するといつもの富小路さんが、おっとりした口調で仰言るんでございますの。

「さあ、どのくらいでしたかしら。このキャッツアイは随分前に買いましたものですから、そんなにお高くはなかったんですのよ」

「宝石は、この十年ぐらいで滅茶々々にお高くなりましたわね。私の主人の収入では、とても買ってもらえませんわ」

「富小路さんは宝石屋さんもなすってらっしゃるから、値上りで大儲《おおもう》けなさったんでしょうね」

富小路さんは声がもともと小さくていらしたのですが、それがもっと小声になって、

「日本橋の宝石屋は人まかせに致しておりますの。でも、もし御覧になってお気に召したのがおありでしたら、仰言って下さいまし。三十パーセントお引き出来ますから」

「百万円のものが七十万円になりますの？」

「はい、原価でお頒《わ》けする分には店の損にはなりませんもの。いつでも、どうぞ仰言っ

て下さいまし。私から言うのも変ですけれど、日本橋や銀座の宝石店で、定価で買うのは馬鹿々々《ばかばか》しいと思いますのよ。奥さまの仰言る通り、本当に宝石は高くなりすぎましたもの。三千万円のダイヤモンドなら、二千万円ちょっとになりますから、随分違いますでしょう？」

「大違いだわ。まあ、一千万もお安くなるのね。公子さんの口癖で言えば、夢みたい」

「それでも、私なんか、買えないわ。母がしてたのを、せいぜい大事にしているしかないわ」

「奥さまの宝石は、やっぱりお母さま譲りでしたのね。昔の宝石は、重みがありますわ。前からいいのをお持ちだと思ってましたのよ。近頃は、宝石といっても、怖《おそ》ろしいものが多うございますからね」

「怖ろしいって、何がですの？」

「偽《にせ》ものが、堂々と出廻ってますの。エメラルドでも、ルビーでも、化学合成して、色も硬度も、まったく同じものが出来てしまいました」

「あら、そう？　どうやって見わけるのかしら？」

「うちの店は、宝石鑑定の資格を持った者にまかせているんですけれど、それでも首を捻《ひね》って、悩みに悩むようなことがありますから」

「まあ、嫌だわ」

「それでも、これだけは私の自慢なんですけれど、私は化学成分とかなんとか面倒なことは存じませんけれど、本物と偽物の区別は、すぐ出来ますの」

「どういう具合に？」

「一目見て、あ、綺麗《きれい》と思ったものは百発百中ですの。まああ、美しい、と惚《ほ》れぼれするものは、決して間違いがありませんわ。店の宝石鑑定人と、ときどきゲームのようなことやりますのね。つまり卸屋から来たのや、闇《やみ》ルートで入ってきたものなど混ぜこぜにしておいて、これは本物、これは偽もの、と分けるんですの。こんなに大きくて、全然無傷って筈《はず》がないから、これは模造品だって店の者が申しますのが、私には本物に見える場合がよくございますの。完璧《かんぺき》なものほど硝子《ガラス》に近くなりますから、無傷なものほど疑いやすくなりますのよ。でも、今は特殊な拡大鏡や、硬度の検査も精密に出来ますし、いざとなれば放射線をかけて見分ける科学的な鑑別法がございますから、後は、そういうものにまかせますの。そう致しますと、鑑定人が疑って、私が本物よと言ったのが、必ず本物だという結果が出ますの」

「公子さんの勘がいいってわけ？」

「いいえ、それより本物には品とか、威厳とかいうものが身について備わっているんですわ。たとえば、奥さまの宝石などが、それですわ」

「そうかしら。なんだか古臭くて、気がさすんだけど」

「セットをお変えになれば？　デザインは年々変りますし、昔は日本の技術が悪くて、石を包みこむようにセットしましたの。ちょっと奥さま、拝見。ほら、このサファイアは、こんなに腰がありますでしょ？　私、前からもったいないと思ってましたわ。この大きさを爪《つめ》で持ち上げて、まわりのダイヤモンドをもう少し派手になされば、見違えるようになりましてよ。私、お商売をここでする気ございませんから、ミキモトにでも、和光にでも、お持ちになって、御相談遊ばしたら？　そのサファイアは十カラット以下とは思えませんけれど、そのセットでは五カラットにも見えないのですもの。サファイアだって可哀《かわい》そうですわ」

「ルビーもこの位の大きさの持ってますの。でも娘が、古臭くて嫌やだと申しましてね。公子さんの仰言《おっしゃ》る通りにすればよろしいんですわね」

「いいこと教えて頂いたわ」

「私も、今度持ってきて御相談するわ」

私も女でございますから、宝石の話になりますと聞き耳をたてていましたんです。でも帰って、母にその話を致しますと、

「宝石というのは財産なのだから、いかにも高そうに見せるのは成金のすることですよ。五百万円の石が、百万円ぐらいにしか見えない方が、盗まれる危険もないのよ」

と申しましたので、そういうものかと思い直しましてね、富小路さんに指輪を渡すよ

うなこと致しませんでした。

今から思えば、本当にようございました。だって、あの方が、亡《な》くなった後、いろいろ週刊誌が書いたのを読んで心配になった方々が、一流の宝石店に行って鑑別してもらってから、大騒ぎになったんでございますもの。

いいえ、週刊誌の取材は、こちらの方にも参りましたが、全部お断り致しました。あの騒動を面白おかしく書かれたりしたら「東京レイディズ・ソサイエティ」の名誉にかかわりますもの。少くともイメージ・ダウンになりますから。ですから私も、お話し申上げることは出来ません。

さようでございますね。一番ひどい被害にお遭いになったのは、会員でなくて、ビジターとして出入りなすっていた瀬川さんかもしれません。あの方は「ソサイエティ」のメムバーではいらっしゃいませんから、瀬川さんにお訊《き》きになってはいかがでいらっしゃいます？　御住所とお電話番号なら、こちらで分ります。申上げます、よろしゅうございまして？

それから、御存知と思いますけれど、念のため正確に申上げておきたいことがございます。「東京レイディズ・ソサイエティ」では、現在は麻雀《マージャン》は厳禁しております。お亡くなりになった高井先生の御英断でございました。富小路さんがいらして以来、賭け金《かきん》の大きい麻雀が、どんどんエスカレートして、風紀上あまり好ましくないという会員の方々の声も高まったものですから、抜きうち的に「麻雀は、このソサイエティでは御遠慮いただくことになりました。御諒承《ごりようしよう》下さいませ」という貼《は》り紙《がみ》と、通知状を会員に配布し、麻雀台は片附《かたづ》けてしまったのです。

烏丸さまは、それきりこちらにはいらっしゃらなくなりました。その代り、富小路さんが烏丸さまの御紹介で、即金で入会金をお払いになり、会員におなりになりました。はい、富小路公子というお名前で。

富小路さんがお建てになったという日本橋のビルの最上階に、「女性のための美容クラブ」という会員制のクラブが出来たのが、その直後でございました。噂《うわさ》が聞こえて来ましたときは、唖然《あぜん》と致したものでございますわ。会則も何もかも、私どもと変らないのでございますもの。ただ決定的に違いますのは、「女性のために」男性が奉仕していることでございましょうね。受付も、トレイナーも、コーチも、美容コンサルタントも、全部男性なんですって、それも若くてハンサムなのばかり。こちらにいたマッサージ師も、トレイナーも、いい男の子は、みんな引抜かれていたんです。婦人雑誌には、どんどん取材させて、「男性優位の社会で抑圧されている女性たちのストレス解消が目的ですわ」という富小路さんのコメントが出るんですもの。そして会員たちの名簿も公開されていて、それがこちらの「ソサイエティ」を退会なさった方々だったり、旧華族として烏丸さまのお顔写真が出て「何しろいい気分なのよ。若い男の子が相手だから、美容体操だってホルモンの分泌力が違うのさ。サウナのあとは男の子に裸でモミモミしてもらうんだから、悪かろう筈がないよ。入会金なんか、ちっとも高くないね、この気分を思えば」という御感想がついてますんでしょう？

おかげで、私どもの「ソサイエティ」は石油ショックみたいな経済的危機に見舞われましたが、会長先生がまだ御存命中でしたから、このホテルが別館を建てまして、こちらにヘルス・クラブが出来ましたとき、運動場と屋内プールは、「ソサイエティ」と共有することにさせて頂いて、問題は解決できました。「禍《わざわい》をもって福となす」という結果でございましたわ。いかがわしいビジターがいらっしゃらなくなりまして、上品な上流婦人の社交場として、所期の目的通りのものが、おかげで出来上ったということでございます。

富小路さんは、それでも月に一度か二度、サウナとオイル・マッサージにいらっしゃいまして、お顔が合うと、つい言わずにはいられなくなりますわよね。

「あら、どうしてわざわざこちらへいらっしゃいますの。お宅のサウナが満員だからですの？」

「まああ。私は、こちらのソサイエティの方々には決してお声をかけませんでしたのよ。烏丸さまが、麻雀の出来るところを作れとおっしゃるものですから、麻雀用のロビーを作りましたら、サウナも入りたい、マッサージも呼べと烏丸さまが仰言るでしょう？

私、前世はあのお家の家来筋なんでございましょうね。言われるままにしていたら、烏丸さまが男の子ばかりにしろって。それですっかり女の天国みたいになってしまって、大繁昌《だいはんじょう》はしていますけれど、経営者になると、自分のところで伸びのびとサウナに入っていられませんわ。こちらの方が、私は気持が治りますの。本音を申しますとね、私は、こちらのムードの方が、ずっと好きですわ」

それはそういうものだろうと思いましたよ。お亡くなりになる前の年は、頻繁《ひんぱん》にいらしてました。

「血圧が低くて、苦しんでますの。低血圧にはサウナが一番ですわね」

「あんまりお仕事が多いので、お疲れになっていらっしゃるんでしょう？」

「はい。少し手をひろげすぎていますわ。反省していますの。宝石屋から麻雀荘まで、レストランありブティックありでしょう？　不動産会社なんて、女のやる仕事じゃございませんわねえ。血圧が下ると眠れませんし、眠れないと食慾《しょくよく》がなくなりますし。仰言る通り働きすぎてますのよ、私」

入会なさるとき、あの方は昭和二十一年生れとお書きになってました。これが、あの方の手蹟《しゅせき》です。三十そこそこで、どうしてそんなに大きなお商売をなさるのかと思っておりましたら、亡くなって週刊誌でいろいろ戸籍のことが出てきましたでしょ。まあ、十年もサバをお読みになってましたのね。でも四十過ぎてるとは、私も思いませんでしたわ。美人とは思いませんでしたけど、お肌が白くて、若さが漲《みなぎ》っているようでしたもの。

あ、先程の瀬川さんの奥さまのことですけど、お名前や、お住所、私がお教えしたとは仰言らないで下さいましね。どうぞ。

その十七　瀬川大介の妻の話

富小路公子について——まあ、思い出してもまだ頭がくらくらしますがな。あんな、とんでもない女を、「東京レイディズ・ソサイエティ」が会員にしてはったやなんて、どうかと思いますわ。私なんか、何回運動しても正式のメムバーにしてくれへんかったのに。

そりゃ、私はね、学歴もないし、若いときには芸者をしてたこともありますし、そやさかい上流階級から木戸をつかれるのは仕方がないとは思いますよ。でもね、主人の社会的地位を考えたら、私は瀬川大介の家内なんですからね、「ソサイエティ」に入る資格は充分ある筈《はず》でしょう？　烏丸さんも推薦人になって下さったし、他にも三人も会員の方で推薦して下さる方があったのに、「いずれ理事会にかけましてから」なんて勿体《もったい》ぶっちゃって、さんざ待たした揚句が「正会員は定員数がオーバーしておりますので、退会者が出るまでビジターとしてお出まし頂けません？」という返事なんざんすよ。別にビジターであろうが、会員であろうが、中に入っちゃえば同じことやけど、なんとなく割り切れへんもんがありましたわ。気取らはって、選り糸《えいと》とかエリートとか言うんでっしゃろ？　会員には、そういう特権意識みたいなものがあるんですやろな。あんた達とは違うってね。

それでも私は、瀬川の後妻に納るとき、自分でやってた芸者屋《おきや》も待合も潔《いさぎよ》う畳んでしもて堅気になったんだ。なって見て驚きましたがな。奥さんになるのは、長い間の憧《あこが》れやったけど、働いていた頃と違って、退屈なんですわ。瀬川は、長いこと私の旦那《だんな》だったから、前の奥方がぽっくり死ぬまでは、私はまあ二号さんしてましてん。ほやけど、子供も産んでたし、瀬川が入籍してくれたときは涙が出るほど嬉《うれ》しゅおました。子供も晴れて父親と同じ家で暮せるようになったんやからねえ。

ところが人間の欲には切りってものがない。瀬川さんの奥さまと呼ばれて感激してしもて、お茶だ、お花だと、主人にふさわしい素人《しろうと》の奥さんになろうと努力はしましてんけど、主人の関係でお近づきになった奥さま方は、私が元芸者だったとか、前夫人のいる間は二号で子供まで産んでいたっていうんで、冷たい眼で私のこと見てはるんですよ。そう、差別っての、分りますなあ、本まに。それまでは器量のいい売れっ妓《こ》芸者で、姐《ねえ》さんからも料亭の女将《おかみ》さんたちからも、蝶《ちょう》よ花よともてはやされて育ってきてましたさかいね、そりゃ花柳界で瀬川先生の女となれば大層な羽振りでいられましたからね。なんといったって、瀬川は今でも政治家の現役だし、党の長老ですさかい、まあ、ときどき黒い霧に巻きこまれて、マスコミには評判悪いけど、お金があるんやから、そのくらいは我慢しなければと思って。そやけど、晴れて本妻の座に坐ってからこっち、頭に来ることばっかりでしたわ。総理大臣夫人が、年に二回、党の幹部クラスの政治家夫人たちを呼んで、お食事だの、お茶事だのやってはるんやけど、私だけ呼ばれないんですわ。主人に頼んで総理に嚙《か》みついてもらったけど、みんな前の奥さんと親しかったからという理由で、いつまでたっても閉め出しなんですわ、はあ。盆暮れに総理官邸にも私邸にも挨拶《あいさつ》に行ってたけど、そういうときは総理の奥さんは大変御機嫌でね、まあ無理もない筈ですわ、ダイヤモンドなんか持ってってたんだから。それでも駄目なんですよォ。仲間に入れようとしないの。もう、頭にくるどこやない。

選挙区なんかでも、前の奥さんのイメージが強いから私は必要ないなんて言われて、政治家の奥さんというのは選挙区の陳情も受けつけたりして結構忙しいものなんやけど、私はどこからも口がかからないから閑《ひま》でねえ、たちまち退屈してしもうた。こんなことなら料亭だけでも残しとくんやったと思いましたよ。

閑で仕様がないから、ぶらぶら買物に歩いてて、それで烏丸さんとも知りあうようになったんですわ。あの人、学習院出たっていうのにがらっ八でしょう？　元華族だということも鼻にかけないし、いい人でっせ、上流階級で育った割には。却《かえ》って自分の育った環境に反撥《はんぱつ》感じてたらしいから、私とは最初から話が合いましてん。私が、愚痴をこ

ぼすと、

「政治家とか、家柄とか自慢にしてる連中に碌《ろく》な奴《やつ》いないよ。男も女も、そうだよ。戦後は、あんた、民主主義だもの、先祖の話なんか持ち出すのが、おかしいんだ。去年の暦と同じさ。役に立ちゃしないんだから」

と一緒になって悪口言うてくれはるでしょ。もう嬉しゅうなってしもうて。

そやから烏丸さんと一緒にビジターとして「東京レディなんとか」ってとこに出入りするようになったんやけど、あそこでも差別されるんでっしゃろ？　烏丸さんが、

「まったく怪《け》しからん。常磐《ときわ》会じゃないんだからさ、金目当てで会員集めたんだからさ、今になって会員の定数なんか勝手にきめちゃって、あんたを会員にしないなんて、私に言わせりゃ、ちゃんちゃらおかしいよ。初《はな》は会員募集に血眼になっていて、金のある女なら誰でも会員にしたんだよ。私なんか、囮《おとり》だったんだから」

って、元宮様とか旧華族の誰それって方々は、名簿に名前がのってるだけで、入会金は払ってないという内幕を教えてくれはった。

それでも退屈しのぎに、烏丸さんのビジターとして「東京レディ」にはよく行きました。烏丸さんは美容体操やサウナより、もっぱら麻雀《マージャン》。私は血圧が高いせいか、サウナは胸がドキドキして一分でもいられまへんねん。あんなもの、どこがええのか分りまへんわ。マッサージは気持いいんでやってもろたけど、体操はやりません。踊りの稽古《けいこ》は

続けてますさかい運動不足ってことないんです、私は。

そやから烏丸さんと麻雀やって、それで富小路さんを知ったというわけ。初対面のときはねえ、大らかな麻雀で、お姫《ひい》さまが一人入ってるみたいに思いましたわ。若いのには驚きましたねえ。美人ってこたないけど、あれは男好きのする子だと私は初《はな》から見抜いてた。そやから、烏丸さんが、

「お公《きみ》はいい年して、結婚してないんだよ。金儲《かねもう》けに夢中で、処女らしいんだよ。あんた、なんとかしてやってよ」

なんて仰言《おつしや》ったけど、私は本気にしなかった。あの手の女を、男がほっとく筈ないもの。芸者に出たら、売れっ妓になってますよ。声が、あんた、そりゃ色っぽいんだもの。

「東京レディ」じゃ、富小路さんの方が元華族みたいに上品だなんて、烏丸さんと較《くら》べて言う人がいたけど、麻雀やってると、人柄は手にとるように分るさかいねえ。大きな手に打ちこんじゃあ、

「まああ。でも私の手も、ほら緑一色《リユーイーソウ》になりかかってましたのよ」

って、手牌《しゆはい》を倒して見せるんだけどさ、筒子《ピンズ》も中《チユン》も混っているんやもん。

「なんだよ、お公。それで緑一色《リユーイーソウ》が出来るわけないじゃないのさ」

「でも、六索《リユウソウ》が三枚でしょ。三索《サンゾウ》が二枚でしょ。発《リユーハ》も一枚あるんだから、緑一色の可能性があると思ってましたわ」

「夢見る麻雀というんだよ、お公のは。瀬川さん、夢みたいなことばかり言ってんだよ、この子は。それでも金が儲かるんだから、妙な世の中だね、まったく」

私も、初《はな》はあんまり気前よく負けるんで、大名麻雀やなあと思ったし、言葉が丁寧だからいいとこのお嬢さんかと誤解してましてん、はあ。そやけどね、決して勝とうとしないのに気がついたのは、そうやねえ、あの人が死ぬ一年も前かしら。そやから、やっぱり七、八年は騙《だま》されてたってことになるんやわねえ。

あなた相手に気取って見ても始まれへんから言いますけど、私は芸者上りやからね、芸者に宝石はつきものでっしゃろ。そやから麻雀やってて、あの子の指輪には、いつも度胆《どぎも》抜かれてましてんわ。ダイヤでも、エメでも、極上を、当世風のデザインで石の腰を上げてセットしてね、そりゃ見事なものやった。宝石屋やってるだけあって、詳しいしね、私らの間やったら化学分析なんて難しいこと知らへんもの。戦後は偽物《にせもの》が出廻ってるって話は聞いてたけど、私の周りで、そんなの摑《つか》まされた話は聞いたことがないから、「へぇえ」と思っているうちに、つい話にひきずられてね。

そりゃ、私は芸者の頃から瀬川が旦那だったから、宝石は一通り持っていたけども、この年でしょ。指輪のデザインだって古いし、当節は髪に宝石飾らんさかいね。どんな大きな石でも指輪にしちゃう時代でしょ？　それに格安の値段で頒《わ》けてくれるとなれば、金のある者なら誰でも飛びつきますがな。ことに私は後妻でしょ。先妻の子がいて、これがことごとに楯《たて》つくから、家にもおちおちいられなくて遊び歩いてたわけやけど。でも自分の先行きは考えますがな。瀬川が死ねば、先妻の子たちが私を追い出すのは分りきってるんやから。私の姉芸者で何人も、本妻になったばかりに未亡人になってから、とんでもない憂き目を見たひと沢山知ってますからね。法律がどうあろうと、子供たちで居たたまれないようにしちゃうんだからね。私の産んだ子なんか、みんな腹違いの兄さん姉さんに苛《いじ》めぬかれて、ぐれてしまうしねえ、結婚なんかするもんやないと思いますわ、ほんまの話が。

先妻の子たちが、もうみんな社会に出て、長男は瀬川産業の社長やってるし、家とか別荘とか、つまり不動産ですわね、それを私の名義に書き換えないように見張ってるし。ひどい目にあわされたんですよ。私は旦那に、いえ、主人にね、別荘はあなたが生きてるうちに私のものにしといて下さいよ。あなたがいなくなったら追い出されるにきまってるし、そん時になって行き場がなくなったら困るからって頼んだのよ。瀬川は、「分った、分った」って、会社の顧問弁護士に任せて、譲渡税のことやなんかあるから、名義変更の手続きをとらせたの。ところが、今は税務署が目を光らせてるから、会長といえども大きな物のやりとりは、会社の経理を通るでしょ？　で、長男の社長にばれちゃったんですがな。私は、もの凄《すご》い剣幕で、継子《ままこ》に詰問《きつもん》されましてん。

「あなたは父の財産目当てで結婚したんですか？　それとも父の老後を見とるつもりで

結婚したんですか？」

「もちろん、旦那の死に水は私が取るつもりでおます。前の奥さまには申訳ないことでしたが、長くお世話を頂いた御恩がありますから、結婚しようと仰言って下さったので、待合も芸者屋《おきや》も廃業して御本宅に入れて頂いたんでございます。財産目当てやなどと、とんでもない」

「それじゃ熱海《あたみ》の別荘を、あなた名義にしようとしたのは、どういう理由からですか」

「そんなこと、私はよう知りません。お父さまが、そうしておこうと言うて下さったものやから、有りがたいことやと思うていただけです」

「戸籍法改正によって、夫のものは妻のものという考え方が定着しています。父が死んでも、遺産相続税が、あなたにかかってくることはありません」

「はあ、さよでございますか」

「率直に言って、僕らは父があなたと再婚することには反対でした。長い間、母の苦しみになっていた存在であるあなたを入籍させるのでは、死んだ母も浮かばれないと思ったのです。しかし、父も年を取って身辺が淋しいのは子として見ていられなかったので、僕らが折れたのです。僕ら、というより、長男の僕がという方が正確です。華子たちは、まだあなたを許していません。御存知と思いますが」

「はあ、えらい申訳ないことで」

「よろしいですか。あなたが誠意を持って父の晩年を看取《みと》って下さるおつもりなら、こういう小細工はなさらなくても、父の死後、あなたが食べるのに困るようなことのないように、僕が責任を持ちます」

「へえ、おおきに」

「別荘の名義変更は、あなたからも父に言ってやめるようにして下さい。父が死なないうちから、財産争いでごたごたするのは不愉快です。華子たちが知ったら、どんな騒ぎになるか、知れたものではありません。僕は父には政治家として晩節を全《まっと》うしてほしいと願っています。それにはまず家庭の平和が必要です。分って下さい」

「へえ。ようわかりましてございます」

後妻って立場は、なんて情けないんだろうと思いましたわ。この話を富小路さんにしたら、あの子は馬鹿《ばか》に法律に詳しくって、

「夫のものが妻のものになるのは、結婚して八年以上たっていないと駄目な筈ですよ」

「えッ」

「瀬川先生の御長男が、そういうこと御存知ないのは、不思議ですわねえ」

って言うやありませんか。弁護士と結婚した妹芸者がいますのでね、訊いてもらったら、やっぱりそうだって。ぞっとしましたがな、ほんまの話。

そやから私、宝石よりないと思ったんですわ。先妻の子たちに内緒で貯《た》めこむ財産は。

茶道具はかさばるから、いざってとき隠しにくいでしょう？　私の姉芸者で、やっぱり二号から奥さんに直ってね、これはお茶気狂《きちが》いで道具のいいのを山と買込んでいたんだけど、旦那《だんな》が死んだとたんに身一つで追い出されたのがいるの。金一封だけでさ。開けてみたら、五十万円ぽっちっか入ってなかったって。有名な財界人ですよ。十年ばかり前に亡《な》くなった。仕方ないから、その人、六十過ぎてまた新橋で三味線かかえてお座敷へ出てますがな。三味線芸者やったから、とんだところで芸が身を助けたんですわ。

そういうお姐さんたち見てるからねえ、私は富小路さんとこで宝石見つけては、旦那にねだって買《こ》うてましてん。何しろ三割まけてくれるんやから、買い得やしねえ。立派な皮製の鑑定書もついてくるから、安心してたんですわ。そやけど、考えてみたら裏取引きなのに鑑定書がついてくるのは、おかしな話でっしゃろ。それに気がついたのが、ついこの間。すなわち後の祭。

馬鹿々々しいけど、お目にかけましょうか。小説みたいな話やから、お役に立つかもしれまへんな。

これが、それですねん。このエメラルドは二十八カラットで、一億二千万の値がついていたのを八千万円にしてもろたんです。ちょっと藻《も》が入っているでしょう？　色も光《てり》もいいし、私の持ってたのよりずっと大きいから、旦那に見せて、

「買うてエ、買うてエ」

言うて、ねだったりましてん。

このダイヤモンドは、十七カラット。無傷のスーパー・ブルーという最上品やって、ほら鑑定書に書いてるでしょ。これは、まともに買えば三億だっていうのよね。

「二億に負けてもらっても、ちょっと一どきには買えないわ」

「よろしゅうございましてよ。一億お支払い頂けば、残りは、御都合のおよろしいときで」

「ねえ、翡翠《ひすい》の髪飾りなんて古いでしょう？　これ、指輪に直そうかしら」

「まあ。綺麗《きれい》ですこと。いま翡翠はお高くなりましたのよ。中国人が、どうもダイヤモンドと同じようにシンジケートを作って、世界的に値を吊《つ》り上げているらしいんですの。こんな上等のお品は、もう手に入りませんことよ。髪飾りになさるのは、もったいないわ。指輪になさらなくっちゃ。こういうものはダイヤで取りまく必要もございませんわね」

「ついでにサファイアの指輪も、デザイン変えて頂こうかしら。いつか富小路さんが麻雀のとき、指にはめてはったのと同じセットに出来へん？」

「ああ、ダイヤモンド・フレアでございますね。あれは日本に最近入ってきたデザインですけれど、私のところの職人で上手なのがおりますの。あの技術を持ってるのは、ミキモトさんにも一人ぐらい居ると思いますけど、私の店で、なさいます？」

「ええ、頼むわ」

　このサファイアが、それですねん。

　でもね、ちょっと不安になって、烏丸さんに、訊《き》いたことがありますねん、私は。

「富小路さんとお親しいようですけれど、信用してはりますか？」

「信用？　信用してない女と遊ぶほど、私はお人よしじゃないよ。戦後は私の腕でさあ、亭主も子供も養って来たんだからね」

　烏丸さんが太鼓判を押さはったもんやから、信用してたんですよ、私。

　麻雀のとき、烏丸さんは負けると口惜《くや》しがってね、だけど自分の手ばかり見詰めて、ぎゃあぎゃあ言ってるから、何で待ってるか見え見えなのよ。そこへ富小路公子って奴《やっ》が、

「こればかりは見逃して下さい。お姉さま、お願いよ」

　って、当《あた》り牌《パイ》を切るんだから。

「ロン。私は情けってものは知らない女なんだよ。鬼の烏丸って呼ばれてんだよ」

「まああ」

　何が、まああだって言いたいわいな。

　見て下さいよ、このエメラルド。八千万円で現金出して買うたんです。あの女が死んだ後で心配になったから、ミキモトへ持って行って見てもらったらさ、

「奥さま、これはチャザムのエメラルドでございます」

って、言うじゃない。

「なんですか、チャザムって」

「チャザムという人が合成に成功したのでそう呼ばれております。硬度も藻の入り具合も本物そっくりなんでございますけど、重さが違います」

「偽物なの？」

「はい。まわりのダイヤモンドは本物でございますけれど」

「ねえ、チャザムってのは、いくらぐらいするものなの」

「さようでございますねえ、これくらい大きければ結構お高いんでございますよ。十万円はするんじゃございませんかしら。私どもの店では扱っておりませんが」

私は血圧高いさかい、ぶっ倒れて死ぬかと思いましたがな。十万円のものを八千万円で買うてたんやもん。

ダイヤモンドの方は、拡大鏡で見てくれて、ブラック・マークが一つ小さいのと、白っぽい傷が八つもついてるって言うの。

「これくらい大きくなりますと、どうしても天然のものは傷があるのは仕方がございませんですね。傷というより、このダイヤモンドの癖とお考えになったらおよろしいかと思います」

「いくらぐらいのもの？」

「これは本物でございますから、お高《たこ》うございますよ。手前どもでは、ブラック・マークのあるダイヤは扱いませんから、よく分りませんけれど、十四カラットございますから、四千万円はいたしますでしょう」

十七カラットと言われて、一億五千万払ってたのよ、私。

それより、もっと怖ろしいのは、指輪に直してもらった翡翠は、ただの玉《ぎょく》を油につけた偽物になっていたのと、サファイアの方は、色も形も同じだけど、合成石どころか、ただの硝子《ガラス》だって。

「まわりのダイヤモンド・フレアは、本物でございますのよ。奥さまがはめていらしたら誰も偽物とはお思いになりませんでしょう。失礼ですが、外国でお求めになりました？」

「いいえ、あの日本橋のモンレーブで買ったの」

「ああ、このところ、ちょくちょく皆様こちらへおいでになります。奥さまも東京レイディズ・ソサイエティの会員でいらっしゃいます？」

「いいえ、私は会員じゃないんだけど。あのォ、会員で、やっぱり私みたいなもの買わされてた人たちがいるんですか？」

「それはもうお気の毒で、とてもお名前を申上げることができません」

私たちは若い頃から姐《ねえ》さんたちに、「指輪ってものは自分の宝石箱に戻すとき以外には指から外したらあかんで」って言われ言われしていたものやけど、だから指輪はめたままお風呂《ふろ》へ入ってシャボンで指輪もろとも手を洗ううちに、なんだか大きな翡翠が色も艶《つや》も落ちてくるような気がして、どうも変だ変だと思っていたんだけど。緑の色つきの椿油《つばきあぶら》に浸《つ》けておくと、まるきり琅玕《ろうかん》みたくなってしまうなんて、偽物造りでは「いろは」の序の口なんやって。

花柳界でいっくら揉《も》まれても、あんな悪いことする女は育ちまへんで。私の翡翠とサファイアは、いったいどこへ行ってしもたのか、とにかく取り戻す気で、あの店へ出かけて行きました。そしたら宝石鑑定人の資格を持っているという男が、店の主人顔してきて、

「御冗談を仰言《おつしや》って頂いては困ります。こちらの店で、そんなものはお作りした覚えも、お納めした記録もございません」

と言うの。

「そりゃ、あなたは通さなかったわよ。店で買わなけりゃ、三十パーセント割引いてくれるという話だったから」

「奥さまも東京レイディズ・ソサイエティのメムバーでいらっしゃいますか？」

「いえ、私は違うけど。……でも、でしょうねえ。みんな血相変えて飛込んで来るでし

ょうよ。たとえば誰が来たの？」

「会員代表という方々がおいでになりました。本当に困りましたのは、羊皮紙を使った鑑定書をお見せになるのですが、うちの店の名前ではないのでして」

「なんですって？」

「はあ、似てはおりますが、フランス語の綴《つづ》りが違います。この店の社長はたしかに富小路でございましたが、富小路は私に一切まかせておりましたので、私の名前と印鑑を押したものなら私が責任を持ちますが、私の名も店の名も違っている鑑定書で、私が見たこともない石や紛《まが》いものをお持ちになっても、この店では、そういう類《たぐい》の品は決して扱ってはならないと富小路から厳しく言われておりました。富小路自身も、無傷のダイヤモンド以外は身につけたことのない潔癖な性格でございました。私には、まったく訳が分りません。そんなことを、社長がかげでなさったなんて想像することが出来ません。お人違いではないでしょうか。富小路が、ああ急な死に方をしたので、みんな富小路だと誰かが煽動《せんどう》しているのではないでしょうか」

大真面目《おおまじめ》に言わはるんですわ。あの男もぐるやろか。私には分りまへんわ。ともかく旦那にこの話は言えません。愚痴のこぼし相手がないものやさかい、あなたにお話ししましたが、私の主人の立場が立場ですし、それに私も後妻という辛《つら》い立場です。な？な？分って下さいな。話は全部、どうぞ御内聞に。

その十八　宝石職人の話

富小路公子について――か。

到頭おいでなすったね。いやね、どうして誰も俺んとこに取材に来ねえのか、あの当座、不思議に思ってたのさ。俺はあの子が、お下《さ》げにしてた頃からの、だから三十年近い付き合いだったからね。肉体関係？　とんでもねえことを言うね。冗談じゃねえよ。俺は根っからの職人だからよ、宵越しの銭は持たねえ。遊びは派手にしたよ。だけど素人《しろうと》に手をつけるってことあ、今日までしたことがねえんだ。これは明治生れの男の道でね、当節は滅茶々々らしいね。男も女も、困ったものだ。

富小路公子ってのはね、最初は鈴木君子って言ったもんだよ。ああ、自分で嫌がっていたね、どこにでもある名前だといってね。小学校でも、中学へ行っても同姓同名がいたそうだ。

「いいじゃないか、飛びきり奇妙な苗字《みようじ》の男を見つけて結婚すればよ、女は氏なくして玉の輿《こし》だから」

「私、氏は、あるのよ。でも戦争前のことで、戦争に敗《ま》けたんだから、そんなことは言っていられないわねえ」

戦後は、成金も沢山出てきたが、戦前の金持が素寒貧《すっかんぴん》になったのが、ごろごろいたからねえ、俺はあまり聞かなかったよ。笹龍胆《ささりんどう》？　なんだい、そりゃあ？

なんでも中学に入った頃から働き出していたんだね。俺んとこへも中学生時代から来てたように思うよ。夜晩《おそ》く来ることもあったが、昼日中に来ることもあってね、

「今日は早く学校が終ったから、来たんだけど、お邪魔ですか？」

って可愛《かわい》い口調で訊《き》くんだ。俺んとか、男の子しか出来なかったからね、最初っから自分の娘のように可愛かったね。

「邪魔じゃあないよ、お前さんは、どこに坐《すわ》っても邪魔にならないよ」

「まああ」

そう言いながら、好奇心が強いっていうのかね、あの子は入って来ると熱心に俺が仕事してる手許《てもと》を覗《のぞ》きこんでいた。

「おじさん、それは、なんという石？」

「これが本当のエメラルドだよ」

「本当のエメラルド？　じゃ偽物《にせもの》が、あるわけですか？」

「あるんだよ。チャザムって、とんでもねえ野郎が、四、五年前に本物そっくりのエメラルドを作り出した。藻まで入れちゃってよ。俺も初めてそいつを見たときゃあ、われとわが眼を疑ったね」

「おじさん、持ってる？」

「持ってるよ。これが、それだ」

俺が、その抽出《ひきだ》しん中に転がしてた奴《やつ》を無雑作に取出して見せると、黙って眺めてね、本物の方と、色だの形だの見較《みくら》べてるんだ。

「おじさん、これと本物とは似てるけど、全然違うわ。私でも分るわ」

「ほう。どう分ったね」

「自分から輝やいてないもの、こっちの方は。美しくないわよ」

俺は唸《うな》ったね。チャザムにゃあ相当の宝石屋が泣かされたんだからね、日本にどかどか入って来た当座は。近頃は、大がいの店なら拡大鏡持ってるし、チャザムってものがあるのを知ってるから疑ってかかるからねえ、硬度だの重さで見て科学的に鑑別するけどよ、宝石の見分け方を覚えるのは、第一に勘で、第二が数当って見ることだ。

あの子には、独特の勘があった。生れつきのものだと思うよ。それに、むやみと好きだったね、宝石が。俺のところへ足繁《しげ》く来ているのも、宝石見たさだったと思うよ、最初のうちは。

「まあ。綺麗《きれい》ねえ」

なんて、入ってくるなり俺が仕上げにかかっている指輪を、吸い寄せるように手にとって一緒に心中したいような顔して眺めるんだ。俺は仕事の邪魔されてるわけなんだが、あの子にやられると腹なんか立たなかったね。俺も惚《ほ》れぼれしながら細工に没頭している時に限って、そういうことをされるんだからね。自分の子供を褒められてるような気持になるんだね。

「いいとき来たねえ、君ちゃん。俺もこれは飾《かざ》り甲斐《がい》がある石だと思ってよ、めり込んで作ってた台に、今やっと爪《つめ》をかけ終ったとこだった」

「指にはめていい？」

「ああ、いいよ。君ちゃんには少し大きいサイズだが」

「まあああ、綺麗。欲しいわ、私。ね、おじさん、今夜だけ貸して」

「剣呑《けんのん》なこと言いなさんな。そんなお宝をなくしでもしたら、俺はえれえことになる」

「でも、この石、私に似合わない？　似合うでしょう？　ねえ、おじさん」

あの子は本当に不思議な子だったよ。今なら何億もの値打のダイヤモンドを、指にはめると、お下げ髪の頃から似合ったんだからね。特に指が、あの子の指が上等だった。まるで宝石をはめるために生れてきたような、色白で、ふくよかで、しかも形のいい長い指だ。あの子の指の上にのると、どんな宝石でも、命が輝き出すとでもいうのかな、素晴らしさがいや増すんでさ。

魔術にかかったように、俺は、いいよって言ってたね。

「いいよ、明日の朝にはきっと持って帰ってきてくれ。でないと、俺は今晩中、眠れないよ」

「本当？　嬉《うれ》しい！　私もきっと今晩中、指にはめたまま興奮して眠れなくなると思うわ！」

今から思えば、俺も大胆だったが、あの子も大胆だったねえ。大金持しか持てないようなものを一晩でも持って帰って、翌朝は必らず返しに来たもんだ。往復の電車や、暗い夜道で何が起るかわからないのに、決して何事も起らなかったんだけどね。

だけど、俺が、あの子の指にはまった指輪を眺めているうちに、俺なりに、そのままずっとその指輪をあの子にはめさせていたいと思う理由は、あったんだよな。

悲しいことに俺たち職人は、宝石屋を通しての注文で、指輪もブローチも帯止めも作るんだ。だからよ、指輪をはめる女の顔も手も、見たことがねえんだ。この指輪が、美人の指を飾るといいなと思うことがあるよ、いい石を与えられたときにはね。だけど、直接その石の持ち主にお目にかかることは、まずねえんだ。

デパートなんぞで、とんでもねえ婆《ばば》ァが、ぎょっとするようないい石を指にはめて、よたよた歩いてたりすると、その日は一日中気が滅入《めい》ってかなわねえ。しばらくは仕事する気がなくなっちまうんだ。こういうことは、分らねえだろうなあ。

イギリスの女王とか、オランダの女王ね、まあ世界で一番の宝石持ちだがね、おかしなもので、女王さまになるように生れてきた筈《はず》で、血統が上等なのに、まるきり宝石の似合わねえ女がいるのよ、ああ。こないだエリザベス女王が日本に来たときよ、みんな素晴らしい、素晴らしいと言ってたがよ、俺はあんまり感心しなかったね。あのエリザベスさんのお祖母《ばあ》さんの女王、メリーさんという名だがね、そうそうジョージ五世の奥方だ。あの方こそ宝石のために生れてきた王妃さまだよ。それに較べると悪いけど、今のエリザベスさんは、似合わないね。でけえルビーが五つもちりばめてあるチューラーね、あれ皇室の晩餐会《ばんさんかい》のときは、恐らく辺りを圧倒したと思うけどよ、先々代のメリーっていう女王さまの写真と見較べてごらんなさいよ。そうそうエドワード八世のお母さんのことだ。もともと、あの宝冠は、その女王のために作られたものだからね、今のエリザベスさんに似合わないのも無理はねえんだがね。俺に作らせてくれればよ、なんとか工夫して似合うように細工してみせるけどね。それでも、宝石の似合う女王さんじゃないかもしれないよ、うん。

そこへいくてえと、富小路公子ってのは、鈴木君子の時代から、宝石が似合う女だった。若い頃から、その似合い方は、大したものだったね。

鈴木君子から富小路公子へ名前を変えたの？　知ってるよ、俺。当人が、俺にそう言

ってたもの。そうだねえ、テレビに出るより前の頃のことだがね、

「あたし、やっと本名も富小路公子に変えたのよ」

って言っていた。うん。電話帳でみると、鈴木キミ、鈴木きみ、鈴木キミ子、鈴木きみ子っていうのだけでも、東京に五十人できかないくらいいるそうだ。鈴木君子が、三十八人だとさ。

「鈴木公子なら、たった三人なの。私、まず、鈴木公子に変えようと思って区役所に行ったの。同姓同名があんまり多いからって言うのは、姓名変更の大きな理由づけになること、そこで教わったの。それで、ビル建てたとき、富小路事務所にして、富小路公子でずっと仕事してたでしょ。だから、もう通称になっているし、鈴木公子は電話帳に今では六人もいるから、姓の方も変えたいって言いに行ったら、事業上の必要に当てはまるからって、戸籍係の人がすぐ手続きとってくれたわ」

「へええ、名前変えるのが、そんなにするするいくのかねえ」

「運がいいのかもしれないわね、私。いつ行っても戸籍係の人が親切だから」

あの子の結婚？　ああ、知ってましたよ。腹ぼてになってからは、前よりよく来て、日がな一日、私の傍《そば》で宝石を眺め暮していた。誰と結婚したのか、あの子も言わなかったし、俺も訊かなかったね。いたいけもねえ齢《とし》の子を孕《はら》ませたなら、相当の悪《わる》だろうと思ったからね。

「胎教にね、一番いいんじゃないかと思うのよ、本物の宝石を眺めて暮すのは。だって、この世で最高のものを見ることですものね」

などと言っていた。

その頃からだねえ、あの子が、自分で次々と色々な宝石を持って来るようになったのは。つまり沢山《さわやま》さんとこのお使いで来る以外の、宝石だよ。

「これはおじさん、どのくらいの値打ちがあるものなの？　友だちのお母さんから頼まれたんだけど。売りたいけど、いくらぐらいかって」

「それなら沢山さんに聞けばいい」

「ううん、私が知りたいのは、どのくらいの値打ちかってことなの。だって沢山さんは安く買いたい、高く売りたいでしょ。お友だちに、そんなこと出来ないから、おじさんの判断を基準にして沢山さんに掛けあうつもりなのよ」

ときには仰天するような髪飾りを持って来たことがありましたよ。俺の若え頃《わけ》の仕事だったりしてね。

「お前さんが言う、友だちのお母さんの持ちものかい？　これは？」

「いいえ、そのまた、お友だち。お家の良かった方たちが、長男や、長女の結婚で、あわてて指輪に作り直したいらしいのね。買う力がもうないらしいの。クラス会なんかで、お友だちのお母さんが話したら、次々と頼まれてきて、私、ちょっとしたブローカーになってきたみたい」

「腹ぼてのブローカーもないだろう」

「でも、この躰《からだ》じゃどこで働くわけにもいかないから、こういう仕事も悪くないと思ってるのよ」

随分沢山の帯止めやブローチを、指輪やイヤリングに仕立て直したものでさあ。二十や三十じゃきかないね、あの当時だけでも。細工賃は、きちんと俺に払ってね、きっと自分の小遣いにはなってたんじゃないのかね。テレビに出たときも言ってたよ、

「ひとさまから頼まれて、売って差上げたり、買い手を見つけたりしているうちに、いつの間にか宝石屋にも、なっていたんですのよ」

って。あの通りで、嘘《うそ》はないね。

子供を一人産んでから、ひどく美《い》い女になったのを覚えてる。こっちも年寄りたって今より二十年以上も前のことだから、ちょっとばかり色気を感じたが、あの子には隙《すき》がなかったよ。

「おじさん、人間も宝石も同じだと思うのよ。生命《いのち》から輝くには、清く正しいことをしてなくちゃ」

俺がむらむらしたときに、こういうことを言われたのを覚えてる。髪は妊娠中から、閑《ひま》が出来たんだろうね、もう一人前の髪型でしたよ。パーマをかけてね、長い髪だった

が、いつもきちんとしていたね。そんなことを覚えてるのは、腹ぼてのときでも、小綺麗でね、どの宝石もよく似合ったからさ。

何せ、さっきも言った通り、俺たち職人には宝石をどう細工しても、肝心の女がそれを身につけたところは見ないんだから、張合いってものがねえや。だから、あの子が俺の仕事の目標になったたね。つまり惚れてたってわけだ。あの子も薄々感じたんじゃないか、それとなくたしなめに来てよ。「清く正しく」って宝塚みたいのが、あの子のよく口にする言葉だったね。

だから、俺はあの子とどうかなったことはないよ。でなくちゃ、三十年からの長いつき合いは出来ませんやね。あの子は、ずっと俺を信用して、宝石の鑑定は、いつも自分で持って来て頼んでいたもの。金持になってからは、自分で買って、自分の指にはめる宝石だったがね。ダイヤモンドが多かったね。あの子は年とるほど宝石がいよいよ似合う女になっていた。

二人目の子供を孕んだ頃から、大分裕福になってたようだった。

「おじさん、喜んで頂だい。私も小さいながら宝石が買えるようになったのよ」

って言ってたし、買いたい石持って俺に鑑定頼んで、俺に指輪もイヤリングも自分でデザインして注文出すようになってたからね。

「若いうちから豪勢に稼《かせ》ぐじゃねえか。旦那《だんな》がよっぽど金持なんだろう」

「主人のお金で、宝石を買うのは悪妻でしょう？　私は自分で働いて、それでダイヤモンドを買うのよ。だって美しいものを身につけていると、胸を張って歩きたくなるでしょう？」

「いよいよ清く正しく、かい？」

「その通りだわ」

　俺は、ちょいとばかり疑ってたんだがね。沢山って、戦後の成金がいるでしょう？　あいつが手をつけたんじゃないか。あいつの二号になっちまったんじゃないかってね。だけど、違うね。あの子は堅気のサラリーマンと結婚してたよ。亭主の収入では宝石は買えないと言ってたし、俺も宝石のブローカーで儲《もう》けたとも思わなかった。口先三寸で宝石の値はいくらでも吊《つ》り上げられるものだが、あの子は決してそういうことはしていないと思うよ。

　翡翠《ひすい》を椿油《つばきあぶら》に浸《つ》けていて光《てり》をつける話や、ルビーやサファイアの傷には色つきの蠟《ろう》で細工して無キズに見せる技術があるんだが、そういう話を聞かせると、

「まああ。犯罪じゃないの、それは」

と、あの子は悲しそうな顔をして言ったものだよ。

　あの子の話では、金儲けは土地だと言ってたな。

「インフレでしょう、おじさん。田舎の土地だって馬鹿《ばか》にならないのよ。三年たてば三

倍になるんだもの。それを担保にして別の土地を買えば、それがまた三倍になるでしょう。一つ売れば、借りたお金は返せるもの。宝石が財産というのは嘘ね。宝石は何年たっても利息がつかないし、売り買いするには美しすぎるわ。土地よ。猫の額ほどでも、東京ならすぐ値上りするわ。面白いほど儲かるの。簿記を習っておいて本当によかったわ。固定資産税のことも、みっちり覚えたし」

土地ころがしって言うらしいね。あの子は二十歳《はたち》そこそこから、それをやってたんだ。

俺の家が借家だと知ってから、

「おじさん、土地は買っときなさいよ。これだけ長く住んでるんだから、地上権があるのよ、おじさんには。だから安く買えるわ。今のうちに、地所は自分のものにしといた方がいいわ」

俺の嬶《かか》ァがあの子の話に心を動かされて、

「お父さん、買ってよ、私は宝石いらないからさ」

なんて朝な夕な言いやがんの。それで家主と掛合って、全部で百万円もしないで買えたんだね、当時は。俺も財産があるってわけだよ。ここは神田で、江戸のまん真ん中だからよ。小さな家だが土地はもの凄《すご》い値上りで、坪当り三百万になっちまってるからね。このちっぽけな家でも、売ってくれって来る奴《やっ》らがいるよ。隣の家がなんでも店を大きくしたいらしくて、買わしてくれろと言うしさ。だけど俺は頑張ってるんだ。職人だかられね、マンションなんかに住みたいとも思わねえや。

「俺はこの家で死ぬんだ。死んだ後には財産残してやるんだから、有りがたく思ってろ」

ってね、婢ァにも息子にも言ってるんだが、それってのも、あの子に勧められたからで、大したもんだと思うねえ。このインフレを見通してたんだからよ、あの若い頃から。

女事業家になってからも、あの子は自分で俺のところへ石持って来ましたよ。宝石の鑑定にかけては俺を一番信用してたんだね。当節は宝石鑑定師とかいうのがゴマンといるようだが笑わせるよ。そんな免状も資格も、国からだって、どこからだって出てやしねえ。アメリカのGIAの基準だって日本で守ってるとこがどこにあるかって思うよ。日本は国で宝石の基準も罰則も設けてないからね。無キズのダイヤモンドなんて、あるもんじゃねえんだ。十倍のルーペで覗《のぞ》いてみて、それで傷が見つからないのを無キズと言うのが今んとこの常識らしいがね。

ダイヤモンドには人間と同じように人相があるんだ。上等のダイヤは、傷がない、光《てり》が強い。色も綺麗《きれい》だ。カットを色々言う奴がいるらしいが、原石を見て、本職の研磨師がカットをきめるんだから、カットが悪いの、腰《パビリオン》がどうの、ファセットがどうのと、もう研磨が終って日本に来ている石見て言うのは、おかしいんだ。ファセットってのは、俺たちゃ昔は面《つら》って言ってたがね。

ダイヤモンドの色なんかも、微妙なものなんだ、うん。ブルー・ホワイトとか、フェア・ホワイトとか言うが、一流の店で買ってもそれが黒っぽいんだから笑わせるよ。驚いたのは、戦後のマジック・インキだね。あれを揮発油で溶いて、ダイヤを染めちまうのがいるんだって。目がさめるようなブルー・ダイヤが出来上っちゃうんだそうだ。それは、俺、あの子から聞いたよ。

「油断も隙もないわねえ、おじさん。うちじゃダイヤモンドは揮発油で洗うの、それ聞いてから。だって、怕《こわ》いじゃない？　持主がはめっぱなしにしていれば、どんどん色が落ちて行くんだもの。信用が一番大事なんだからって、店の者には言いきかせてるのよ。うちの店の品を、よその店で鑑定させれば、すぐ分るんですものね。だから、よそより安くして、いい品だけ扱っとくの。でないと、ミキモトさんや和光には敵《かな》わないもの、あちらは名が通っていて、もう信用があるでしょう？　こちらは、まず信用から築いていかなければならないのだから、宝石で大儲けは出来ないわ」

そう言ってたよ、うん。

あの店の細工ものは、大方、俺がやっていた。指輪は、全部、俺だと思ってくれていい。店は宝石鑑定人って若造が仕切っているようだが、ああ大内といったかな。なに、あの男は、俺の十分の一どころか、富小路公子さんの足許《あしもと》にも及ばないね。アメリカまで行って修業したといっても、ほんの三月やそこらだろ？　ルーペだけが頼りなんだよ。

だけど、嘘のつけない性格だと、君ちゃんが言ってたから、まあ阿漕《あこぎ》なことはしてない筈《はず》だ。

テレビに出るようになって、化粧が濃くなってたね。どうしても、そうなっちゃうんだろうね。その代り、ますます宝石が似合い出したね。女王様みたいだったよ。俺んちの、このボロ家によ、でけえ車で乗りつけて、

「おじさん、大急ぎで、これ、セットして。デザインはまかせるわ」

って、上等の石を無雑作に置いて行くのよ。ああ、裸石だ。今は外国から闇《やみ》ルートで、結構立派なものが入って来るからね。二十五カラットのエメラルドとか、十八カラットのダイヤモンドなんか、ざらでしたよ、あの子が持って来るのは。裸石でね。デザインなんざ必要ないんだ、そういう大きいのはよ。爪《つめ》かけて、ぐいと持ち上げるだけでいいのさ。だけど、万一のことがあるから、仕事は緊張しますな。仕上げると、へとへとになることがある。坐職《ざしょく》だからねえ。

だけど、一度だけ、妙なもの持って来て妙なこと言ったことがあったな。合成石どころか青い硝子《ガラス》玉持ってきて、まわりを本物のダイヤモンドで囲ってくれって言うのよ。

「本気かい、君ちゃん。これは偽《フランス・ダイヤ》もので囲うものだぜ。はばかりながら俺はそういう仕事はしたことがねえ。テレビへ出るのに、そんな指輪でもはめていたいのか。いつから、そういう根性になったんだ？」

すると、あの子が、黙って涙をこぼし出した。俺の意見で、反省して泣いているのかと思ったから、

「泣くこたァないよ。帰りにこれをドブにでも叩《たた》きこんで捨てるんだな。それで、もう二度となけりゃ、大丈夫さ」

宝石に魅入られると、邪念が起ることってあるらしいね。西洋の話によくあるからね。俺は、懇々と意見したのさ。

ところが、あの子は、あふれる涙を、香水のついたハンカチで抑えながら、

「私にこれを頼んだ人を、私は信用していたの。だから頭から本物のサファイアだと思っていたの。私が買って差上げたものじゃないから、お気の毒で、どうすることも出来ないわ。悪いことをする人がいるものね」

「硝子だと言って、売った奴に突っ返せと言ってやりゃあいいじゃないか」

「そうね、そうするわ。だけど、宝石という美しいものを、どうしてそんな醜い心で扱えるのかしら。硝子をサファイアだと言って売った人も、悲しい人でしょう？　私、そういう世の中の生き方は、本当に大嫌い。悲しい人や悪い人がいると思うだけで、涙が出てしまうの」

さめざめと泣いていたよ。だけどね、俺はちょいとばかり腑《ふ》に落ちないんだ、この話は。あの子は目利《めき》きだったからね、硝子とサファイアの違いなんざ一目で分った筈なん

だよ、いくら相手を信用したとしてもね。どうもね、これだけはなんだったのか今でもよく分らないんだがね。

なんだか、週刊誌で悪い女だって書いてるのを一、二冊、読みましたがね、富小路公子ってのは、そんなことはないと思うよ。悪事は決して出来ない筈だ。清く正しく生きてたのが、悪い男に騙《だま》されたりしてたんだねえ。子供の親が、自分の子じゃないと言ってるのを読んだときゃあ、男の屑《くず》だと思ったね。男がいないで、女が一人で孕《はら》むこたあ金輪際ありっこねえんだからよ。

俺はね、可哀想《かわいそう》だと思うよ。君ちゃんを悪く言う奴らは、あの子を悪人みたいに書きたてた奴らは、みんな邪念があるんじゃないの？　富小路公子が、どうしてああいう死に方をしたのか、俺には見当もつかねえけどよ、あの子が清く正しく生きたことは間違いないね。俺は太鼓判を押すよ。だってさ、子供だって、ちゃんと結婚して産んでるんだから、相手も承知の筈だ。協議離婚に金を取られたってのは、当り前じゃねえか。情婦相手だって別れるときは手切れ金がいるもんだ。まして結婚して、子供まで産ませといた男が、自分の勝手で離縁するなら、金出すのは当り前じゃないか。そうだろ？　騙されたと言ってた男がいたようだが、女に騙されるなんざ、男としちゃァ下の下だよ。男なら口がくさってても言えねえ筈だ。ひでえ男にひっかかってたもんだよ、あの子も。若かったからねえ。

あの子は、悪いことしようなんて、爪の垢《あか》ほども思ったこたあないよ。三十年から付きあいのある俺の言うことだ。それこそ信用してほしいね。あんな善良で、優しくて、清く正しいものが好きな女は知らないよ。金持になってからも、俺が病気で寝ているところへ来ると、翌日にはロイヤル・ゼリーなんて薬が届くんだから。

「おじさん、長生きして頂だい。宝石業界もこの頃は悪くなる一方よ。おじさんだけが頼りなんだから、長生きしてねえ」

と、よく言っていた。

俺の病気？　この年だからねえ、坐職だからよ、健康によくないのは仕方がない。七十二歳だからね。え？　そんなに老《ふ》けて見えないとしたら、あの子が始終届けてくれたロイヤル・ゼリーが効いてるんだね。いつも一年分ぐらいどかんと届けてきて、切れた頃に次のをドカンと山ほど持って来てくれてね、冷凍庫に入れとけば保《も》つから、

「騙されたと思って、毎日飲んで頂だい」

と言ってたんだ。まだ、残ってるよ。見せようか？　だけど、どうして死んだんだろう。自殺ってこたァねえからね。なにしろ、この俺に長生きしろ長生きしろと言っといて、自分が先に死んじまう筈がねえからよ。

俺と最後に会った日は、用事じゃなくて、ロイヤル・ゼリーを届けに来ただけで、指には最高級の八カラットのダイヤモンドをはめてましたよ。理想的なプロポーションで

色はGだと睨《にら》んだな。俺がそう言うと、別のこと考えてたらしくて、にこりともせずにこんなこと言ってたの覚えてます。

「おじさん、私にもおじさんと同じように男の子しか生れなかったんだけど、この年になってみると、女の子を産んどきたかったわ」

ええ、娘がほしかったってね、言ってましたよ。妙なことを言うなと思いましたがね、俺は男だから、娘がほしかったと思うの当然だけどよ、女が、女を産みたかったって言うのは変だからよ。俺の嬶ァは一度もそんなこと言わなかったからね。

それから三日となかったね。死んだのは。仰天したというより、信じられなかったよ。

そういえば、女の子がほしいと言ってたなあ、あんときゃあ馬鹿に影が薄かったなあと思ったよ、うん。

その十九　北村院長の話

いらっしゃいまし、誰方《どなた》さまでいらっしゃいますか。お悪いのは誰方さまで？

え？　週刊誌の取材？

それはお断り致しております。手前どもは週刊誌などで安っぽく宣伝されるのは迷惑なんです。当病院の患者さん方は、立派なお家から見えるんですし、往診するにもお迎えの車を下さるような方々ですから。どうぞ、お帰り下さい。

え？

朝日新聞？　これはこれは。どうも、看護婦がきちんと取り次がなかったもので、失礼いたしました。こちらへどうぞ。応接間へお通り下さい。お役に立つことなら、なんでも協力いたしますよ。私の家は、祖父の代から朝日しか取っておりませんでした。ホホホ。さ、どうぞ、おかけ下さい。

紅茶をお持ちしなさい。上等の方ですよ。ケーキも、あの、分ったね？

え？

富小路公子について——ですか？　週刊朝日？　ああ、週刊誌の方ですか。弱りましたな。お役に立ちますかねえ、この私が。

何しろ、私は富小路さまは、お嬢さまのことしか存じ上げませんでしたからね。はあ、お嬢さまのことでございます。お名前は光子さまとお呼びしておりました。はい、カルテをお目にかけてもよろしゅうございますが。ちょっと、富小路光子さまのカルテを持ってきて下さい。そうそう、右方《みぎかた》の特別カルテ入れに、入っているから。ホホホ。私の病院はご覧の通り特別な病院でございますが、富小路さまはその中でも特別の患者さんでいらしたのでございますよ。

お坊《ぼ》っちゃまが、お二人？　さあ、それは存じませんな。田園調布のお屋敷に伺いましたのは、光子さまが御病気になられたからでして。

カルテを御覧下さい。昭和四十二年が、最初の往診でございます。

真夜中にお電話頂きまして、はい、私は寝るのが、二時、三時くらいで、その代り朝は十時過ぎまで眠ります。こういう特殊な病院になりますと、まず朝から患者さんがおいでになることはございませんので。

「北村病院でいらっしゃいます？　院長先生にお願いしたいのですけれど。私、富小路と申します。すぐ、お出《い》で頂けませんか」

偶然、電話は私が手洗いに立ったときに鳴り出しましたので、私がいきなり受話器をとりましたのです。富小路という御苗字《みょうじ》はお珍しゅうございますが、田園調布では、もう当時で相当有名なお宅でいらっしゃいましたから、私は、

「誰方のお具合がお悪いのですか？」

と、お尋ねしました。

「光子が、光子が。急にひきつけを起したのです。どうしてよろしいか分りませんわ。すぐお出で下さいまし。車は、迎えに行かせますから。どうぞ、院長先生に、お願いして下さいませんこと？」

「私が院長です」

「まああ。先生、お願いです。夜分で、突然で恐れ入りますけど、光子が、光子が死ぬかもしれません。すぐ車をやりますから」

「車は私も持っておりますから、御心配はいりません。すぐ伺いましょう」

「いえ、私の車を出します。どうぞ、それでお出まし下さいまし。十分で、そちらに着くと思います。今、出しました。あのォ、先生、光子は助かるでしょうか？」

「御容態を拝見しないと分りませんが、光子さまは、何歳でいらっしゃいますか」

「二歳六カ月になります」

「これまで、ひきつけを起されたことは？」

「我がままな子で、気にいらないことがありますと、何も食べなくなったり、わざと寝込んでみせたり致しましたが、口から泡《あわ》を吹いたのは、初めてですから、私は、もう自分が死ぬ方が、よっぽど楽だと思いますわ。先生、いらして下さいましね？」

「畏《かしこま》りました。すぐお伺い致します」

私も同じ田園調布の住人でございますし、いえ、私の代からの医者でございまして、戦後間もなく、こちらで開業いたしました。ま、私はこの道では有名でございますから、遠く赤坂や白金台あたりまで往診いたしますのは珍しいことではございません。看護婦にもすぐ支度いたさせまして、待機しておりますと、立派なリンカーン・コンチネンタルが到着しました。行儀のいい運転手で、フランスの将校のような制服を着ておりましたのには、少しばかり驚きまして、なるほど噂《うわさ》通りの方に違いないと思いました。富小路さんのお噂というのは、田園調布という土地柄、戦後はごくお地味になられたお家の多い中で、どんどん御近所の地所を買い上げては、お屋敷を拡《ひろ》げていらっしゃるというのでして、なんでも大層お派手な方だと、ま、誰方からとなく、私の耳にも聞こえて参っていたのでございます。しかし、私のところへ御用がおありになるような方だとは存じませんでした。

ＴＯＭＩＮＯＫＯＪＩという表札が出ているお屋敷の門内にリンカーン・コンチネンタルが滑りこみますと、すぐ玄関のドアが開いて、執事のような女が、

「若奥さまがとり乱していらっしゃいますから、どうぞお気をつけになって下さいまし。大変、傷つきやすく、激しい方でいらっしゃいますのですよ」

と言いながら、階段の上に私を案内したのです。煌々《こうこう》と明りがついておりまして、シャンデリアが、むやみに多いというのが私の第一印象でございました。

二階の、寝室のドアが、待ちかねていたように中から開きました。

「北村先生でいらっしゃいます？　有りがとうございます。ともかく光子を診てあげて下さいません？　御挨拶《あいさつ》は後ほどに」

大きなダブルベッドの中に、光子さまは全身を硬直させて寝ていらっしゃいました。私の直感通り、癲癇《てんかん》の発作です。すぐ注射を打ちまして、ガーゼで口のまわりの泡を拭いておりますと、光子さまの眼が、ぱっちり開き、富小路さまの方を訴えるように、甘えるように見てから、すっと眠り始めました。手足が、柔かくなり、普通の寝る姿勢に戻ったので、ようやく御安心なすったらしゅうございました。

「先生、なんだったんですの？　光子の病気は」

「はあ、癲癇でございますね。これが初めての発作ですか？」

「はい、初めてでございます」

「持病にならないとよろしゅうございますがねえ」

看護婦に、オイル・マッサージをするように指示いたしまして、私は患者さんの様子を眺めていました。毛の長さといい、躰《からだ》の大きさといい、コンテストに出したら優勝疑いなしという美しいお嬢さまで、しかし癲癇の持病があるとなるとコンテストにも出すわけにはいかないでしょう。

「これが持病になんかなったりしたら、私、とても生きてはいられませんもの。私も私のお医者さまに来て頂こうかと思ったくらいですわ。光子、光子、ああ、楽になったようね。よかったこと」

看護婦のマッサージを、しばらく黙ってご覧になってから、

「それ、オイル・マッサージですの？」

「はい。さようでございます」

「きっと躰によろしいでしょうね」

「血行がよくなりますのと、神経が柔らぎますですからね」

「神経質なんですのよ、光子は。ときどき、お願いしましょうかしら」

「それは予防医学的に申しまして、おすすめしたいところでございます」

「癲癇と仰言《おっしゃ》いましたわね？」

「はい」

「まああ。どうして、そんなとんでもない病気になったんでしょう。この子には悪い血は一滴も流れていませんのに」

「マルチーズには案外、多い御病気なんでございますよ」

は？　マルチーズを御存知ない？　そうですか。少し御説明申上げましょうか？　地中海のシシリー島の南にあるマルタ島が原産地とされておりますが、西暦紀元前三千年以上の大昔から、すでにマルタ島の住民の間で、ペットとして飼われ「マルタの古代犬」として知られていました。その後、ヨーロッパに渡り、その美しい容姿は古代ギリシャ・ローマ時代の人たちに珍重され、数多くの陶器や壁画に描かれてますし、古代エジプトでは信仰の対象にもされたりしたようでございますね。キリストの祝福を受けた幸福な犬でもありまして、そのときの葡萄酒《ぶどうしゅ》のシミが、今もマルチーズの頭の毛にレモン色の斑として残っているといわれております。

光子さまは、私は一目で分りましたんですが、オークマナー・ホワイト・コメットの血統で、ＡＫＣ（アメリカ・ケンネル・クラブ）のスタンダードでは最高のお姿をお持ちです。頭から足の先まで、長い白い絹糸のような毛のコートにおおわれていまして、愛玩用《あいがんよう》の犬としては最高でございますね。日本のペット・ブームを、まるで近頃の出来事のように書いている新聞がありましたが、日本でマルチーズが飼われるようになったのは昭和十年以来です。もっとも終戦から五年目に、ショー・ドッグとして輸入されると、室内犬としての飼いやすさと、マルチーズの性格や体質も日本人の好みに適ったのでしょうな。爆発的なマルチーズ熱が高まりました。何しろ美しさに於《お》ては、犬の中ではダイヤモンド・クラスでございますからね。

　富小路光子さまは、私がこれまでに診療したマルチーズの中では、最も美しく、見事なものでした。一重の被毛はマルチーズの特色なのですが、どこにも縮れたところがありません。

　それから定期的に往診して健康状態を拝見することになったのでございますが、普段の光子さまは、とても癲癇持ちとは思えない優雅そのものでした。犬は飼主に似てくるとよく言われますが、私は光子さまと、富小路公子さまとは、御性格もよく似ていらっしゃるように思っております。立ち居ふるまいが穏やかで、愛情深く、しかも賢さが黒い目縁から溢《あふ》れるようでした。

　マルチーズの毛足が長くて目を掩《おお》うものですから、眼の上で一本に束ねてリボンをつけたり、二本に分けて左右に垂らしたり、飼主の御趣味で髪型は色々ですが、光子さまはいつも両瞼《りょうまぶた》の上できっちり二本に分けて束ね、その上に必ずダイヤモンドの飾りをつけてありました。それが本物のダイヤモンドだということに気がついたときは、私もちょっとばかり驚きました。小型犬ですが、活力のある犬なのですから、家や庭を走りまわっていれば、飛ばしたり、失《な》くしたりする心配があります。

「光子は、趣味がうるさくて、私のイヤリングでも、気に入るのは使いたがりますが、少しでも安物だと、いかにも不愉快そうに頭を振って飛ばしてしまうんですの。私が大事にしているのと、そうでないのとを見て覚えるのでございましょうね」

「しかし、本物の宝石でないとお気に召さないとは、いかにも光子さまらしいお話でございますな」

「蝶《ちょう》よ花よと可愛《かわい》がられていないと気に入らないのですもの。私の帰りが晩《おそ》すぎると、すねてしまって、ハンガーストライキに入ります。一度や二度あやまったくらいでは許してくれませんのよ」

「さようでいらっしゃいましょうとも。名犬ほどプライドが高いものです」

「本当にそうですわ。光子はプライドのかたまり、そうでしょ？　光子ちゃま？」

光子さまの泣声が、もの静かで、マルチーズほど人間の声を真似《まね》られる犬はいないのですが、お母さまと話しあっているときは、本当の母子かと錯覚を起すくらいでございました。

「頭のいいお嬢さまでいらっしゃいますね」

「はい。才色兼備というのは光子のことでございますわね。そうでしょ？　光子ちゃま」

「御機嫌ですね、今日は」

「私がずっと相手をしていると、こうなんですのよ。ですから長く留守に出来ませんし、旅行には連れて出ることになりますけれど、神経質な子ですから、旅の疲れがひどいのです」

「私どもの病院には、そういう方々をお預りする設備は整っておりますけれども」

「ええ、光子は北村先生には心をゆるしているようですから、私もそういうときにはお預けしようかと思いますけれど。でも、何か気に入らないと、すぐハンストしますのよ」

「まあ、光子さまほどの名犬は、私どもでもお預りしたことがございませんけれども、ためしに一度、いかがでございますか？」

「そうですわね」

富小路公子さまは、じっとしばらく何か考えていたようでいらっしゃいますが、

「AKCの方から、光子にお婿《むこ》さんをというお話があるのですけれど、どうしたものでしょうかしら」

マルチーズは、半年に一度思春期を迎えます。血統書持ちのいいお嬢さまには、AKCばかりでなく、日本でも、お坊っちゃまを持ってらっしゃる方々が目をおつけにならない筈《はず》はないのです。光子さまは、ドッグ・ショーといいますか、つまり美人コンテストでございますね、それにはよく御出場なさっていました。御出場前には、念入りにお化粧《グルーミング》した光子さまを往診して健康状態をよく調べておきましたが、専門の美容院で一度シャンプーが光子さまの目に入ったのが可哀想《かわいそう》でと仰言い

まして、富小路さまが人間の美顔石鹸《びがんせっけん》で洗い、ぬるま湯でよく濯《すす》ぎ、リンスをした上で、ドライヤーで乾燥するまで、お母さまが全部御自分で遊ばすようでございました。

「精神安定剤のようなものを、飲ましておきましょうかしら」

という御相談は、コンテストにお出になる前にお受けしました。多分、口にはその後も一度もお出しになりませんが、光子さまが癲癇をお起しになるのを御心配なさったのでしょう。軽い安定剤を処方して差上げました。決して眠くならない精神安定剤でございます。光子さまは、お薬は嫌がらずにお飲みになりますので、私のような医者には楽な患者さんでした。お母さまが私を御信頼下さったので、光子さまもお心をひらいて下さったのでございます。そういうものなのでございますよ。特にマルチーズのように、頭がよくて神経質な犬種は、飼主と心が一体になっていますのでね。

光子さまが、全犬種展で優勝なすったのは、昭和四十五年でございました。その前には、東京支部展の単犬種展で優勝なさっていましたから、自信がおありだったと思います。癲癇持ちだというのさえ分らなければ、それはもう当然のことでございます。あんな美しいマルチーズは、体型といい、被毛の色といい、艶《つや》といい、そう滅多にあるものではございませんからね。

ですから、交配の申込はどっと来るのも当然でございますよ。普通は、いい雄を見つけて、種犬の方に雌犬をお持ちの方から申込まれるのが普通なのですが、おそらく犬舎を持っている大きな業者たちが目をつけたのではなかったかと思います。

富小路公子さまが、そのことでは随分お悩みになっていらしたのを、私はよく御相談を受けていましたので、知っております。

「私、光子のように美しく生れて来たものは、どんな勝《すぐ》れた種犬にでも穢《けが》されたくないと思いますけれど、それは私のエゴでしょうかしら。光子がヒステリーを起すのは、子供を産んでいないからでしょうかしら。私は、光子は清らかな躰《からだ》で一生を終る方が、光子にふさわしい生き方だと思うのですけれど」

マルチーズの雌をお持ちの方は、どちらかと申せば、大がいは仔犬《こいぬ》を産ませて、高い元手を回収するというお金儲《かねもう》けを考えている方々の方が多いのでございます。ですから、私は少々驚きましたが、癲癇が遺伝するのを畏《おそ》れていらっしゃるのではないかとも思いまして、

「さようでございますねえ」

と、どちらともつかない御返事をしておりました。

ですから、私の知る限りでは、光子さまは交配をしていらっしゃらないと思います。はい、処女のままで。

光子さまは、富小路さまの御旅行の折などよくお預りするようになりましたが、それはもう想像以上に贅沢《ぜいたく》な飼い方をなさっていたことがよく分りました。召上りものが、

病院の食事ではお気に入らないので、お屋敷にお電話して、女の、はあ執事の方に、日頃の召上りものを馴《な》れたコックさんに頼んで日に一度は作って頂くようにしたものでございます。看護婦がどんなにあやしても駄目でございまして、私が一日に三度ぐらい御機嫌うかがいを致しませんと快活におなりにならないという、まことに手のかかるお嬢さまでした。癲癇の発作は、病院で二度もお起しになりました。

　外国からお帰りになると、富小路公子さまは、羽田からまっ直《す》ぐこちらへいらして、まず何より先に光子さまを抱き上げてお行きになります。光子さまも、ちょっとお風邪ぎみのときでも、たちまちお元気になったものでございます。

　富小路公子さまが亡《な》くなる前に、何か——？　私は存じません。光子さまのことなら、この通りカルテもございますし、お写真もございます。ショー・ドッグとして、専門のトレイナーをお傭《やと》いになっていましたから、この写真撮影のときも、トレイナーが付ききりで、富小路さまと二人がかりで、一番いいステイをしたときをシャッター・チャンスにいたしました。光子さまは、御自分の美しさを充分認識していらっしゃいましたから、お写真のときなど、王女さまのように、優雅で威厳を持って、カメラの方をご覧になります。

　こちらの病院のお支払いでございますか。充分頂だいしております。看護婦にも盆暮には商品券を下さいまして、あんなに行届くお母さまはいらっしゃいませんでした。光子さまが、どうしていらっしゃるか心配で、女の執事さんにお電話したことがありますが、あの方はあまり犬好きではないものですから、業者にすぐ預けたという御返事でした。

光子さまを預っているのは専門ブリーダーですが、もう御妊娠は御無理ですね。やはり、お齢《とし》でございますから。犬舎の方の住所と電話番号は、こちらに控えがございますが、はあ、あなたさまも犬には御興味がおありにならない？　それはまことに残念です。あんな見事なマルチーズは、滅多に見られないものなんでございますがね。

その二十　銀座のバアのマダムの話

富小路公子について——私の意見を言わして貰《もら》えば、私は大好きだった。どうして死んだのか知らないけど、うんと長生きしてもらいたかった。世間が悪女だなんて言うの、私は許せない気がする。

彼女、何を悪いことしたって言うの？

金儲《かねもう》けしたのが、悪徳ではないでしょう？　そんなこと言ったら、事業の失敗者が善人だという妙ちきりんな論理が成立してしまう。

私は、何も特別の関係ではなかったのよ、最初は。ただ、長いこと低血圧に悩んでいて、サウナがいいって勧めてくれる人がいたものだから、どこのサウナ風呂《ぶろ》にいこうかなって考えていたら、女性週刊誌にね、

「女性のために男性が奉仕する女性のための夢の世界」

って、でかでか出てるのが眼に入ったの。ホスト・クラブの宣伝かなと思ったのよ、最初は。でも、どうも、違うみたい。しかも場所は日本橋のどまん中でしょ？

前から、あのビルは目についていたし、経営者が女だって聞かされていたから、凄《すご》い女が出て来たもんだなあって思ってたんだけど、それがサウナと美容体操を「女のために」やり出したっていうんでね、ある朝、二日酔いで頭ががんがん鳴るのを押さえながら出かけてったんですよ。朝といっても、私の場合は、午後一時ぐらいのことだけど。入会金が二百万円ていうのは、高すぎると思ったんだけども、それだけの金をとるには、何か仕掛けがあるんだと思うし、ともかく、ものはためしでしょう？　富小路って妙な名前も、お公家《くげ》さんもどきで面白いじゃないのさ。私は銀座で戦前から生きてきた女だけど、富小路って名前は聞いただけでうさん臭いと思うわね、まず。うちの店だったら、つけでは飲ませないで、現金払いにしてもらっちゃうわよ。どんなに豪遊してくれても。銀座も戦後は変っちゃったからねえ。昔から成金というのはいつの時代にもいたと思うけど、昔の成金は芸者買いに行って、銀座のバアに来るのは紳士と相場がきまっていたのよ。それが、戦後は、バアにもいかがわしいお客がふえてね、飲み倒されて随分泣いてるマダムが多いのよ。まあ、私んとこは戦前からのお客さまが続いて有りがたいと思ってるけど。でも、みんなお爺《じい》さんになっちゃったでしょう。息子が来て飲んだりしてね、世代が交替した感じだけどねえ、だから、退屈なのよね、正直な話。お爺さんの機嫌もとりながら、お坊《ぼ》っちゃんの相手もしなきゃなんないのは、疲れますよ。話題が違いすぎるでしょう？　だから、店の方は、もう若い子に任せっ放しにして、でも今どきの若い子は目が放せないからさ、だからともかく毎晩、店には出かけて、監督よね、専《もっぱ》ら、若い子の。

まあそういうわけで、二百万円のサウナ風呂って、出かけて行ったの。私も、これで金銭の方は、がっちりしているからさ、でなきゃ銀座で商売はやってけませんよね。だから、あのビルの天辺《てっぺん》に行って、受付の男の子に名刺出して言ったの。

「私、銀座で店持ってる、こういう者ですけど、二百万円は大金ですから、入会するかどうか、中を見せて頂いてからにしたいのよ。そういう方法は、ないの？」

「ございます。ビジターとして、一回につき三万円お支払い頂ければ、入会金は必要なしで、ご存分にお過し頂けます」

「あ、そう。じゃ、三万円払うわね」

私、うわの空になってた。だって受付の男の子が、アラン・ドロンそっくりの美男子でさあ。映画もテレビも、どうしてこういう子をほっとくかと思うようなハンサムだったんだもの。タキシードなんか着ちゃって、お行儀もいいのよ。

「美容体操と、サウナと、マッサージがございます。こちらが談話室と、スナックでございます。お時間は夜の十一時まで、時間の制限はございません。あちらが美容体操、ご覧になりますか」

「私、着物で来ちゃったけど」

「トレイニング・ウェアは備えつけてございます。マッサージ・ガウンも、こちらのをお使い頂きますので、お客さまは何の御用意もなさらなくて結構でございます」

ともかく三万円だって、決して少いお金じゃないのだから、美容体操から、やることにしたわよ。中年ぶとりのまま五十になっちゃってるんだから、痩《や》せられるものなら痩せたいもの。

トレイニング・ウェアってものが、渡されてびっくりよね。シャツもズボンも、ショッキング・ピンクって凄い色なんだもの。バスタオルも、普通サイズのタオルも、みんなショッキング・ピンク。それも上等で、やわらかで、もちろん外国製ですよ。

ロッカー・ルームで着替えて、出てくると、ゲーリー・クーパーの若い頃みたいな子が待っていて、室内運動場へ案内してくれるの。これもタキシードよ。

入口の部屋に、白衣を着た男の医者と、看護婦がいて、血圧と、脈と、体重を計るの。

「低いですね、奥さま。上が九十二しかありません」

「まあ、そんなものね。慢性低血圧なのよ、私」

「朝はお辛《つら》くいらっしゃいますでしょう？」

「ええ。でも朝は寝てますから」

「運動は、これまでになさったことがおありですか」

「いいえ。戦争中に畠仕事《はたけしごと》をやっただけ」

「はい、それでは一番お楽な運動から始めて頂いて。どうぞ、休み、休み、おやり下さい」

このお医者さんが、私の初恋の人にそっくりなのよね。そう、私が処女を捧《ささ》げた相手。戦死したあの人が生き返ってきたかと思ったわよ。

徹底的に美男をかき集めたって感じなのよね。それもあらゆるバリエーションがあって。みんな若いの。室内体操場には、いろんな機械が据えつけてあったけど、なんといっても一人の女客に一人でついてくれるトレイナーが、潑溂《はつらつ》たる若い男。体操なんかやめて、思わず抱きしめたくなるような、いい子ばっかりよ。私の最初の相手は、池部良の若い頃にそっくりだったわね。

「まず軽く歩きましょうか。はい、前へ、イチニ。後へ、イチニッ」

歩いてから、マットへ寝転んで、腰を持ち上げたり、足を開いたり、

「はい、そのままの姿勢で、腰をまわしてみましょう。右から、イチニーサンシー、左です、イチニーサンシー」

その子の顔は、私と並んで寝てるんだから、すぐ横にあるのよ。妙な気分になってくるじゃないの。これは金と閑《ひま》のある女なら入会金二百万円なんでもなく払うと思った。

三十分の体操が、あっという間に終ったわね。私は、自分の躰《からだ》が、かなり老化しているのに気付いて愕然《がくぜん》としたわ。腰も思うように曲らなくなってるし。

「やあね、駄目だわ、私。あなたみたいなこと出来ないわ」

「少しずつ続ければ、すぐお出来になりますよ。柔軟体操は、お家でもなされば、進歩が早いです。だいたい、どんな方でも一週間で、立ったまま手が床につくようになりますよ」

「そうかしら」

「では、お疲れさまです。このマッサージ器におかかりになりますか」

「ああ、そうするわ」

寝転んで、マッサージ器にかかって、ゆっくり眺めていると、私よりもっとひどい脂肪のかたまりみたいなのが、ジョッギング・パンツはいて、よいしょ、よいしょと、マットの上で四つン這《ば》いになったり、ぺちゃんこになったりっていう体操を続けてる。トレイナーはどの子も純白のユニフォームなんだから、いい男が、ますますいい男に見えるわけよ。

とにかく昼の日中というのに、運動場には七、八人の女がいて、ランニングしてるのもいれば、柔軟体操しているのもいる。

「随分しなやかになりましたねえ」

「あら、そうかしら」

「だって、前はここの筋肉がまるで伸びてなかったんですよ」

常連なのか、気楽に喋《しゃべ》りながら、かなりきつい体操してるのがいた。最後は逆立ちになって、股《また》を前後、左右にひろげたり、すぼめたり。とにかく壮観なのよ。私も、あんな格好してたのかと思うと恥しくなっちゃってね。どうしたって連想しちゃうもの。相手が男の子ときてはね。だけど、どの男の子も涼しい顔してて、

「はい、結構です。次へ行きましょう」

「あらァ、まだ、やるのォ？」

「両手両足ひろげて、捻《ひね》ってみましょう。イチニー、イチニー」

「こう？」

「もっと力を入れて」

男の子が両足を摑《つか》んで、乱暴に開くと、

「痛いわァ」

「大丈夫ですよ」

「でも痛いわよォ」

「桑原さんは、いつも大げさなんだから。はい、イチニー、イチニー、もう一度、イチニー、イチニー」

「もう駄目。苦しいわ」

「あら、そうオ」

「反動つければ楽にやれますよ。もう一度やってみましょう、イチニー、イチニー」

男の子の号令で、魔法にかかったみたいに、腰を上げたり、下げたり、躰を捻ったり、ひろげたり、まるで女がのたうちまわってるみたいなのよ。

私はもう見ていられなくなって、

「サウナに行っていいかしら」

「はい、こちらでございますッ」

ロッカー・ルームで、ショッキング・ピンクのユニフォームを脱いで、パンツはいた躰に大きなバスタオルを巻きつけて入って行くと、ここは運動室より狭いかわり、いるわ、いるわ、女がすっ裸で、平気で寝そべってる。パンツはいてるの私ひとりでしょ。そっと脱いだけどね、まあ、サウナの中で、まっ赤な顔して、滝の汗で頑張ってるのが、ざっと見渡して四十代の女ばかり。さすがに三助はいなかったわよ。砂時計でね、五分間いて、シャワー浴びたけど、私は最初から気持よかった。二日酔いが、まず、すーッと抜けたしね。

それで休憩室に入ったら、

「あら」

「ああら」

顔見知りの芸者衆がいるし、なつメロの歌手がいるし、

「ママも入会したの？」

「ううん、様子を見に来ただけ」

「マッサージとる？」

「うん。一通りやってみようと思ってるけどさ、高いだけの事はあるみたいね」

「そうよオ、働く女にとっては、ここは天国ね。一日でも、こんな思いしてみたいと思ってたけど、私はもう病みつき。毎日来てるわ」

「毎日？」

「美容院が一階下にあるから、ここからすぐお座敷に出られるし、お稽古《けいこ》のあと、サウナに入れれば冬でも風邪ひかないですむし」

「いい男が揃《そろ》ってるんで、驚いちゃった」

「マッサージは、まだなんでしょ？」

「マッサージも、ハンサム？」

「顔より、声が、ね。私は男が熱海《あたみ》で女の按摩《あんま》を呼ぶ気持、分るわ」

「まあ、そんなことまでするの？」

「え？　あら、それは、ママの深読みだわよ。とにかく、お座敷で、いやなお客の機嫌とりながら、ああ、芸者は浮かれて踊ってる商売だと世間は思ってるんだろうなって思うことあるじゃない？　それが此処《ここ》へ来ると、サービスするのは全部、男でしょ。こんない気持、二百万円じゃ、安いわよ」

「ホスト・クラブみたいね」

「それは、違うらしいわよ。社長が女だからさ、そういうことはうるさくて、お客とどうかなっちゃうと、すぐ辞めさせちゃうらしいのね。だから、行儀がいいのよ。悪ふざけには誰ものって来ないしね。気分だけよ。でも、それで十分だという気がする」

「そうよォ。私も最初は二百万円は高いと思ったけど、安いわよォ、毎日きても二百万円なんだもの。ビジターだと百日来て三百万円になっちゃうからね」

「二百万円って、一年分なの？」

「いいえ、入会金だから、据置きなの。別に維持費を払うけど安い安い。五年たてば入会金の七割くらい返してくれるんだって」

五分から十分近くサウナに入って、シャワーで汗を流して、休憩室で寝そべって、お喋りしたり煙草《たばこ》を吸ったり。下のスナックから飲物も食べものも自由にとれるから、バクバク食べてる女たちがいた。

「美容体操して、サウナに入って、それでこれだけ食べてたんじゃ、痩せるわけないわねえ」

「でも、いい。食べるものが美味《おい》しいし、ストレスは解消するし。主人も子供も、私がここに来るようになってから、家の中が明るくなったって言いますもの」

結構な奥さん方も、沢山来ているみたいだった。これなら儲《もう》かるだろうと思ったわよ。二百万の入会金を七十人からとったって、一億四千万円でしょ。会員は百七十人いるって話だったわよ、その当時で。

オイル・マッサージは、やはり白衣を着た男の子たちで、それが上手なのよ。こちらは全裸で、寝そべっていて、若い男に揉《も》ませるんだから、クレオパトラになったような気持。

「奥さま、柔かなお躰ですねえ」

「そうかしら。運動なんにもしないで、毎晩お酒飲んで酔っぱらって暮してるから、躰がしまってくるわけがないのよね」

「美容体操を少しお続けになれば、この辺の脂《あぶら》はすぐとれますよ」

脇腹《わきばら》や、太腿《ふともも》をさわりながら言うの。マッサージ師は、声が男性的なのが揃ってたわね。人目がなければ抱き寄せちゃうような、色っぽいバリトンでね。

ところが三つあるベッドは、白いレースのカーテンで遮《さえ》ぎられていて、両横にも素裸の女たちがいるの。最初は俯向《うつむ》いてるんだけど、後半は仰向けでしょ？　それで片脚ずつ持ち上げて念入りにオイルをすりこむんだもの。私の両側の女たちは、目を瞑《つむ》っていたわ。

「ああ、いいわ。そこ、もうちょっと強く押して」

とろとろした声で言ってるのは、常連だろうと思ったわ。私みたいな大正生れは、恥しくてね。だけど、これはもう味を覚えたら病みつきになっちゃうだろうと思った。一時間、終っても、すぐ帰る気になれなくてね。サウナの休憩室に入ると、芸者衆はお化粧を始めていた。

「どうでした、マッサージ」

私は、傍に行って小声で言ったわ。

「麻薬みたいになるんじゃないかしら？」

とたんに芸者が大声出して笑うのよ。

「まったく、その通り。いいことだらけよ、旦那《だんな》にも色っぽくなったって言われるし、若返るのかしらね、もう一花も二花も咲かせようって気になるのよ。お座敷へ出ても、自分が花やかになっているのに気がつくもの」

「なるほどねえ」

私だって仕事があるから、ともかくコーヒー飲んで、帰ることにしたわ。

そしたら、受付のアラン・ドロンが、

「少々お待ち下さいまし」

と言うじゃない。

そこへ、紺のスーツに白のブラウス姿の若い女が出て来て、

「いらっしゃいませ。富小路でございます」

と挨拶《あいさつ》したの。

「まあ、あなたが社長さん？　まさかね」

「いえ、私が社長でございます」

「だって、あなた、このビル全部の持主でしょう？」

「はい」

「ちょっと若すぎるから面喰っちゃったのよ。失礼だけど、お幾つ？」

「昭和二十一年生れでございます」

「え？　あなた、戦後生れなの？　まあ」

驚いたわよ。五年ばかり前なんだから、二十代の若さじゃないのよ。まるきりお嬢さんみたいでさ、きびきびしていて。

「私は協会の支部会などで前からお見受けしていましたけど、こちらから御挨拶に出るのは図々《ずうずう》しいような気がして」

「協会？」

「はい、日本愛犬家協会の」

「ああ、マルチーズのチャンピオンをお取りになったの、あなたでしたね。どうりで、どこかで会ったと思ったわ」

私も犬好きだけど、ポメラニアン飼ってて、一度だけ、ものはためしとドッグ・ショーに出したんだけど、あれは、よっぽどお金かけないと優勝なんてとれないわよ。だけど、私がそのショーで覚えてたのは、純白のマルチーズの持主が、青空のようなブルーのパンタロン姿のお嬢さんで、大きなダイヤモンドを左手の中指にはめてたことだった。大金持のお嬢さんで、犬に全精力を注ぎこんでると思った。私たちみたいな、働く女とは別の人種だと思っていたのよ。

「まあ、そうですか。もう、戦後生れの人たちの出番なのねえ。こういうアイデアは、戦前の女には思いつかないもの。ハンサムボーイばかり、どうやって集めたの」

「心の美しい人を基準にして選びましたの。心が美しいと、顔も美しいんですのね、男の子でも」

「ホスト・クラブみたいだわ。熱あげるお客さんが出てくるの当然ね」

「そういう御冗談は、どうぞ仰言《おっしゃ》らないで下さいましね。トレイナーは体育大出身者ばかりで、純真な青年たちですし、マッサージ師も、国家試験の合格者ばかりなんですよ。女性の健康とストレス解消が目的で、真面目《まじめ》にやっている堅い仕事でございますから、どうぞ誤解を招くようなことのないように、御協力をお願いしますわ」

それが、胸に抱きついて、哀願するような顔でしょう？　声でしょう？　マルチーズみたいに可愛《かわい》いんだもの。私は、すっかりファンになっちゃったのよ。翌日は二百万持ってって、入会したわ。

「あなたも、ここのサウナとマッサージやってるの？」

「いいえ、私はやはり自分の店では、従業員も緊張しますし」

「美容体操もマッサージもしていないの。まあ、お若いし、その必要もないわけね」

「いいえ、あのォ。私は、東京レイディズ・ソサイエティの会員でございますから、あちらで」

畜生と思ったわね。あのソサイエティは、常盤会《ときわ》に対抗しているけど、お金儲けのうまい婆《ばあ》さんが牛耳ってて、女流事業家は入会させるんだけど、バアやナイトクラブの経営者は入れないのよ。いかがわしい職業だと思ってるらしいのよ。公娼《こうしょう》制度の撤廃で、もぐりの赤線がバアやナイトクラブに散らばってしまったのが嘆かわしいって、なんとかいう婆さんが会長で、演説して婦人運動家を激怒させたってことあったでしょ。富小路さんも、それで、私にすがりついたんだとすぐ思い直したわ。男のトルコ風呂《ぶろ》みたいなものだと思われたら大変だってことなんでしょ。ソサイエティを除名されちゃうのは困るんじゃない？

「分った、分った」

って、私は言ったけど、本当に彼女の経営しているサウナは、健全なものだった。芸者衆がかなり金も使い、腕によりかけて、体操のトレイナーやアラン・ドロンを口説いたけど、駄目だったみたい。

「ホモなんじゃないかと思うのよ」

って、言っていたもの。

彼女が死んでから、いろいろ書かれて、本当は昭和十一年生れだってことや、田園調布の豪邸が二重三重の抵当に入ってたことや、借り倒された銀行が、慌《あわ》ててあのビルを差押えようとしたことも知ったけど、それがどうして悪女なのさ。年のサバ読むのは、私たちだって常識よ。人を殺したわけじゃなし、何も犯罪をおかしたわけじゃないのに、気の毒だわよ。どこの会社だって借入金で自転車操業してるの、これも当節は常識でしょ。銀行は担保なしでは貸さないもの。だけど傑作だと思うのは、彼女が借りたお金を何に使っていたかというと、贅沢《ぜいたく》ばかりして暮してたってことよ。

宝石？　うん、彼女からダイヤモンドを買ったわよ。私のところに出入りしてる宝石屋に見せたけど、もちろん偽物《にせもの》じゃなかったし、傷もなかったわ。最高級品だった。宝石屋が、

「いい値で、得なお買物なさいましたね」

って、今でも言うもの。

騙《だま》されたって、男も女も言ってるそうだけど、私に言わせれば、騙された方が間抜け

だっただけじゃないの？　私が買ったダイヤモンドは、無傷で、色はフェア・ホワイト、カットも極上でね、十四カラットあるのよ。店には決して、はめて出ませんけどね。ついこの間もミキモトで見てもらったけど、

「これを富小路さんから？　見事なダイヤモンドでございますね」

って言われたわよ。

「こちらで拡大写真お撮りいたしましょうか。これだけ大きくて傷がないのは本当にお珍しゅうございますから」

って言われたけど、宝石の鑑定なんて、してもらったって何の役にも立つものじゃないぐらい知ってるから、いらないって言っといたわ。

その二十一　鈴木タネの話

あんた、誰？

え？　富小路公子――について訊《き》きたい？

あんた、誰なのよ。え？　作家ってなんだろ。ああ、小説書きか。

まあ、あんた、君子のことを小説にするの？　へええ。それなら、なんでも話したげるよ。モデル料ってのは、どのくらい出してくれるんだい？　こんなことをいうと、君子が生きていたら、さしずめ、「母ちゃん、お金の話は、やめときなさいよ。大切なのは、「心よ」って、また意見されたところだろうね。

はい、私が、富小路公子の母親ですよ。

本当の母親かって、それ、どういうことなんだい？　ええ、私が産みましたとも。私が、このお腹《なか》を痛めて産んだ子です。昭和十一年十月八日、檜《ひのき》町で八百屋をやってた頃、生れたんですよ。産婆《さんば》さんは、もう亡《な》くなったけど、氷《ひ》川《かわ》神社の裏に住んでいて、私が陣痛おこすと、父ちゃんが跛《びっこ》ひきひき呼びに行ったんです。ええ、真夜中に。初産《ういざん》だったからねえ、それに私は後にも先にも、あの子きりしか出来なかったから、産みの苦しみがどんなに辛《つら》いものか、今でも忘れていませんよ。お産は、どこの病院かって？　昔はね、産婆がその家に来て取上げたものなんだよ。そんなことも知らなくて小説書けるのかい？　お隣の隣が薬局でね、今でも忘れちゃいない。アルマイトの弁当箱に赤飯入れて届けてくれた。アルマイトっていうのはね、昭和十一年に大変に流行《はや》り出したものなんだよ。アルミニュームと違って、金色だしさあ、大したものが出来たもんだって、

「この子の先行きは金の弁当箱で赤飯を食べるのかもしれないよ」

って、父ちゃんも喜んだし、父ちゃんの言った通りになったんだから、本当にあの子は初めから大したものでしたよ。

私が本当にあの子を産んだのかって？

どうして、そんなこと訊くのさ。戸籍見れば、はっきりそう書いてありますよ。父、鈴木国次、母、鈴木タネってね。君子が占いに凝り出して以来、私の名前は多根子って、難しい字を使うようにしてるけどね。

貰《もら》いっ子だという噂《うわさ》がある？

噂っていうのは、知らないけど、困ったね。あ、檜町の、ドリーム・ハイツってマンション知ってる？　あの角を曲ると、裏にごちゃごちゃ小さい店があるでしょう？　今はスーパーマーケットになってるところが、父ちゃんが死ぬまで八百屋やってた場所な

の。で、その隣が雑貨屋で、君子と同級生の牧ちゃんて子が、養子とって今も同じところにいる筈《はず》だから聞いておいでよ。え、会った？　あの子のお父さんも、おっ母さんも、君子が生れたときは湯を沸かすの手伝ってくれたからね。牧ちゃんはまだお腹にいたから、他人事《ひとごと》じゃなかったんだろうよ。その隣の薬局もまだあるからさ、そこの年寄りに訊くといいよ。アルマイトに赤飯詰めて祝いに来たんだから。私は無我夢中で産んだけど、君子が産声《うぶごえ》あげたとき、家の中には、両隣の人たちがいたからねえ。貰いっ子なら、産婆が駈《か》けつけたりしないから、それ聞けばあの子が私の本当の子かどうか、確かめることができるよ。

私は君子と違って、嘘《うそ》ばっかりついて生きてきたけども、こればかりは本当だよ。あの子の母親はこの私さ。もっとも疑われても仕方がない。父ちゃんともよく言ったもんだった。「鳶《とんび》が鷹《たか》を産んだ」ってのはこのことだってね。あの子は器量よしだし、父ちゃんよりずっと頭がよかったし、私と違って曲ったことの出来ない気性だったからね。お人好《ひとよ》しで、よく人に騙《だま》されていたけど、

「母ちゃん、騙すより騙される方が、上等の人間なのよ」

って言って、胸をはって威張ってた。

私は、人の悪口ばかり言って今日まで長生きしてきたけれど、あの子が人さまの悪口言うのは聞いたことがない。どんなひどい目にあわされても、

「でも、あの人は悪気でやったのじゃないし、この場合は仕方がないのよ」

と言って、いつでも人をかばったねえ。

たとえば、父ちゃんが死んだあと、近所の尾藤って家柄自慢のいけ好かない女がいてね、

「さぞお困りだろうから、家は広すぎて空いてる部屋があるから、どうぞいらして下さい。娘も同級生だし、御一緒に暮しましょう」

なんて親切ごかしに言って来たのよ。私は、別に死んだ父ちゃんに惚《ほ》れてたわけじゃないけど、急に車にはねられて死んじゃった後だから、相手の魂胆が見抜けなくってさ、へえ、この世には親切な人間もいるんだなと思って、その尾藤って家に居候《いそうろう》になったんだ。八百屋は借家だったし、私は昔っから働くのが嫌いだったから、只《ただ》で置いてくれるならこんないい話はないと思って、君子を連れてさっさと尾藤って家に移ったのさ。

そしたら、どうだろう。煮炊《にた》きから洗濯、掃除まで私にさせるんだよ。中学生の君子まで追い使ってさ、

「御一緒に暮しましょう」

が聞いて呆《あき》れるよ。戦前はともかく御大家で、うちは確かに出入りの八百屋だったよ、父ちゃんがね。だけど戦後は、あんた、大きな家を持ってるだけで、女中傭《やと》う金もないのさ。そこで私も君子も只で使う気で住みつかせたのよ。悪い女がいたものだと思って

ね、私はあの家じゃずっと不貞寝《ふてね》して暮したのさ。

「さぞお困りだろうから」

なんて、言い方が憎いじゃないか。女中なら女中って、はっきり言やいいんだ。

「女中になってくれないか、給料はこれだけ払う」

というのが道理ってものじゃないのかい？　上流階級ってのは、心が穢《きたな》いよ。私は、思い出しても、あの雌野郎は憎いね。先祖が公家《ながそで》だって自慢でよ、叩《たた》っ殺してやりたいくらい昔話ばっかりしてやがったよ。亭主の方も能なしでさ、なんでも田舎の大地主の息子だったらしいんだけど、戦後の農地解放とやらで、小作料が入って来ないから、困ったらしいね。能なしと公家《ながそで》自慢が夫婦になって、昔のように女中と小間遣いを使って暮そうと企んだんだよ。私が不貞寝をしてしまったものだから、君子をこき使ってね。

「働くこたないよ。金ももらわないで、追い使われるのは損じゃないか。私たちは騙されたんだからさ、ほっときなよ」

私は口が酸《す》っぱくなるほど言ってきかせたんだけど、

「でも見ていられない。ほっといたら、母ちゃんや私も食べることできない。火の点《つ》け方も分らない人たちなんだから」

君子が煮炊きまでしてたんだ。同い年の女の子が、お嬢さまみたいな顔してるのに、その子の弁当までこさえるんだもんね。私は、あの尾藤って家の奴《やっ》らは一人残らず憎いよ。今思い出しても、叩っ殺してやりたいよ。

中学を卒業すると、さすがに君子も辛くなったらしい、昼間は働きに出て、夜は夜学へ通い出した。あの家の中にいると、妖怪変化《ようかいへんげ》みたいになってくると思ったんじゃないかねえ。簿記？　なんだい、ボキってのは？　夜学で君子が何を勉強していたのか？　私は知らないよ。あの子は私と違って、暇さえあれば本を読んでいたし、こ難しい本を片手にして、ノートにせっせと、そうだ、よく数字を書き並べてた。

「お前、まだ算術をやってるのかい」

「母ちゃん、私は法律の勉強したいのよ」

「数字を書きながらかい？」

「数学と法律と、よく似てるのよ。どちらも、人間の思うようになるわ。8という字を数限りなく書き並べて大きな桁数《けたすう》に仕上げても、それに0《ゼロ》を掛けると0になってしまうの。面白いでしょう？　法律も同じみたいよ。いろいろな事実をどんなに積み重ねても、一人の人間の意志で0にしてしまうことも出来るし、本当に面白いわ」

何がなんだか分からなかったけど、勉強するのは悪いことじゃないし、当面行くところもないから、君子の居ない間は私も自分のお飯《まんま》の分だけは働いてましたよ。

そうしたら、まあ、どうだろう。油断も隙《すき》もないってのは、このことだよ。あろうことか、あるまいことか尾藤ンちの息子が君子を手ごめにしたんだから。尾藤輝彦って名前ですよ。君子より四つ上だから、大学生になったばかりだよ、向うは。

どうして分ったかって？　これでも実の母親だからさ、ときには君子の帰りがあんまり晩《おそ》いと心配になって、お勝手から裏門の方を覗《のぞ》いたりするじゃないのさ。そうしたら、そうっと二人で入って来て、輝彦の奴が君子を抱きしめてキッスしやがったんだ。私の目の前でだよ。

「何しやがんだ、この畜生めッ」

私が大声で喚《わめ》き立てたら、腰ぬかしてよ、それから庭の方へ逃げたんだ。男の方が、よ。

「逃げるなッ、この野郎！」

追いかけて、しがみついてやった。倒れたから、馬乗りになって、

「奥さん、奥さん、出てこいッ。旦那《だんな》さん、出てこいってんだよッ」

大声あげ続けたら、旦那も奥さんも泥棒でも摑《つか》まえたかと思って電気つけて雨戸くったよ。そしたら息子が私に組み敷かれてるものだから、仰天しやがって、

「まああ、輝彦さんじゃないの。どうしたの、お夕ネさん」

「まああも、どうしたもあるものかってんだ。うちの娘を傷物にしやがったのが、こいつなんだ。よオ、旦那も奥方も、この始末はどうつけてくれるのか、聞かしてもらいたいね」

親は二人とも、からきし意気地がなくてよ、おろおろ、おろおろしてるだけでさあ、なっちゃないのさ。

「そんな大声を出さないで頂だいよ、こんな真夜中に」

「そう、そう、大声で言うようなことじゃない。しかも真夜中だ。おタネさん、家の中に入ろう。頼むから、家の中でゆっくり話し合うことにしよう」

「私ゃあね、真夜中であろうと、真っ昼間であろうと、言わなきゃならないことは言うよ。大事な娘を傷物にされて、黙っている女がこの世にいるとでも思うのかい？」

「しかし、君、証拠があるのか？」

旦那がこう言ったから、私は頭に血がのぼって、息子を蹴《け》とばして、親爺《おやじ》の奴に摑みかかった。

「証拠って何だよ。証拠が見たいなら、お前も覗いてみろ。医者呼んで、股ン中に膜があるか、なくなってるか調べてもらいたいよ。証拠って言やがったな。医者を呼べよ。関根先生に電話しようか」

私は抱きあってるのを見ただけだけどさ、母親の第六感って奴だね。ピンときたのさ。それに日頃から面白くなく思ってたときだったから、君子が傷物になっていようとなっていまいと構うこたない、思いきり暴れてやろうと思ったのさ。そう、その、暴力。暴力って前にゃあ、あの連中は手も足も出ねえのは前から知っていたからね。

輝彦の奴は雲を霞《かすみ》と逃げちまってよ、君子もやってないならないと言うべき大事のときに居やがらないのさ。君子もね、家ン中で息殺してたみたいだから、私が言った通りだったと思うね。だから、ここを先途とまくしたててやったのさ。

「八百屋の亭主が死んだから、おためごかしに引取りやがってよ、親切は表向きで、女中や小間遣いに只でこき使うのが魂胆だったじゃねえか。それで足りずに、ドラ息子が、娘の君子に手ェ出しやがった。この始末は、いったいどうやってつけてくれるつもりだい、え？」

家ン中に入っても、私は怒鳴り続けてやった。二人とも閉口しやがってね、

「あなた、どう致しましょう」

「ともかく輝彦に訊いてみなくてはならないよ」

「輝彦が、いませんわ、あなた」

「弱ったな。おタネさん、お前が怒るのは、事実があるとすれば尤《もっと》もなことだが、少し考えさせてくれないか。輝彦にも事情を訊きただした上で、おタネさんの気のすむような解決をしよう」

「でも、おタネさん、何から分ったの？」

「二人がよ、たった今さき、裏門から一緒に帰ってきて、抱きあったまま、いつまでも離れねえんだ。躰《からだ》の関係のねえ者が、あんなに躰をうねらせて抱きあうかってんだ」

「まああ。それをお夕ネさん、見てたのね」

「娘の帰りが晩ければ、親なら心配してお勝手から何度も覗くもんだよ。私らのような貧乏人はよ、親子の情ってものが、あんたらより厚いからねえ」

「しかし、抱きあっていただけなら」

「出来てるか、出来てねえか、あれを見てたら手前《てめえ》らにも分った筈だよ。その証拠に、輝彦の奴は出てきて何も言わねえじゃねえか。どうもこの頃、君子の帰りが晩いから、これは悪い奴にひっかかったんじゃないかと心配してたんだ。それがよ、何のこたねえ、このお屋敷の坊《ぼ》っちゃんが手出ししてたんだ。おい、日本は戦争に敗《ま》けて、民主主義ってものになったんだよ。泣き寝入りなんかしねえから、そう思ってやがれ」

「でも、まさか、輝彦が」

「何がまさかだ、この婆《ばば》アッ」

私はそこら中にあるもの手当り次第に、旦那と奥方めがけてぶっつけてやったね。壺《つぼ》は割れるし、煙草《たばこ》盆は壊れるし、座敷の机ひっくり返してやったら、物音に驚いて雪子の奴が眼をさましやがったのよ。寝巻のまんま起きてきて、

「お父さま、どうしたの。お母さま、お母さま」

ひいひい泣きやがんの。この雌っ子も君子をこき使いやがって涼しい顔してやがったと思ったから、床の間のもの搔《か》き寄せて次から次へ叩きつけてやった。

奥方は娘つれてあっちへ行っちまったね、慌《あわ》てて、よ。すると旦那は急に小さくなりやがって、

「お夕ネさん、この通りだ。私が手を突いて謝るから、今夜のところは鎮《しず》まってくれないか。もうじき夜が明ける。一眠りしてから、必らずお前の気のすむような解決をするように努力する」

「そう願いたいね。私は警察呼ぶことだって出来るんだがよ、今日までは一宿一飯と思えばこそ、怒るだけ怒らしてもらったんだから、お前さんのいう解決ってもんで、ともかくこのお化け屋敷から逃げ出したいのよ。それにゃあ、先立つものがいるからさ」

私も怒鳴るだけ怒鳴った後で、気がせいせいしたから女中部屋に戻ったが、君子は布《ふ》団《とん》に横になったまま、ぽろぽろ涙をこぼして何も言わないのさ。やっぱり輝彦の奴にやられちまったのだと思うと不憫《ふびん》でさ、私は君子には黙って眠りましたよ。ぐっすりと、ね。眼があいたら、もう君子は出勤してた。

私は君子には何も言わなかったけど、輝彦の方は親に白状したんだろうよ。二、三日のうちに旦那が私を呼んだよ。奥方は後で小さくなっていたね。

「君は、この家から出たいと言っていたね？」

「そりゃ居たくないですよ。第一剣呑《けんのん》だしさ、只働きさせられてりゃ爆発するの当り前だよ、そう思わないかい？」

「君の言うことは確かに一理ある。適当なアパートを見つけて、そこへ君たち母子に移ってもらうことにしよう。アパートの敷金は私の方で出すということで、どうだろうね」

「立退《たちの》き料はつかないのかい？　君子が傷物になった分は、頰っかむりするってのかい？」

「そ、それは」

「どうなんだい？　私の方は表沙汰《おもてざた》にするのは一向に構わねえんだよ」

「か、考えさせてくれ給《たま》え」

「何を考えるんだよォ」

「弁護士に相談して、しかるべき金額をきめるとか、だな」

「弁護士と言われたときゃあ、どきっとしたね。私には前科があるからさ。だから跛の八百屋にもらってもらったのよ。なに、前科といったって、コソ泥だから、高橋お伝みたいに立派なものじゃないけどね。

「ああ、そうかい、弁護士にね。それなら、こっちは警察に駈《か》けこむよ」

強がりを言ったけど、ひやひやものだった。ところが、相手は警察と言う度に震え上がるんだ。

「それは、待ってくれ給え」

「待つわけにいかないね。その間に弁護士に相談するんだろ。その前に、旦那の糞《くそ》ったれ餓鬼を留置場に叩っこんでやらぁ」

「いや、待って下さい。お夕ネさん。なんとか金を作るから、それまでの時間、待って欲しいのだ。お夕ネさんも見る通り、尾藤家は敗戦で尾羽うち枯らしてしまっている。売れるものを何とか家の中で見つけ出して、算段しなければならないのだが、右から左ってわけにはいかない」

「ああ、そうかい。奥さんの指輪や髪飾りはしまいこんどくつもりなんだね」

「まああ」

奥方が声をあげたのは、宝石が惜しかったからじゃない。多分、宝石が金に変ることに気がついたからだと思うよ、私に言われてさ。二人は顔を見合わせてたね。

それから、二、三日たって、また、二人が揃って私に話があるって言うんだ。

「いろいろ当って見たのだが、宝石の買手が見つからない。アパートは中野区に見つかった。敷金と一年分のアパート代は、僕がなんとかする。後は、これだけの物を渡すから、君たちで、適当な買手を見つけてもらいたい」

ルビーの指輪。サファイアの指輪。翡翠《ひすい》入りの髪飾り。角ダイヤの帯止め。エメラルドと真珠の帯止め。

私はここらが手のしめどきだと思ったから、あっさり折れて出た。

「ああ、そうですか。分りましたよ。中野といやあ随分田舎だが、傷ものになった娘を世間から隠すには手頃なところかもしれませんねえ」

尾藤の旦那も奥さんも、ほっとしたようだったね。中野坂上に、ちょいとしたバラック建て二階家のアパートがあってね。そういうわけで私と君子は尾藤さんちにさよならしたんですよ。

ところが、親の心、子知らずとはこのことだね。私が中野に君子を連れて移ってから、事の次第を話したら、君子が怒り出してねえ。

「母ちゃん、それは脅迫じゃないの。輝彦さんと私の恋愛を、お金や宝石でひき裂こうというのは、考えるのも嫌だわ。なんてことをしてくれたの、母ちゃんは」

涙をぽろぽろこぼして詰《なじ》るんだよ。

「母ちゃんがあの家にいたくない気持は私も分るけど、でも、あの貧乏になった尾藤さんの小父《おじ》さんや小母《おば》さんを、私をタネに脅迫《ゆす》ったなんて、私は我慢が出来ない。お金は私が働いて、母ちゃん一人ぐらい暮せるように死にもの狂いで働くから、宝石は尾藤さんに返して頂だい」

「だけど、君子、立退き料は貰って当り前だよ。お前に輝彦の奴《やっ》が手をつけたのだって、立派に金を取る理由になるんだよ」

「輝彦さんは、いい人だわ。手をつけたなんて、人聞きの悪いこと言わないで頂だい」

「お前、あの子に惚《ほ》れたのかい？　まだ学生だよ」

「とにかく、この事で母ちゃんと話したくないわ。恋愛は自由だし、美しいものなんだから、その指輪や帯止めは私が返しに行ってきます。母ちゃんの生き方に干渉しないけど、でも、私はそういうやり方で生きたくないの。清く正しく、夢のある人生が私の理想なんだから」

「何を寝言みたいなこと言ってるんだ。人を見たら泥棒と思えって昔の諺《ことわざ》があるだろう」

「渡る世間に鬼はないっていう諺もあるわ」

「君子、人がいいのもいい加減にしないか。私たち母子はあの家で只《ただ》で女中をしていたんだよ」

「母ちゃんと私は親子なのに、考え方が違うのね。ともかく、宝石類は尾藤さんに返してよ。でなかったら、私はこのアパートから出て行くわよ」

折角、母と子が水入らずで暮せると思ったら、こんなことを言うもんだから、私は魂《たま》消《げ》ちまってね、君子の言う通りにしましたよ。だから、尾藤の奴らは、みんな憎いのさ、私は。アパート代だけで、頰っかむりしてしまったことになるからね。

君子は、よく働きましたよ。昼は勤めに出て、夜は中華料理屋で働いて、くたくたになって帰って来ても、朝はけろっとして元気に出かけて行くの。お金も、私には暮すに十分なだけ渡してくれた。

　だけど、君子がいないし、私は狭いアパート暮しにたちまち退屈しちゃってさ、中野駅前に家政婦募集って広告出てたから、そこへ出かけてって、働くことにした。人手の足りない頃だったから、前歴も何も聞かないで、すぐに働かしてくれた。闇《やみ》成金の家が、宝仙寺のすぐ傍《そば》に新築していてよ、大した景気だった。尾藤なんて家とは大変な違いだ。台所をまかせてくれたけどよ、金に糸目をつけないの。私も元気になっちゃってね、くるくる働いた。その家の旦那は、どうも新宿のやくざと付き合いがあるらしくって、怪しげなのが始終出入りしてたがよ。若い奥さん抱えこんじゃって、これにダイヤモンドなんか次々買ってやってるのさ。

「君子、惜しいことしたねえ。いい買手がいるのに、あの指輪や帯止めを返すことはなかったよ。戦争に敗けてこっち、確かに世の中は、ひっくり返ったんだって思うよ。あの不景気な尾藤の奴らに、爪《つめ》の垢《あか》でも飲ませてやりたいね」

「でも母ちゃんの話聞いてると、こわいわ。昔の癖を出さないでよ」

「なんだい、昔の癖ってのは」

「知らないと思ってるの、私が」

　私はドキッとしたね。君子は本当に賢い子でしたよ。子供だ、子供だと思っていたのに、ちゃんと知っていたんだからね。死んだ父ちゃんと夫婦《ふうふ》喧嘩《げんか》したとき、父ちゃんが私に「前科もん」とか「こそ泥め」なんて言ってたのが、耳に入ってたのかもしれない。

それに、昔の癖は、もう出てたんだ。ある晩、君子の方が先に帰っていたとき、君子は押入れの中に隠してあったスター・ルビーや、真珠のネックレスや、ダイヤのペンダントを畳の上に置いて、私を待ちかまえていた。

「母ちゃん、これは何ですか？」

わが子ながら、怕《こわ》かったねえ。初めて留置場へぶちこまれたときと同じ気持になったの覚えてるよ。十五や六の娘に裁かれてるんだもの。

「あんなに注意をしたのに。こんなことを私の母ちゃんが、するなんて。折角、私が、清く正しくと歯を喰いしばって働いているのに、母ちゃんがこんなことをしているのでは、私の努力も水の泡《あわ》だわ」

「ご免ね、君子。ついつい盗《や》っちまったんだ。もうしないから、家政婦会に頼んで、今と違うところへ替えてもらうから、堪忍しておくれ。私は盗癖はあるけど、それを売って金に変えたりしないから、足がつくことは滅多にないんだよ。君子が心配するようなことはないからさ」

「母ちゃん、これは返していらっしゃい。正直に話して、頭を下げていらっしゃい」

「とんでもない。その方が危いよ。誰も盗《と》られたことに気がついていないのに、そこへこれ持ってって詫《わび》を入れたら、やくざにどんな目にあわされるか分ったもんじゃない」

「それじゃ警察に頼みましょう」

「警察はもっと剣呑だよ。私には窃盗の前科があるんだから、必らずぶち込まれるよ。お前だって親をそんなところへ送りこむ気にはならないだろう？」

「困ったわねえ」

「まあ、これだけは大目に見ておくれよ」

「母ちゃん」

君子が、目をすえて言ったもんだ。

「私は、このアパートを出ます」

「なんだって？」

「母ちゃんと一緒に暮すのは、心がきりきり痛むことばかりで私は前々から耐えがたかったの。私も独立します。生活費は届けに来ますから、家政婦会で働くのはやめて下さい」

「だって私は丈夫で元気で、四十になったばかりだよ。君子のいない間、何もすることがないんだもの」

「編ものでもしていられないの？」

「そりゃ、編ものは嫌じゃないけどさ」

「毛糸は私が買って来ます。この宝石は、私が返してきます」

「やくざがとぐろを巻いてる家だよ。どうやって返すのさ。およしよ、君子」

「母ちゃんが働くのやめてから、匿名《とくめい》で警察へ届けておけば、持主のところへ届くでしょ。上手にやるから、大丈夫よ。それより母ちゃんが怪しいと思われて、このアパートを家探しされて、これが出てきたらどうするの？」

「誰も見つけられないところへ入れといたつもりだがねえ」

「私でも見つけ出したじゃありませんか」

二の句がつげなかった。君子は、それきり中野のアパートへ戻らなくなった。私は、しょんぼりして暮しましたよ。あの子は水色の毛糸を山のように持ってきて、

「母ちゃん、自分のカーデガンでも編んでなよ」

と言ったけど、私は編棒動かしていても溜息《ためいき》ばかり出て来てねえ。情けない思いをしていたんだよ。たまらなくなって、ときどき家政婦会に出て、また仕事したよ。

そうしたらさ、一年たたないうちに、あの子が赤ン坊抱いて戻ってきた。びっくらこいたね。

「誰の子だい。輝彦のやつ、お前を孕《はら》ませてやがったんだね、畜生ッ」

「お願い、母ちゃん、訊《き》かないで。私が馬鹿《ばか》だったのよ」

「男に騙《だま》されたんだろう？　女が一人暮しすりゃ、こうなることにきまってるんだ。流行歌にもいうじゃないか、男はみんな狼《おおかみ》よってよ」

「そんな相手じゃないわ。悪い人ではないのよ。ただ、私が少し愚かだったのね」

「母ちゃんと一緒に暮せば、ここまでいかずに始末できたのにさ」

「でも母ちゃん、子供というのは神様のお恵みでしょう？　始末だなんて、怖《おそ》ろしいこと言わないでよ」

「金もとらずに別れたのかい？　相手は誰なのさ。母ちゃんが掛けあいに行ってやるよ」

「それは、やめて、母ちゃん。私は、この子が授かっただけで充分幸福なのよ。だから、この子を育てて、この子のために生きようと思っているの。相手の詮索《せんさく》はしないで、お願いだから。母ちゃんの孫でしょう？　こんなに可愛《かわい》いのに嬉《うれ》しくないの？」

腹ぼてのところは見せないで、いきなり抱いてきた子を孫だと言われたって、すぐその気にはなれないやね。だけど、孫と三人で暮すのは手狭まだというので、同じ中野の別のアパートの二階に引越したときには、君子の収入《みいり》もよくなっているような気がした。誰かの妾《めかけ》になったのかしらんと思ったけども、親子でもこういうことは訊けないものでね。だけど指折り数えてみると、尾藤の息子の子のような気もするしね、顔も似てるしねえ。私は義彦は、尾藤の息子の子供だと今でも思ってるんだ、少し。

だけど義彦が誕生祝いしたばかりのところで、君子の腹がまたふくらんで来たときは、さすがの私も呆《あき》れてものが言えなかったよ。

「君子、二十《はたち》になるのはまだ先の話だというのに、一年ごとに妊《はら》んだのでは、これから先が思いやられるよ。父親は、義彦と同じかい？」

「訊かないで、母ちゃん」

「また騙されたんだね」

「私が愚かだったのよ。でも義彦にも兄弟がいた方がいいでしょう。私は一人っ子で淋しかったんだもの。産まして頂だいよ、ねえ、母ちゃん、お願い」

「やれやれ。二人でおしまいにしておくれよ。育てるのは大変な手間なんだからね。この年で、二人も子供を抱えこむとは思わなかったよ」

生れて見れば、育ててやれば、やっぱり孫というのは可愛いよ。次男の義輝は、一目で長男と種違いだと見抜けたけど、私は黙って育ててやりましたよ。君子は、産み落すと、またバリバリ働き出したからね。不思議な躰《からだ》だったたね。お産の後、普通はお臍《へそ》の下に茶色い筋が出るでしょう？　それが、あの子は出なかったんだから。腰の形なんざ、死ぬまで処女みたいだったんだよ。自分の娘だけど、あんなに綺麗《きれい》な女は、女優にもいないね。私が男なら、惚れて惚れぬいて締め殺したんじゃないかと思うよ。

あの子は私の忠告に従って、子供は二人きりでやめましたがね、あの子を男ならほっとく筈《はず》がないよ。でも、この道ばかりは親が覗《のぞ》きこむわけにはいかないやね。二人目が誰の子か、その後二十年、どういう男を持ったか、どういう男に持たれたか、私は知らないんだ。

たしか義彦が小学校五年生になってたと思うけど、

「母ちゃん、長いこと苦労かけたけど、なんとか子供のためにいい環境が造れたと思うから、母ちゃんは楽をして下さい。本当に長い間、ありがとうございました」

と言って、孫二人連れて行ってしまった。

それで、私のためには、この家と、裏のアパートを私の名義にして、そこからの上りで私が死ぬまで困らないようにしてくれたんですよ。親孝行な娘じゃありませんか、え？　それを悪女だなんて書きやがった週刊誌があってよ、世間は本当に分らねえもんだと呆れたね。あの子は私と違って、爪の先ほども悪いことは出来ない子だったんですよ。二人の息子が、私のような婆《ばば》アに悪いこと仕込まれたら大変だと思って、連れてったってことは、百も承知、二百も合点だったんだから、私は。

え？　今ですか？

今というより、孫二人いなくなってからずっと、私は何もすることがないから、方々のスーパーマーケットへ出かけて、何かちょろまかして来るのが楽しみでね。腐らないものは、みんな押入れン中にしまってあるんだよ。見てくかい？　フライパンだのポリバケツだの、大きなものが案外みのがされるんだよ。今までに一度も捕まったことがないよ。私がコソ泥でつかまっては、君子に迷惑がかかると思って上手にやってきたからね。

その二十二　テレビ・プロデューサーの話

テレビ朝日の大田です。どうも。

富小路公子について——ですか、参ったなあ。

彼女を最初にテレビにひっぱり出したのは、確かに僕です。事の起りというのは、モーニング・ショーのゲストとしてよく出てもらっている評論家から話を聞いたのですよ。

「大田さん、すっごい女がいるわよ。なんだか分らないけど大金持でね、すっごい美人なの。ドッグ・ショーで知りあったんだけど」

彼女、つまり女性の評論家ですが、犬きちがいと呼ばれてるくらい犬好きで、「犬は私の愛」なんてエッセイ集も出しています。ええ、あのひとです。評論家としては新左翼じみたことを言うので、あまりお茶の間の人気はないのですが、趣味は、愛犬にあけくれて、夫より男より犬の方が可愛《かわい》いと言って、口さえあければ、

「うちのアンジェラがねえ、こんなことしたのよォ」

ってですね、犬の話ばかりする女なんですよ。アンジェラというのはアメリカの黒人

運動の指導者、アンジェラ・デイヴィスの名からとったんだそうですが、僕はその手の運動にも犬にも興味がないから、初めはのらなかったんですよ。

「犬の話かァ。僕は勘弁してもらいたいなあ」

「違うったら。大田さん好みの女性のことを話してるのよ。すっごい美人で、昼間っからダイヤモンドの粉でまぶしたみたいな装《な》りをしてるの。若い人だけど、日本橋に大きなビル建ててね、レストランから宝石屋から、画廊まで経営してるんだけど、何から何まで豪華版なの。あんなに若いのに、どうして、あんなにお金があるのかしら。とにかく水みたいにお金を使ってるのよ。一度、会ってみない？　女が大金持になる方法なんて聞いてみたいわ」

「女が大金持になる方法」というのは、タイトルとしてもいけると思いました。

「幾つぐらいの女ですか？」

「そうね、若く見えるけど、三十ぐらいじゃないかしら。ＡＫＣの血統書つきのマルチーズで、優勝したときなんか、圧巻だったわね。まるで女王さまが、純白の犬をつれて散歩しているみたいだった。大田さんは犬が嫌いだっていうけど、犬のコンテストで優勝するには何百万ってお金がかかるのよ。馬で言えば調教みたいなことするために、ハンドラーに訓練させるのね。彼女自身がハンドラーとして一人前になるためには、閑《ひま》がうんといるし、ドッグ・ショーの場数も踏まなきゃならないし。純白のマルチーズで、大田さんが見たって、しばらく茫然《ぼうぜん》とするような綺麗《きれい》な犬よ。私のアンジェラなんて、足許《あしもと》にも及ばないわ。第一ね、その犬のアクセサリーが全部本物のダイヤモンドなのよ」

「名前は、なんていうの？」

「富小路公子、お公家《くげ》さんみたいでしょ？」

「ちょっと、うさん臭いなあ」

「田園調布に、すっごい家建てて住んでるわよ。私は優勝祝いに招待されて行ったんだけど、コックがいて、本格的なフランス料理で、すっごくおいしいの。あんな大きな家、私、見たことないわ。ハリウッドの女優みたいな暮しっぷりよ。どの部屋もシャンデリアだらけでね。トイレの中も、見上げるとシャンデリアが輝やいているのよ」

「ふうん、成金趣味なんだね」

「そうじゃないってば。シャガールの本物が応接間にかかっているし、硝子《ガラス》のケースの中には古代ギリシャの壺《つぼ》なんか幾つも飾ってあるの。紀元前のものなのよ。彼女の指輪が、また、すっごいの。私が、いつも素敵な指輪していらっしゃいますね、それは何ですかって言ったら、ああ、これ、お気に召しまして？　差上げますわって、指から抜いてくれるじゃない。仰天したわよ。宝石屋に持ってって値段を訊《き》いたら、ゴールデン・サファイアですが、これだけ大きいのですと三百万円はいたしますって言うのよ。それが、これよ」

「三百万円？　滅茶苦茶だねえ」

「ね？　一事が万事そんな調子らしいの。私なんて、三百万円の貯金もないから、貰《もら》ったけど、こわくって、今日思いきってはめてきたんだけど目立たなかった？」

「気がつかなかったなあ」

「そうでしょうねえ。私に宝石が似合う筈《はず》ないものねえ」

「あなたの主義主張から言っても、似合う筈がないんじゃないですか？」

しかし、三百万円の宝石を、一、二回しか会ったことのない女に、ぽいとくれてやる女というのは確かに凄《すご》いと思いましたよ。

調べてみると、日本橋に大きなビルがあって、経営者は若い女で、名前は富小路公子。富小路事務所に電話を入れると、秘書が男も女もいて、用件をしつこく訊くんですよ。

「テレビ朝日のプロデューサーが電話してるんだから出演依頼にきまってるじゃないですか」

って言うと、

「社長に伝えまして、折返しこちらからお電話差上げます」

と、まあ口調は丁寧でしたね。女流評論家の名前を出して、とにかく一度会いたいのだと言っときました。

午後になって、当人から電話がかかって来ました。

「私が不在でございましたので、不調法があったのではございませんでしょうか？」

「いやいや、そんなことはありません」

「私がテレビ局からお電話頂くのは初めてのことでございましたから、どうしてよいのか分らなかったらしいんでございますの。私も、実はよく分りませんのよ。御用向きを、おきかせ下さいませんこと？」

「出演を、お願いしたいのです」

「まああ」

病気でもしているのか、声が弱々しくてですね、どこか躰《からだ》の悪いひとかと思いました。が、ともかく会ってみないことには話になりませんからね、どういう形で出演してもらうか、話をさせて欲しいと言ったんです。

「それでしたら、明日の午前、さようでございますね、十一時に私の家までお越し頂けますかしら？　田園調布なんでございますけれど。お迎えの車を差上げますわ」

「いや、車は結構です。では午前十一時に御自宅に伺います」

モーニング・ショーは八時半から九時半までの生番組《なまばんぐみ》なんです。その後すぐスタッフ会議に入るんですが、僕は十時に車に飛び乗って田園調布の富小路御殿に出かけました。まあ、聞きしにまさる凄い家で、玄関のホールには女執事とでもいうんですかねえ、紺

のロングドレスを着た大女が胸を張って待ち受けていまして、

「テレビ朝日の大田様でいらっしゃいますか？　ようこそおいで下さいました。こちらへお通り下さいませ。若奥さまに申上げて参ります」

重々しい口調で言うんですよ。

シャンデリアが天井一面からぶらさがっている、大広間みたいな応接室で、コーヒーが出る。ケーキが出る。運んで来るのは水色のワンピースを着たメイドなんです。それから一時間、誰も何も言って来ない。僕は腹がすいてきたせいか、苛々《いらいら》して時計を見たり、ケーキを喰ったりしていたんですが、しびれが切れてですね、立ったり坐《すわ》ったりしていました。窓の外には、林が、ええ、庭というより林がひろがっていて、田園調布というより、軽井沢あたりにいるような気がしました。家の中には見れば見るほど、金のかかっているらしい調度が揃《そろ》っているんです。しかし、局から田園調布まで車を急がせて指定の時間通りに訪ねて来ているのに、一時間も待たせるのはひどいじゃないですか。ところが、玄関の方のドアを開けても人っ子一人いないし、どこにもベルがないんです。何しろ天井は高いし、シャンデリアですからね？　だんだん心細くもなって来ますよ。

そこへ女執事が、跫音《あしおと》もせずに顔を出して、

「お待たせ申上げました。どうぞ、こちらへお出まし下さいまして」

と別のドアを開けて、先に立って案内しました。後について歩いて、僕はその家や庭

の広さに驚嘆しました。

「この家は、どのくらいの坪数ですか？」

「敷地は一万坪にちょっと足りないのでございますけれども、お屋敷の方は四百坪より少々お広うございます」

「家族は何人ですか？」

「そういうことは、どうぞ、若奥さまに直接お尋ね下さいまして」

いったい富小路公子というのは何者だろうと、僕も好奇心が募ってきましたよ。入口は洋館だったのが、だんだん日本式になってきて、一間幅の長廊下を歩いていたんですから。そこで、御殿の一間みたいなところへ通されました。また小一時間待たされたものですから、その部屋が十八畳もある大広間だったこと覚えています。

僕は気の短かい男ですから、もう帰ってやろうかなと思い始めたとき、そのタイミングを待っていたように、するりと目の前の金襖《きんぶすま》が開いて——そのときの僕の印象ですが——十二単《じゅうにひとえ》を着たような女が、現れたんですよ。

「富小路でございます」

僕は、病人かと思った。顔色は白いというより蒼《あお》ざめていて、息をするのも苦しそうなんですよ。こんな女が、どうして金儲《かねもう》けなんか出来るんだろう。

「顔色が悪いですね」

「低血圧だものですから、朝は起きるのがつらくて」

「実はモーニング・ショーに出演して頂こうと思って伺ったんですが、いつも、こんな時間ですか、起きるのは」

「仕事のあるときは、そんなこと言っていられませんから、五時頃起きてしまうこともございます。でも、私、テレビで、何を致しますの？」

「大変お金持だという噂《うわさ》を聞いて来たのですが、女が一人で金儲けをするというのは、さぞかし難しいものではないかと思ってですね、その体験談とか、方法を具体的に話して頂けると有りがたいのですが」

「まあああ」

いきなり、はらはらと涙をこぼして黙りこんでしまったから、僕は思わず息を呑《の》みました。

「私、本当に、ひとりでここまで無我夢中でやって来ました。若かったから出来たのかもしれません。世の中のこと、よく分らずに遮二無二《しゃにむに》生きて来たのです。でもテレビに出るなんて、そんな派手なこと、私に出来ますかしら。私、どちらかといえば、アカデミックな女なんです」

か細い声で、一句々々静かに考えながら話すんですが、アカデミックな女が、自分をアカデミックと言うでしょうかねえ。

「アカデミックとは、どういう意味ですか」

「私、めだちたくないんですの。出来れば静かに書斎にひきこもって、本を読んで暮していたいのですけれど、ついつい仕事が多くなりまして、一つ会社を作れば、社員やその家族のことを考えてあげなければなりませんでしょう?」

「会社は幾つぐらいあるんですか」

「三十八でございます、小さなものばかりですけれど」

「どういうことがきっかけで、事業を始められたのですか」

「夢と現実が違うからですわ。生きるために激しく働かなければならなかったのですわ」

「つらいことが有ったですか、女として」

「ええ、もう、それは」

そこで、また、涙、涙。僕は、これは一応の絵になると思いました。あんまり期待は出来ないと思っていたんですがね、最初は。しかし正直言ってモーニング・ショーは、月曜から金曜まで毎朝放映する生番組ですから、ネタ切れになることはざらだし、企画もマンネリ化しますしね、なんでもいいから、この女は口説き落しておいて、出演させてしまおうと思いました。

「それをテレビで、日本全国の女性にですね、金儲けというのが、実際はどんなシビアなものか話して下さいませんか」

「私が、お役に立てますかしら。失礼ですけれど、私、テレビは滅多に見ませんのよ」

「大丈夫です。僕にまかして下さい」

「考えさせて頂きますわ」

ここで彼女、また黙ってしまったんです。僕も黙っていました。腹が空《す》いてたまりませんでしたが、こういうときは正念場ですからね。しかし長い沈黙にたまりかねて、僕は、つい先に口を切ってしまった。遠くでしきりと鳥の鳴くのが聞こえたからです。

「鳥がいるようですが、庭が広いから野鳥も沢山来るんでしょうねえ」

「あれは、カナリアでございますの。カナリア、お好き？」

「は、はあ」

「御案内いたしますわ」

それまで彼女が抱いていたものは縫いぐるみだとばっかり思っていたんですが、

「さあ、光子ちゃま、カナリアのところへ行きましょうね」

と言うと、そいつが先に立って歩き出したんですよ。

「ああ、その犬ですか、コンテストで優勝したのは」

「まあ、光子のことまで御存知ですの？　よかったこと、光子ちゃま。御機嫌ようをして御挨拶《あいさつ》なさい」

まっ白なマルチーズが、足を止め、僕を振返って片方の前肢《まえあし》を上げました。蹠《あしうら》がまっ黒でした。

「へえ、芸が出来るんですね」

「光子ちゃま、よくいらっしゃいました、は？」

犬が、前肢を二本とも上げてバンザイをしましたよ。

「広い家ですね」

「光子が運動不足にならないようにと、お医者さまから御注意があったものですから」

どこの世界に、飼犬の散歩用に大きな家を建てる物好きがいるだろう。僕は、頭に来たなあ。カナリアは、いったいどこにいるんだ？

「こちらが中庭なんでございますけれど」

窓を開くと、中庭が一つの巨大な鳥籠《とりかご》になっていて、カナリアが、まっ黄色の鳥が、どんな具合に飛んでいたと思いますか？　目の前一杯に、何百羽と飛んだり啼《な》いたりしていたんですよ！

「大田さん、お食事はいかが？　私、朝の御飯まだ頂いてないんですの」

「そうですか。僕は、昼飯が、まだです」

「まあ。それでしたら御一緒に」

「いや、時間がもうありませんから、これで失礼します」

「すぐ作らせますわ。サンドイッチぐらいでしたら。よろしいでしょう？」

腹がへっていたもんだから、御馳走《ちそう》になろうとつい思ってしまったのが運のつきですよ。シャンデリアのぶらさがった食堂で、それから待つことさらに一時間、もう帰ろう、もう帰ろうと席を蹴《け》って立とうとした頃になって、大きな銀製の盆にですね、盆といっても大きな大きな楕円型《だえんけい》の、いかにも高そうな銀細工の盆にですよ、二十人分ぐらいのサンドイッチが山盛りになって運ばれてきたんです。

「大田さん、およろしいのをお取りになって、どうぞ」

ぼくは貪《むさぼ》るように喰いましたがね、彼女は一切れとっただけで、あとはゆっくりとコーヒーを飲んでね、目を細めて僕の様子を眺めて、言いましたよ。

「私、男の方でよく召上る方、大好きですわ」

「そうですか。それではテレビに出て頂けますか」

「はい。大田さんのためになら、なんでも致しますわ」

それで次の週「女が大金持になる方法」という特別番組を企画したのです。なにしろ生放送ですから、一時間も待たされたらモーニング・ショーは終ってしまう。担当者には二時間も前から迎えに行かせました。彼女は、しかし局から廻した車には乗らず、メルセデス・ベンツで乗りつけましたよ。リンカーン・コンチネンタルじゃなかったか？いや、来る度に車種が違ってました。リンカーン・コンチネンタルで来たこともありますが、一番最初はメルセデス・ベンツです。それも銀色の、輝やくような車でした。

それと前後して、医者と看護婦が、え？　獣医じゃありませんよ、どうしてですか。内科の医者だったと思いますがね。それが、待合室のソファに彼女を寝かせて血圧を計り、それから馬にでもぶちこむような大きな栄養注射をしました。ええ、静脈に。

それからですね、美容師とメーキャップの専門家と、それから有名なデザイナーが、弟子たちにドレスを持たせて駈《か》けつけましたよ。

出演前の打合せの間中、彼らが彼女を撫《な》でまわして、大騒ぎをするんです。どんなスタアだって、あんなに付人の多いのは見たことがないですよ。アラン・ドロンみたいな若い男も、つきっきりでした。

注射が効いてきたせいか、彼女はこちらの注意や打合せには、

「はい、分りました」

「そうですか。そう致しましょう」

と、口調も田園調布のときとは別人のようにピシッ、ピシッと相槌《あいづち》を打つし、これなら安心だと思いました。

「富小路さん、生番組ですから時間に制限があって、このところは四分で、苦労話をして頂きたいんです」

「四分ですか。では一番辛《つら》かったときのことを申しますわ。インタビュアーは、どなた

でしたかしら」

「僕です、溝口です」

「まあ、溝口さんって、あなたでしたの。大変人気がおありになるんですってね。女の社員たちが口々に素敵だって申してましたわ。どうぞよろしくね。私、テレビって、初めてですもの、どうしていいか分りませんから」

スタジオに入っても、言われたところに行儀よく坐《すわ》るし、しかし最初から堂々たるところがあって、初出演とか素人《しろうと》のおどおどしたところはまるでなかった。これなら、まあ手に汗を握るような失敗もないだろうと僕は一応安心して調整室《ミキサールーム》に入ったんです。ところが本番になったらですね、打合せた通りのことは何一つ言わないんですよ。

「苦労ですって？　いいえ、私、ただ運がよかっただけですわ。皆さんが私を信用して下さって、いつの間にか、いろいろな会社を経営するようになっていたんですの」

溝口君が、仰天して、でも喰いさがりましたよ。

「しかしですね、女ひとりで大金持になる、何十という会社の社長になるというのは、並大抵の御苦労ではなかったでしょう？　そこを話して頂けませんか」

「愛ですわ」

「え？」

「私、苦労は致しませんでした。ただ、多くの方たちに愛を持って接しました。ですから、愛ですわ。今のようになれましたのは。皆さんに愛されて会社も社員も、私も育ちました。夢のようですわ」

何をどう訊《き》いても「愛ですわ」とか「夢ですわ」ですからねえ。それで金儲けの具体的な方法は何も言わずに持時間が過ぎてしまった。溝口もディレクターも茫然《ぼうぜん》としていました。僕は舌打ちをして番組が終ると駈け降りて、

「富小路さん、なんのために打合せをしたと思うんですか。話がまるっきり違うじゃないですか」

怒鳴りつけたんですよ。

「まああ。私、打合せの通りに一生懸命やりましたのよ。ねえ、溝口さん？」

「は、はあ」

「ほら、溝口さんも、こう仰言《おつしや》ってらっしゃるでしょう？」

ところが、反響がもの凄かったんです。これは全く予想外でした。電話は番組終了の前後からジャンジャンかかって来るし、もちろんその中には彼女の友だちからの電話もありました。しかし大方は「いやなニュースの多い昨今、春の花を見るようで心が和やかになる」「大変よかった。心が綺麗《きれい》になった気がする」「富小路さんには、ちょくちょくテレビに出てもらいたい。一ぺんでファンになってしまった」「気持のいい朝でした。これから一日中いいことがあるような気がします。富小路さんに、ぜひまた出演しても

らって下さい」というような具合なんです。投書も、山のように届きました。もともと、うちの局では視聴率バッグンの番組なんですが、あんな反響は番組始まって以来ですよ。しかし、中には彼女に対する悪意にみちた投書も混っていました。

「富小路公子の前身が何か、よく知っての上で出演させたのですか。彼女が、何によって金持になったか、本当のことを知ったら、出演させられる筈《はず》がない。テレビ局の良識を疑います」

というのや、

「彼女が、もぐりの金融業、つまり高利貸しをしている事実を知っていますか。悪辣《あくらつ》非道《どう》というのは、あの女のことです。調査して彼女の過去を暴《あば》く方が、社会派のモーニング・ショーにふさわしいと思いませんか」

「富小路公子によって、人生を泥沼に叩《たた》き落された人間を知る者にとって、あの女のテレビ出演は許せません。白昼堂々と道を歩ける筈のない人物なのです。貴社の良識にかけて、善処されることを望みます」

という具合のものなのですが、いずれも匿名《とくめい》ですから、こちらから問い合せることができない。しかし、捨ててもおけませんから、彼女の戸籍謄本《とうほん》を取り寄せ、彼女が関《かか》わりを持っている会社の内情は一応調査しました。その結果、ペンネームの類《たぐい》だと思っていた姓名がやはりそうで本名が鈴木公子であることも分りましたし、彼女の経営している会社の数は僕らが想像していたより多いことも知ったわけです。

テレビ出演者に対しては、虫が好かないとか、感じがよくないというだけで、嫉妬《しっと》まじりの悪口雑言が飛んで来るのはよくあることなので、社として調査できた範囲内で、僕は彼女を信用することにしました。

二度目の出演交渉は、前のディレクターに行かせました。投書の山を持たせてです。

「まああ。嬉《うれ》しいわ。私、きっと不合格だったのだろうと思ってましたのよ。だってプロデューサーの大田さんが御機嫌が悪かったでしょう？」

「今度は、〝働く女にとって男とは〟というテーマです。評論家や月給取りとか各種の職業で男の壁にぶつかって、男女平等ではない現実の社会を糾弾しようという狙いなのです」

「結構ですわね。本当に日本は、女が仕事をするには社会がきびしすぎますもの」

ということで、第一回から、二週目に、うちの局に再出演ということになりました。

犬好きの例の女性評論家も、同じ座談会に出演するように交渉したところ大喜びで、

「私、あの指輪はめて出ようかしら、どうしようかしら」

なんて、僕に電話で相談してくるんです。

「似合わないからって返したらどうですか」

と言ってやりましたが、それがこたえたとみえて、指輪をしてきませんでした。

その日も例によって、医者に看護婦、美容師にアラン・ドロン。それからデザイナーが派手なドレスを運びこんで、出演前の打合せも、彼女の方は人だかりしていて、他《ほか》の出演者とは最初から歯車が合ってなかった。しかし、ときどきは意見を訊かれると、真《ま》面目《じめ》に肯《うなず》いて、

「本当に、その通りでございますわ。女が一人前に仕事を致しますと、男は団結して妨害しますのよ。私も今日まで、どのくらい泣かされたか分りませんわ。宮武先生の仰言る通りでございますわ」

という調子でした。いわゆる婦人運動の連中も出席していましたから、かなり過激な女性解放論者もいたんですが、富小路さんは一々ごもっともという表情で肯いていましてね。

だから、ですね、本番になって彼女が、

「でも、愛じゃございませんかしら」

って言い出したときは、みんな息を呑《の》んでしまったんですよ。それまでほとんど発言しないで、「男社会をまず粉砕せよ」なんていう勇ましい意見が激しく展開された後でしたからね。

「愛って、なんですか富小路さん」

一人の出席者が、とにかく話のツギホを作ろうと努力してくれたんですが、それから

後はすっかり彼女のペースに巻きこまれた形になっちまいました。

「男と女とは、違うと思いますの。男女平等というのは、むしろ穏健な考え方ではございません？　本当に平等になるためには、男と女の間に、愛がなければいけないと思いますのよ、私」

「愛って、セックスですか？」

「まああ。そういう意味ではございませんわ。信頼という言葉に置きかえてもよろしゅうございましてよ。男も女も、互いに人間として平等であるためには、愛と信頼があって初めてスムーズに仕事が出来ると思いますわ。少くとも、私の場合は、いつも男性を信用して仕事をまかせてきましたし、男の方たちにも信用されたので仕事も順調に伸びたのでございますわ」

「だけど富小路さん、あなたは、女が仕事をすると男が団結して妨害すると仰言ってたじゃありませんか、打合せのときに」

「愛の裏返しは嫉妬でございましょう？　敵視されるのも、やはり愛の一種ですわ。私、そう思って耐えましたし、でも私は裏も表もなく愛で対処しましたの。そうすれば、男の方たちも、いつかは軟化しますわ。私が申上げたいのは、男と女は対立する関係ではなくて、協調するのが本来だということなんですのよ。だって、この世の中には、男と女しかいないのですもの。喧嘩《けんか》するより仲良くするために、どちらも努力すべきですわ。

その拠《よ》りどころが、愛ですわ。愛なのですわ」

二度目だというのに、彼女はもう一流のタレント並みに秒読みをしていました。だから、この座談会は彼女の演説で締めくくってしまったというわけですよ。

またまた電話は、鳴りっぱなしで、「富小路さんの言う通りだ」「ぎすぎすした女たちは見習ったらいい」「男と女は違うって、本当にその通りですよ。女の評論家たちには、前から不満だったんです、私は」「リブの人たち顔色なしでしたね。痛快でした。女を捨てて男と闘うなんて、ナンセンスですよ、本当に」「富小路さんに、もっともっと出演してもらって下さい」「富小路さんの着ていたドレスのデザイナーは誰ですか」「富小路さんの指に光っていたのは本物のダイヤモンドでしょう？　何カラットですか？　次は富小路さんに宝石の話をして貰《もら》って下さい」といった塩梅《あんばい》ですよ。

他の出演者は一同しらけて帰りましてね、彼女だけ御機嫌で、待合室に戻ると長い時間をかけて化粧直しをしていました。何しろ他の出演者は素顔で出ているのに、彼女は付け睫《まつげ》毛までしてましたからね。映像でも実際より、はるかに若く美しく画面に出ていました。正直な話、僕も彼女の意見には喝采《かっさい》を送りたかったですね。

「今日はよかったですよ、富小路さん」

「まあ、嬉しいわ。大田さんに褒めて頂けて」

番組終了後、スタッフ会議が始まるんですが、そこへ「モーニング・ショーの皆様へ・富小路公子より」という大きな箱が届きました。なんだろうと思って開けてみると、盥《たらい》ほどもあるチョコレート・ケーキなんです。たまげましたね。この頃はタレントの結婚式にウェディング・ケーキなんてエッフェル塔みたいのが出ますが、あれは大方は偽物《にせもの》で、切るところだけカステラを入れてあるらしいんですがね、富小路さんから届いたのは、大げさに言えば佐渡の盥船ぐらいでかいものでしたが、全部本物のチョコレートと生クリームをふんだんに使ったケーキでした。スタッフの中に喰いものにうるさい奴《やつ》がいたんですが、

「うまいなあ。このショコラは匂《にお》うし、苦味があって、本場で食べてるみたいだ。大田さん、これは食べなきゃ損ですよ」

と言うので、僕も口にしましたが、味覚にはあまり自信のない僕も、一瞬呆然《ぼうぜん》としましたね。これがケーキと言うなら、洋菓子屋で売ってるケーキは偽物だと思いましたよ。

「うまいねえ、これなら甘いもの嫌いの奴でも喰えるなあ」

「材料が贅沢《ぜいたく》なんですよ、きっと。店で売るとしたら高くついて、商売にならないんじゃないですか。僕らのために特別に作らせたんでしょう」

「女性の視聴者には本能的に分るんだろうな。彼女のこの贅沢ぶりが」

「憧《あこが》れなんですよ、団地の主婦たちにとって。高度経済成長といったって、経済大国日本の民度は相変らず貧しいものなんだから」

「家庭の主婦たちは保守的な生活者だから、リブに対する反感が、彼女の方へ反動的に共感したのじゃないかな」

富小路公子が、他局にもちょくちょく出演するようになったのは、それ以来です。相変らず、例の口調で「愛ですわ」「夢ですわ」とやってましたが、一種の教祖的な魅力があったんじゃないですか。彼女をレギュラーにしようとしている昼番組があるのを聞きこんだときは、僕はすぐ彼女の事務所に電話をして、それはやめて欲しい、レギュラーになりたいなら、うちの局で何か考えるから待ってくれと言いました。

「まああ。私は仕事がありますもの。レギュラー出演なんて、とても無理ですわ。大田さんの仰言ることは分りました。テレビ朝日に優先的に出して頂くことに致しますわ」

と、調子のいいこと言ってましたが、相変らず、いろいろなチャンネルにゲスト出演はしていたようです。

ドッグ・ショーを取上げるとき、日本愛犬家協会の会長をしている、元女優さんと、彼女の対談を企画しました。どちらも自慢の愛犬を連れて来てほしいと申入れまして、彼女も快諾したんです。

「まああ。光子のテレビ出演ですの？　それじゃ今からお化粧《グルーミング》にかかりますわ。アクセサリーは何がよろしいかしら。エメラルドが案外似合いませんの。ルビーずくめにしてみましょうかしら」

ところが、です。ところがですよ。当日、彼女は手ぶらで来てしまったんです。相変らず、美容師やら、医者やら、デザイナーにアラン・ドロン、いや小島っていう「東京レディス・クラブ」の支配人ですか。そういう取巻きは早目に局に来て待ち構えていたんですが、肝腎《かんじん》のマルチーズという犬が来ない。

「どうしたんですか、犬は」

僕が詰問《きつもん》すると、彼女は化粧の途中でしたが、

「光子、死んだんですの」

と言って泣き崩れてしまったんです。僕は言うべき言葉がなかった。別室では、愛犬家協会会長が、チワワを抱いて、これも負けじとメーキャップに精を出しているというのにですよ。

「いつ死んだんですか？」

「昨夜。私、一睡もしてないんですの」

「どうしてそれを僕らに連絡してくれなかったんですか」

「連絡？　まああ。そんなこと思いつく余裕なんてありませんでしたわ。大田さんもご覧になったでしょう？　あの美しい光子が、死んだんですのよ。私、これから先、どうして生きていったらいいのか、ああ、分りませんわ」

僕は馬鹿々々《ばかばか》しさと腹立ちで、眩暈《めまい》がしそうでした。本番は間近かに迫っているのに、

「愛犬を語る」という対談で、片方はその愛犬が死んだばかりだと言うのでしょう？

医者は血圧計を見て、

「どうなすったのでしょう。上が八十しかありませんよ。よほどお疲れになっているのですね」

と眉《まゆ》をひそめながら、例の太い注射を静脈にぶちこんでましたよ。

もう仕方がない。対談の相手には何も言わずに、いきなり会わせて本番に入ろうと、溝口君も決死の覚悟でしたよ。果して、参議院議員もやったことのある、元女優、愛犬家協会会長は、

「あら、犬はどうなさったの？」

と、いきなり訊《き》きましたね。

そうしたら彼女は、また、わっと泣き崩れてですね、

「死んだんですの、昨夜、ジステンパーで」

「まあ、本当ですか？あのマルチーズが？　ドッグ・ショーでチャンピオンをお取りになった、あのお犬ちゃんが？」

「はい、死に、ま、した……私、もう、昨夜から、少しも、眠っておりませんで」

「お幾つでしたの？」

「満四歳になったばかりでございました」

「まあ、人間でいえば女ざかりですのに、惜しいことなさいましたね。予防注射はなさってなかったんですの」

「注射は、してありましたの。毎月、一度は専門のお医者さまに健康診断して頂いてましたし、健康で風邪もひいたことがない子だったのですけれど。それが……きっと私がいけないのですわ。私が、不注意だったのですわ……」

十三分間の予定時間は、よよと泣き崩れた彼女が、涙ながらに物語る愛犬光子のことに終始して、会長さんの膝《ひざ》の上のチワワは所在なげでした。カメラは生きているチワワと、在りし日のマルチーズの写真を交互に映しましたが、小さくて毛足の短いチワワと、死んでしまったという純白の被毛に掩《おお》われたマルチーズでは、何しろ較《くら》べものになりません。会長さんは貰い泣きしていましたが、テレビが終ると逆上して、

「私、なんのために出て来たことになるのッ。まるで訊き手じゃありませんかッ。馬鹿にしているわッ。私の社会的な立場を考えて頂きたいわッ」

ディレクター相手に爆発してしまったですよ。こちらの手落ちではないのですが、ともかく彼女が怒るのは当然だし、心中お察しするに余りあるものがありましたからですね、平謝りに謝ってお帰り願ったんですが、富小路公子に関して言えば、一事が万事こういう調子でしたよ。

えッ、本当ですか？

あの犬、まだ生きてるんですか？

信じられないなあ。僕ら、仕方がないから香奠《こうでん》みたいなもの届けたんですよ。そしたら香奠返しにですね、スタッフ全員に「志」と書いた装身具を、男にはネクタイピン、女にはペンダントを届けて来ました。小さいけれども、全部ダイヤモンド入りでね。すぐ宝石屋に鑑定して貰った奴がいましたが、本物のダイヤモンドでしたよ。

分らないなあ、あの人。どうして嘘ついたんだろう。本当に、涙まみれになって泣いたんですよ。女優だってあんな迫真の演技、出来ないですよ。

彼女が死んだ理由ですか？　僕に分るわけないじゃないですか。犬が死んだのを今日まで信じて疑わなかったんですから。驚いたなあ。へええ、あの犬、まだ生きてるんですかあ。

え？　あの犬が癲癇《てんかん》持ち？

分った。だからテレビに出せなかったんだ。スタジオのライトは強いし、人間でもその持病のある人は、初出演となると緊張のあまり発作を起して口から泡《あわ》を噴くことがあるんです。しかし、それなら別の理由をつけてでも出演を断ればいいのに、引受けておいて、それで土壇場では死んだと言って泣いたんですからねえ。関わりあいのない人には面白い話かもしれないけど、たまったものじゃないですよ、関係者は。

そうですか、あの犬は、生きてるんですか。驚いたなあ。

その二十三　小島　誠の話

富小路公子について——僕、何も知りませんよ。

僕は「東京レディス・クラブ」の支配人で、社長とは、そのォ、社長と社員という関係にすぎません。僕の年齢ですか？　二十七歳です。もちろん掛け値なしですよ。本当です。昭和二十五年生れですから。大学を出るとすぐ此処《ここ》に正式に就職しましたが、学生時代はアルバイトでパートのトレイナーをしていました。大学は体育大学出身です。アルバイトとしては最高にペイがいいので、本当に助かりました。僕は親が貧しいし、兄弟が多いもので、早くいい就職口を見つけたかったんですが、僕らのような体操学校の出身といえばせいぜい体操の教師でしょう？　学校の給料なんてしれてますから、ここにアルバイトに来ているときから、卒業したら就職したいと思ってました。だから僕は、誘惑には負けなかったんです。彼女は、いや、社長は、お客さまと醜関係に落ちたトレイナーは即刻クビにしてましたから、何より社長に気に入られなくては就職出来ないと思っていたんです。まあ中学生の頃から、女に騒がれるのには馴《な》れてましたし、ここに来る女たちは、いえ、当クラブにお出《い》でになるお客さま方は、どちらかといえば中年の、それもかなりお肥《ふと》りになった方が多いものですから、食事に誘われても、ちっとも嬉《うれ》しくなかったし、断るのは造作もありませんでした。「お客さまとの個人的なおつき合いは、社長から堅く禁じられておりますので、どうぞ悪しからずお許し下さい」と、丁寧に繰返していればよかったんです。しつっこいお客さまも随分ありましたが、でも僕は彼女が、いや、社長が、ときどき食事に誘ってくれる方が嬉しくて、彼女に、いや社長によく思われたい一心でしたから、どんな誘惑にものりませんでした。社長は常々、「ホスト・クラブじゃないのよ、あなた達は正業についているのよ。プライドを持って働いて下さいね」

って言ってましたし。

だけど、しつこい女が多かったのは事実です。いきなり自動車くれるというので、飛びついてしまったトレイナーもいたし、このクラブは大金持の女が会員ですから、プレゼントの類《たぐい》も、そこらのホスト・クラブより桁外《けたはず》れだったんじゃないですか。僕もパテックの時計だとか、ロベルタのネクタイとか、断っても断っても受付に置いて帰る客がいるもので閉口したものですが、どうしても断りきれなかったときは、一々品物を彼女に、いや社長に見せて、

「誰それ様が、これを置いてお帰りになりました。お断りしたのですが、御機嫌が悪く

なりそうなので一応お預りしたのです。どうしたらいいでしょうか」

とお伺いをたてました。そうですね。一番しつこかったのは――ここだけの話ですが、旧華族とかいう烏丸様でした。あの方は、露骨なことを平気で口に出して、

「あんた、新橋の東千代《はるちよ》の相手もしたんじゃないのかい？　社長なんて、お公《きみ》のことなら心配しないでいいよ、私が言っとくよ。私なら、お公だって怒らないから大丈夫だよ。一晩つきあいなよ」

なんて、クラブのフロントで大きな声でおいでになる度に仰言《おつしや》るのには参りました。いえ、あの方はプレゼントは何も下さいませんでした。

「私だってね、捨てたもんじゃないよ。試してご覧よ。味はいい筈《はず》だよ、自信があるさ、芸者より。人生なんて楽しまなきゃ、嘘《うそ》じゃないのさ」

あの方が旧華族だなんて、僕には到底信じられません。

社長には一々報告していました。七階の富小路事務所というのが、つまり社長室でして、十時にクロークが閉ると、運動室もサウナも僕自身で点検してから、その日の御利用客の名簿を持って、ビジターから受取った現金とあわせて社長に届けるのが、僕の仕事でした。

烏丸さんの話をすると、

「まあ。信じられないわ、あの方が」

と、彼女も、いや社長も驚いていました。

ええ、僕が、体操のトレイナーから支配人に抜擢《ばってき》されたのは、大学を卒業して正式に就職すると間もなくです。だから、彼女が死ぬ前の四年間が支配人です。今も、「東京レディス・クラブ」は黒字ですから、僕が切り廻しています。彼女の死後、経営者が変ったので、このビルの中の他の店はヒイヒイ言ってるようですが、僕のところはずっと前から独立採算制になっていたし、このクラブに関しては僕は経営者の一人になっていましたし、彼女が死んでも僕が困ることは何も……。

だけど、僕、本当はショックを受けていないと言えば嘘になります。事件のあった後、警察から随分取調べを受けましたが、僕は完黙しました。いや、言えることは全部話しましたが、言うと損になりそうなことは言わなかったんです。だって、これは憲法でも保障されている自由でしょう？　僕が彼女を殺したなんて疑われるのは堪《たま》りませんからね。

聴いて下さいますか？

誰かに言わずにはいられないことが、実は、あるんです。

僕たち、婚約してました。

あの日から十日後には、ハワイで結婚することに決っていました。彼女は二度目の結婚だからと言って、ええ、再婚だということも、子供が二人いることも、僕には隠していませんでした。だけど、年齢については、昭和二十一年生れだと最初から言ってました。

アルバイトで面接試験を受けたとき、

「まあぁ。私より四つも若いの？　まあぁ」

と言ってましたから。

僕はこのビル全体の経営者が彼女だと言うことは知ってましたから、二十代で一人前の実業家になっているのかと、そのときは却《かえ》って驚きました。女社長といえば、中年か初老の脂肪のかたまりみたいなの想像するのが普通じゃないですか。だから、若いのと、綺麗《きれい》なのとにびっくりして、合格通知が届いたときは本当に嬉しかったなあ。

支配人に抜擢されたときは、彼女の口癖じゃないけど、夢みたいに思いました。

「僕、若すぎないでしょうか」

「そんなことはありません。私があなたの年のときは、もうこのビルを建てていました。仕事の出来る人間は、三十歳までに手に入れるものの大半は摑《つか》んでいるものですよ」

こう言われたのが、ついこの間のようで、言葉も、鋭い口調も忘れることができません。ええ、凜《りん》とした声でしたね、いつも。

僕と、彼女が結ばれたのは、恰度《ちょうど》四年前です、彼女の死ぬ。富小路事務所は、社長室の隣に、彼女が疲れたときや、考えごとをするために、寝室がありました。彼女は低血圧で、疲れて立っていられなくなると、すぐに医者を呼んで、その部屋で安静をとるのです。僕が支配人になって間もなく、僕がその日の報告をしている最中に、彼女が急に蒼《あお》ざめて、

「小島さん、お医者さまを呼んで頂だい」

と言って、デスクの抽出《ひきだ》しから電話番号を書いたカードを僕に渡して、ふらふらと隣の部屋に入って行ってしまったのです。僕は驚いて、ともかく書いてあるナムバー通りダイヤルを廻し、

「富小路事務所ですが、社長が倒れたので、すぐ来て下さい」

と言いました。

飛んで来た医者も看護婦も、顔を見れば知ってる人たちでした。宝来病院の副院長と主任看護婦です。あのォ、僕がアルバイトしてる頃から、彼女はテレビ出演し始めてましたが、僕、よくエスコートに呼ばれてたんで、知ってたんです。

「血圧が、どうもいけませんね」

看護婦が、彼女の下着をゆるめている間、彼女は死んだようにぐったりしていました。馬の注射？　ええ、綜合《そうごう》ビタミンB_{12}を特に多い目に混ぜて、静脈注射をし、ビタミンEは皮下注射をするんです。前からテレビ出演の前は見馴れていましたが、このときは僕の目の前で倒れたものですから、僕は瞬《まばた》きもしないで見ていました。一点の汚点《しみ》もない

美しい肌に針が刺さるのは、僕自身に釘《くぎ》が打込まれるより辛い思いでした。

帰り支度にかかった医者に、

「先生、あのままで大丈夫なんでしょうか」

訊《き》かずにはいられませんでした。

「もともと不眠症ではいらしたのですが、このところ入眠剤だけでは眠れなくなっていらっしゃいますからね、睡眠不足と運動不足が、低血圧の原因なのです。運動なさることを随分おすすめしているのですが、お忙しすぎるのでしょうね。それと神経が、かなりお疲れになっていらっしゃるようですから」

医者と看護婦は、夜中に呼ばれるのには馴れっこになっていたらしく、看護婦は、クロゼットから寝巻を出して、さっさと着替えさせてしまいました。それから僕に向って、

「お大事になさいませ。注射の効き目で、もうじきお元気におなりになりますが、運動をなさるように、あなたもおすすめして下さい。美容体操のクラブも経営していらっしゃるのでしょう？　先生も本当はランニングをおすすめしたいと仰言っているのですけれど」

と言って、二人は帰ってしまいました。

十一時過ぎていたと思います。僕は心配で、眼の前で虫の息になっている彼女を見守っているうちに、それまで抑えに抑えていた気持が、抑えきれなくなっていました。

ええ、そうです。僕は、面接試験で彼女を見たとき、「あ、彼女は、僕だ！」と気がついていたんです。あのとき、美と美がスパークしたんだと思います。彼女も、後になって、同じことを言ってました。

彼女がようやく、ものうげに身を動かして、目を開き、

「まああ、小島さん」

と優しい声で呟《つぶ》やいたとき、僕は反射的に彼女を抱きしめ、彼女の花のような唇を吸っていました。今から三年前、いや四年前です。僕は二十三歳でしたから。それから後は無我夢中だったけど、彼女の躰《からだ》がマシュマロみたいに柔かかったことと、肌が滑らかで最高だったのは分りました。

終ってしばらく、彼女も、僕も、声がなかった。彼女がまたぐったりしているのに気がついて、

「大丈夫？」

って、僕がおそるおそる訊いたら、

「こんなこと、病人相手によく出来たわね」

静かな声で叱《しか》られてしまった。

「ご免なさい、怒った？」

「ううん」

「ね、怒ってる？　社員として、社長に、こういうこと、いけないよね」

「いやあねえ、社長とか社員とかって、関係ないじゃないの」

「だけど、怒ってない？」

「びっくりしてるのよ。だって、夢みたい。あなたが私を好きだったなんて」

「最初、出会ったときからだった。ずっと好きだった。好きで、好きで、たまらなかった。これで僕、クラブやめさせられても構わない」

「それは関係なくってよ」

「仕方がないんだ。最初から、好きだったんだから」

「私も」

僕は感激して、もう一度抱きました。彼女も前より燃えて、僕は心だけでなく、躰も最高の組合せになっているのじゃないかと思いました。

「こんなこと、もう起らないと思っていたわ」

「どうして？」

「女でお金があると、それを狙《ねら》う男が多いから、私はどうしてもストイックな生き方をしないわけにはいかなかったのね。子供のために、もう青春は終ったと思うことにしていたの。言っておくけど、私には二人の子供がいます。二人とも男の子ですから、私が乱れた生活をするわけにはいかないのよ」

言いながら、彼女は手早くシャワーを浴び、さっさと着替えていました。

「帰るの？」

「もちろん帰りますよ。私は家庭が何より大切ですもの。子供が育ってしまうまで、私には母親として義務と責任があるわ」

「僕、今まで通りに働いていていいのかしら」

「今まで以上にやって頂きます。あなたのアパートの電話番号、教えて」

僕の言った数字を赤い手帖《てちょう》に書きこんで、その夜は別れました。

が、明け方に、電話が鳴って、熟睡していた僕は叩《たた》き起された。

「ご免なさいね。眠っていた？」

「うん、いや、はい」

「起したのね、やっぱり。悪かったわ。私、眠れないものだから」

ねぼけ眼で時計を見ると、午前四時です。

「今まで眠ってなかったんですか？」

「そうなの。あんまり驚いて、ショックが強すぎたのね。何年もないことだったから。でも、あなたは男で、さぞかし気持よく寝ていることだろうと思ったら、前後のわきまえがなくなってしまって」

「眠れないのは、いけないなあ。医者も言ってましたよ。運動不足だからって」

「美容体操をするように、でしょ？　レディス・クラブがあるのにね。紺屋《こうや》の白袴《しろばかま》だわ」

「僕でも経験がありますよ。トレイナーから支配人になったとき、眠れなくなって参ったことが。初めは仕事が変ったので緊張しているせいかと思ったけど、朝早くクラブへ出て、トレイナーたちが掃除している間にランニングを三十分やるようになって、元の通りになったもの。社長は運動不足ですよ。一日中、富小路事務所に閉じこもって、どこへ出るにも車だもの」

「だけど仕方がないわ。時間がとれないのですもの。忙しすぎるのね、きっと。家に帰れば子供たちのことで手一杯になるし」

僕は、彼女が僕より四歳上だということ疑いもしていなかったから、子供、子供と彼女が言うのは、きっと幼稚園か、小学生ぐらいの男の子だと思ってました。

だから僕は、彼女が死んでから、週刊誌がジャカジャカ書きたてたの見て、本当にびっくりした。僕より四つ年下じゃないですか、長男が。だけど、彼女が四十過ぎてたってことだけは、今でも信じられないんです。昭和十一年生れだったなんて――。彼女の躰は柔かくて、抱きしめると胸の下で溶けてしまいそうだった。バストも豊かでしたよ。中年肥《ぶと》りなんてしていなかったし、ウェストは、体操もしないのに、きゅっとくびれてましたしね。肌も若かったなあ。レディス・クラブに四十女はごまんと会員になってるけど、彼女は、皮膚には一点も汚点《しみ》がなかったし、顔にも皺《しわ》がなかったし、躰つきからいったって、四十になんかなってなかったですよ。僕より十四も年上だったなんて、戸籍の方がどうかしてるんじゃないかなあ。

え？　声って、なんですか？

ああ、あのときの声？　どうしてそんなこと知りたいの？　本当に愛しあってる男女なら、どっちだって声が出るの、当然でしょう？　僕はまあ、他《ほか》に女を知らないってわけじゃないけど、あのくらい普通じゃないのかなあ。

それに、セックスの方も、まるで処女みたいで、子供二人産んだの信じられないくらいでしたよ。恥しがりでね。女ひとりでバリバリ働いてるときの大胆さとか、社長として威厳に盈《み》ちて僕らに君臨しているときとは、まるで別人のようでした。

「無理してるのよ、仕事の方はね。本当の私は低血圧の苦しさに喘《あえ》ぎながら、眠れない、食べられない。だから肥りもしないのよ、三十になっても」

「眠れないというの、本当によくないなあ」

「何度も起してご免なさいね」

「それはいいんだけど、夜中に一緒にいられないのが困るよね」

「そうね、夜が怕《こわ》くて、むしょうに淋しくなっちゃうのよね。そうすると、ついあなたに電話かけてしまうの」

仕事のことで大きな悩みがあるのかなあと思ったけど、彼女は、

「何もないわ、全部順調よ」

と言ってましたから、僕は立入ったこと訊きませんでした。彼女が大金持だから、それで言い寄ったと思われるのは僕も嫌でしたからね。それに僕は「東京レディス・クラブ」の経営をまかされるようになって満足していたし、それ以上の野心はなかったんです。

本当です。

これから僕の言うこと、聴いてくれますか？　さっきも言ったように、僕は警察には何を尋ねられても答えなかった。幸い、僕たちの関係は誰にも気付かれていなかった。でも、言わずにはいられないんです。今日まで誰にも言わなかったことですが、聴いて下さい。

「結婚しよう」

と僕が言い出したのは、二人の関係が一年ぐらいたってからでした。彼女の方から電話がかかってきたり、僕は夜は毎晩必らず田園調布の家に電話して、いつも一時間ぐらい長話をしてから眠るのが習慣になっていました。が、何度抱きあっても、飽きるどころか、僕らは深まる一方でした。僕は若いし、特別性的好奇心の強い方ではないと思いますけれども、こういう女に早くめぐり逢《あ》えたのは幸運以外の何ものでもないと思うに

つけても、人目を憚《はばか》りながら社長室に入って行くのは、やりきれないことだったのです。

彼女に夫がいない、僕は未婚だ。誰にも遠慮することはないじゃないか、と僕は言いました。

「結婚しよう。僕があなたより金持じゃないのが残念だけど、そのかわり、あなたの金には一切手出しをしない。それでいいんじゃないの？」

「誠さん、よく考えて頂だいね。私は、あなたより遥《はる》かに年上なのよ。随分前に結婚した経験があるわ。子供が二人もいる女なのよ。結婚なんて、なまやさしいものじゃないわ。戸籍を入れると、何もかも大変なことになってしまうのよ。もしも私があなたより先に死んだら、子供たちとあなたの間に必らず争いごとが起るでしょう？　想像するだけで身震いがするわ」

「どうして僕が、あなたの子供と争うの？　何を争うんだ？　僕は何も欲しくない。ただ、こんな形で、こそこそ逢うのがたまらないんだ。性格が潔癖なら、耐えられない筈《はず》だよ、誰だって」

「それは私だって、そうよ。でも、私はもう若くないし、あなたの前に、私より若くて魅力的な女性が、いつ現れるか分らないし」

「結婚したくないんだね？　分ったよ」

「誠さん、お願い、よく分ってほしいわ。私は、あなたより年上なのよ」

「くどいなあ。お母さんって呼べば、あなたは満足するのかい？　たった四つしか違わないのに」

彼女は吹き出して笑い、やがて、その眼から涙が溢《あふ》れ出して止まらなくなった。

「本気なの、誠さん。もう青春は終ったと思っていたのに」

「その年で、どうしてそんなに早く老《ふ》けこむんだ」

「何もかも手に入れてしまったせいでしょうね。後は華やかに死ぬだけだと思っていたわ」

「馬鹿《ばか》だなあ。男がいなくて、どうして華やかに死ねるのさ」

「まあああ。そう言えば、そうねえ」

一生懸命考えてみても、彼女の口から「死」という言葉が出たのは、このときだけでした。が、それとあの彼女の死を、どうしても結びつけることが出来ない。僕には分りません。

ともかく、僕が結婚を迫り、彼女が曖昧《あいまい》な態度を取り続けていたのは事実です。彼女に僕以外の男がいたとは断じて思いません。僕は若かったし、毎晩のように逢っていたし、別れた後も電話で、彼女が睡眠薬を飲み、それが効いてくるまで僕は子守唄《うた》がわりに愛を囁《ささ》やいていた。彼女の低血圧症は、本当にひどいもので、僕にはよく分らなかったけど、眠れないから飲む睡眠剤が、いよいよ血圧を下げ、食慾《しょくよく》が落ち、それがまた低血圧の原因になる、という悪循環を断ち切るためには、僕が四六時中、彼女の身近かに付き添っているしかないと思っていました。忙しいのに、テレビ出演はモーニング・ショーなんていう下らないものでも引受けちゃうんですからね、お人好《ひとよ》しなんだ、僕に言わせれば。テレビ局に着くときは、息もたえだえでしたからね、いつも。僕は、はらはらして、目が放せなかった。彼女には保護者が必要だったんだ。

世間では、若くて女で、実業家だから、凄腕《すごうで》の女だったように誤解していたようですが、実際この眼であの人を見たら、危なかしくて、手をさし出さずにはいられないような、無防備な女性だったのです。強引なテレビのプロデューサーが出てくると、断れないんですからね。

「でもね、私がテレビに出ると、夢と希望を感じるという投書が山のように届くのよ。力弱い女や、病人や、お年寄りから」

「自分も弱虫で、病人で、年寄りだというのに？」

「まあぁ。誠さんには、かなわないわ」

「子供は嫌がらないの？」

「いいえ。むしろ喜んでいるみたい。私ってテレビうつりがいいらしいのね。ママ、綺《き》麗《れい》だったよ、なんて言われると、辛《つら》いこともあったけど、今日まで生きていて本当によかったと思うの」

僕と彼女の間にある一番大きくて厚い壁は、子供の存在でした。僕は嫉妬《しっと》していたんだ、事実。彼らが大学生だったと知っていたら、とても我慢はしなかったと思う。けど、あの頃は、彼女が昭和二十一年生れというのを信じていたし、今でも、僕が結婚しようとしていた相手が四十女だったとは思えないんだけど。とにかく、僕は押しの一手で、逢っても、別れても、電話でも、結婚しようと三年間言い続けていたんです。

「そうね」

と、ある日、彼女は考え深げに言いました。

「神様の前で結婚すればいいのよね。そうすれば、あなたの心が落着くでしょうね」

「僕だけじゃないと思うよ」

「ええ、私も、ね？　でも誠さん、本当に誓える？　神様の前で、一生私を愛しぬけるってことを？」

「誰の前でだって誓えるよ」

「じゃ、ハワイへ行きましょう。少し通俗的だけど、外国の教会で結婚式をしましょう。私は外国に出ると、睡眠薬がなくても眠れるのよ」

「それはいいね。眠るのに薬の力を借りるのは、どう考えても健康な生活と言えないよ。ソサイエティの方で、体操してくれればいいのに」

「でも、体操をすると、あなたが好きだという柔かい躰《からだ》ではなくなってしまうわよ」

「僕は、かまわない」

「私は嫌。筋肉質の躰って、私は好きじゃないの」

「病気で、ふにゃふにゃの方がいいのかい？」

「まあ、柔かいと言ったり、ふにゃふにゃと言ったり、ひどい人」

僕の腕の中では、いつも彼女は精一杯甘ったれて、とても年上の女と思うことが出来なかった。富小路事務所で、きびきびと人を指図し、使いを走らせ、店という店を見廻って、支配人に細かく注意したり、行儀の悪いウェイターを叱《しか》り飛ばしているときの彼女と、僕だけが知っている彼女は別人でした。

彼女は、戸籍の上で夫婦になるのは、後の面倒があって躊躇《ちゅうちょ》したのでしょう。彼女の死後の財産が二人の息子だけのものになるのを願っていたのだと思います。それ以外に、理由は考えられない。愛しあっていたのだし、彼女の愛の深さは、僕だけしか知らないことですが、僕は確信していました。

外国で結婚式か。ロマンティックでいいじゃないか、と僕は自分に言いきかせました。

僕は下心があって彼女に手出しをしたのでもないし、結婚したいと言い通したのも、せめて夜を一緒に過したいと思ったからです。ハワイが通俗的だって、かまわないと思いました。

「心配なら、僕は戸籍に入らないでいいんだよ。あなたが万一死んだって内縁の夫だと名乗り出て、財産を要求したりしない。神様の前でそれを誓うことにしようか」

「まあ」

彼女は面白そうに、花が静かに咲くような笑い方をして、安心したらしかった。

彼女は数次旅券を持っていたし、外国にはよく行ってましたが、僕はハワイといえども初めての外国です。旅券申請は出して、目的は観光旅行としておきました。結婚式だけが目的だけど、やはり胸がときめきました。彼女も同じ思いだったらしいんです。

「ねえ、ウェディング・ドレスのことだけど、私は再婚だから、白は着られないのよ。あなたは初婚なのに、気の毒ね」

「へええ、そういうものなの？　かまわないよ、僕は、何色でも」

「それが何色にしたらいいかで悩んでるの。淡いブルーやピンクにするものらしいんだけど、それじゃあんまりありきたりだし」

「いいよ、何色でも」

「菫色《すみれいろ》では地味でしょう？」

「なんでもいいって言ってるじゃないか、僕は」

「でも手に持つ花は、ハワイだから純白の胡蝶蘭《こちょうらん》にしようと思うの。だから、白い花と、いいコントラストになるような色は、ねえ」

僕はドレスとか宝石とか、女の好きなものにあんまり興味がなくて、よく彼女に新調の服を似合うかどうか訊《き》かれても、

「ああ、いいね」

ぐらいしか返事が出来なかった。だって僕は、何も身につけていないときの最高の彼女を知ってるんですから。

あの日、僕は「東京レディス・クラブ」のフロントに、いつものように立っていました。お客さまの応対、常連の方のお叱言《こごと》などを承っているのが僕の仕事です。金儲《かねもう》けの相手と思えば、どんな我がまま勝手な女の苦情でも聞き相手になるのは苦労と思いません。入会金二百万円、年間維持費三十五万円を払える女たちとなれば、そりゃ凄いおばさんばかりですけどね、僕は最初から平気でした。彼女と較《くら》べると、どの女も薄穢《うすぎたな》く見えるだけですから、ある意味では小気味がよかった。この連中は知らないのだ、と思っているとね。

そこへ、電話が鳴って、彼女からでした。

「誠さん、今忙しくなかったら、すぐ来てほしいんだけど」

「分りました。すぐ参ります」

「社長室の方じゃないのよ」

「そうですか。分りました」

日中は、社長と社員との関係だと、僕は割切っていました。「クラブ」で働いている男たちは、みんな彼女のファンですから、僕と彼女の関係を知ったら、どんなに自暴《やけ》っぱちになるか分らないのです。僕は、彼女が例の寝室から甘ったれた電話をかけてきても、クラブで受けるときは毅然《きぜん》としていました。そういう僕を、彼女も頼もしく思っていたらしいです。

帳簿を片手にして、僕は七階の事務所に入って行きました。秘書に、社長から電話で呼ばれたと言いますと、どうぞお入り下さい、ご苦労さまでございますと言われました。社長室は、空っぽでした。僕は、隣へ行くドアを開け、茫然《ぼうぜん》としました。燃えるような赤いドレスを着て、彼女が立っていたじゃありませんか。長い裾《すそ》を曳《ひ》いて、彼女は白い歯を見せて、頬笑み、

「驚いた？　これに決めたんだけど」

「まっ赤とは意外だった。でも、よく似合うよ」

「日本の古い花嫁衣裳《はなよめいしょう》に、赤無垢《あかむく》というのがあるのを何かの本で読んだの。これで白い胡蝶蘭を持てば」

僕は抱きしめて口吻《くちづ》けしようとした。ところが、この日、初めて彼女は抵抗したんです。

「駄目よ、駄目。結婚式のドレスなのよ、これは。式より前にそういうことは、いけな

いの」

「どうして、昨夜も僕はこの部屋で」

「それと、これは、別なの」

どうして別なのか分らなかったけど、彼女が嫌がるのを強引にキスすることもないし、僕は腕を解きました。

「あなたが、この色じゃ嫌だって言うかどうか心配だったのよ」

「何色でも構わないって言っていたでしょう？」

「それはそうだけど、意外性があったでしょう？　でも似合うと言って下さったから、嬉《うれ》しいわ。最初はハレクラニ・ホテルに泊って、結婚式をあげたらホノルルを離れてマウナ・ケア・ビーチに行くことにしたわ。夢みたいなところよ、ハワイ島だけど」

それまで、十日しかなかったのです。

僕は勤務中ですから、すぐクラブに戻って、昼日中から、サウナに入ったり、オイル・マッサージをやりに来る女たちに、

「いらっしゃいまし。今日は烏丸さまは、お早いですね。御血色がおよろしくありませんが、どうかなさいましたか」

「飲みすぎちゃったのよォ」

「それではサウナから、すぐオイル・マッサージにいらっしゃいますか？」

「うん。お公はどうしてる？」

「社長は、社長室にいらっしゃると思いますが、烏丸さまがお出《い》でになったことを御連絡致しておきましょうか？」

「そうね。いいわ、あとで自分で電話する。とにかく宿酔《ふつかよい》を退治してからだよ」

「どうぞ、ごゆっくり」

そこへ電話で通報があったのです。社長が七階から、ビルの北側の通路に落ちた、と。

僕は大声で怒鳴ってしまった。多分、顔色も変っていたと思います。

「そんな、馬鹿な！」

「何か、あったの？」

烏丸さんが振返って訊いたので、

「いえ、ちょっと急用が出来ましたので失礼いたします」

僕はともかくそう言うだけ言って、エレベータに飛び乗り、エレベータの緩慢な動きや、のんびりした顔で途中から乗りあわせる人々に苛立《いらだ》っていました。わけが分らなかった。信じられなかった。結婚するといって、まっ赤なドレスを嬉しそうに着ていた彼女が、式服だから接吻《せっぷん》を拒否した彼女が、ホテルやビーチの話をしていた彼女が、あの直後に、あの部屋から飛び降りるなんて。

警察に何を訊かれても、僕が言わなかったのは、万が一、犯人だなどと誤解されたらたまらないと思ったからなんです。

外へ飛び出すと、ビルの北側はもう一杯人だかりがしていました。土曜日でしたが、それだけに、この界隈《かいわい》は昼間は人出が多いのです。それを掻《か》きわけるようにして、僕は深紅《しんこう》のウェディング・ドレスで崩折れている彼女を見ました。

「社長ッ」

そう呼んで、ああ、よかったと思った。社員として振舞ったわけですからね。でも、僕はすぐ抱き上げましたよ。彼女の顔は地面にぶつからなかったらしく、死顔は美しく、ただ唇の端から、ちょっと血が、でも口紅の余りみたいに少しだけ覗《のぞ》いていました。

「触るな！　警察が来るまで、そのままにしておくんだ！」

誰が叫んだか、覚えていません。ともかく僕は、ゆっくりと彼女を無理のない姿勢に寝かしてやりました。七階から落ちたのですから、ひどい出血だったと思いますが、赤いドレスでしたから、それが分りません。人形のように美しい死に方でした。

だから、僕には、訳が分らないんです。

どうして自殺と思えますか？　僕と結婚する直前で、出来上ってきたウェディング・ドレスを、わざわざ僕を呼んで、楽しそうに見せて、僕の驚く顔を見て頬笑んでいた彼女が、ですよ。

僕は、他殺だと思いますよ。誰かが、鏡の前でうっとり立っていた彼女を、窓の外へ突き飛ばしたに違いないんです。

犯人について、僕には心当りがありませんが、でも、そうとしか思えないんです。秘書は、社長室に通したのは、僕の後は誰もなかったと言ってますが、僕が帰った後で、彼女からインターフォンで、下のレストランにショコラ・ムースを注文するよう言われてますから、僕の帰った後も彼女が生きていた証拠になります。ショコラ・ムースが届く前に、大事な電話がかかって来たので、秘書がインターフォンで連絡してもアンサーがない。それで、社長室と、更衣室――ええ、ベッドのある部屋は更衣室と呼ばれていました。どこにも彼女の姿が見えないので、不思議に思って、窓が開いているので何気なく下を眺め下して仰天したのですよ。まっ赤な花が落ちたようだったと言ってましたが――。

その二十四　長男義彦の話

富小路公子について——はい、僕の母親です。僕は長男です。

母について、僕は出来れば語ることを避けたいですね。いい思い出は何一つないのですから。

きっと、母には、母なりの立派な理由はあったのでしょうが、父親の顔も見ずに育った僕にとって、母がどういう結婚をしたのか、なぜ離婚したのか、というのは、ものごころついてからずっと、いつも知りたいことだったのです。でも、なんだか子供心にも、それは訊《き》いてはならないことなのだ、母にとって訊かれたくない過去なのだろうという遠慮から、訊き出す機会を逸していました。

とにかく僕には、母が手塩にかけて僕を育ててくれたという記憶は何もないのです。僕たち兄弟を、食べさせたり、寝かせつけたりしてくれたのは、今は中野にいる祖母だったのです。

祖母にお会いになったのなら、祖母の性格はよくお分りだと思います。少々偽悪家ぶるところはありますが、悪い人ではありません。僕たち兄弟を、健康に育ててくれました。明るくて、祖母と三人で暮している間は、僕も弟もよく笑いました。祖母は僕が勉強好きなので、

「お前はママに似たんだね。ママは勉強が好きで、成績も大したものだった。義彦もきっと大人物になれるよ。その代り、私のところから飛出してしまうんだろうね、先行きは」

と、よく言い暮したものでした。はい。祖母は、母については、いつも惚《ほ》れぼれした口調で話しました。

僕だって小さい頃は、もちろん母が嫌いだなんてことはなかったのです。

水曜日になると、山のように土産を抱えて、母は僕たちに会いに来ました。僕も弟も、無邪気に母を歓迎しました。祖母がぽんぽんと威勢のいい口を利《き》くのに対して、母の口調は穏やかなものがありました。祖母は母を美人とは思いませんが、雰囲気《ふんいき》に何か花やかで優しい。僕らが代るがわるそのとき最も熱中している遊びや、テレビ番組の話をするとき、

「まあ、それで？」

「そうなの。それは義彦ちゃんが頭がいいからだわ。神様の愛をうけて生れたからだわ」

「あら、ママの知らない話よ。もっとよく聞かせて頂だい」

と、いつまでも静かな聞き手でした。祖母が、うるさがって、

「いい加減にしないかよ。男がそんなにベラベラ喋《しゃべ》るもんじゃないよ！」

と邪険にあしらうのとは対照的でした。

母が持って来る玩具《おもちゃ》は、いつも豪華版でした。お菓子も一目見て上等だと分りましたし、母の来る日は、母の手料理で、凄《すご》いビフテキが食べられるので、弟としみじみと、あんな旨《うま》いもの世の中にないんじゃないかと話しあったこともあります。

母は、また、本をよく買ってくれました。それが、童話が多いのです。それも石森延男全集とか、ドリットル先生のシリーズを、ドカンとかためて全巻持って来てくれるのです。僕は子供の頃から童話は好きじゃありませんでした。大人の書いた童話には、子供を舐《な》めてかかっているようなものが多いのが気に喰わなかったんですよ。子供は、自分が大人と同じに遇されるのを望んでいるものじゃないでしょうか。ところが母は、いつも「星の王子さま」みたいなものばかり買って来るんです。僕は、大学卒業する頃、ようやく気がついたのですが、童話《メルヘン》というのは大人のための読みものじゃないでしょうか。現実生活の厳しさに喘《あえ》いでいる大人が、お伽噺《とぎばなし》で夢を取りもどすために。子供にとって必要なのは、むしろ現実を早く知らせてくれることだと僕は思います。その方が子供のプライドを満足させますし、子供の向上心を刺戟《しげき》するのじゃないでしょうか。

母が善意でしたことまで、僕は非難すべきではないと思いますが、結果として、僕は母の持って来た本には手をつけなかったし、弟はすっかり読書嫌いになってしまいました。

「こんなに沢山あったらさァ、読む気しないよねェ」

と、弟も言ってました。

祖母は怒って、

「折角ママが、あんたたちのためにと思って買ってきたものを、読もうとしないのは親不孝だよ。この罰当り」

と言ってましたが、僕は学校図書室から、読みたい本や図鑑を借りて読みましたし、弟は漫画ばかりでした。母が、もし僕らと一緒に生活していたら、頭のいい人だったのだから、現状に気づいて、本といえば全集をセットで買って僕らの部屋の本棚にぎっしり詰めこむようなことはやらなかったかもしれない。僕が、

「幼稚なものばかりだね、ママ。悪いけど読む気がしないよ」

と言うと、

「まああ、義彦の成長は、私の想像していたより早いのね。嬉《うれ》しいわ」

で、次の週には「世界文学全集」「日本文学集成」「会津八一全集」などというものが、ドカンと届くという具合でした。僕が、理科系に進んでしまったのは、文科系の読物に

対する潜在的な反撥《はんぱつ》だったのではないかと思います。

玩具類にしても、母は外国製の精密な電気仕掛の自動車とか、飛行機とか、ロボットのようなものを買ってくれました。弟は面白がって飛びつきましたが、すぐ飽きてしまった。僕は、ねじ廻しなどを雑貨屋で買ってきて、バラバラに解体してしまった。子供にふさわしいのは、むしろ単純な積木や、成長すればサッカーのボールなどだったと思うのですが、母は高価なものほど子供が喜ぶと考えていたのか、あるいは自己満足のために、ただ贅沢《ぜいたく》な買物をしていたのではないかという気がします。それが僕には内層心理に影響して、祖母から見れば、

「また義彦は壊してしまったね、折角のママの贈りものを。この罰当り。さあ、すぐ元通りにしなよ。でないと、ぶっ殺すよ」

という具合になったのでしょう。

僕は、祖母の率直な人柄が大好きでした。人間なのですから、誰だって欠点があります。祖母にも欠点は、あったでしょう。伝法な口の利き方も、母から見ると「悪い言葉」なのだそうですから。でも僕は、祖母が眼を怒らせて「ぶっ殺す」なんて言うの、好きだったなあ。半分は怕かったけど、そういう言葉の勢が祖母の愛情を痛いほど僕に感じさせたのです。僕は急いで、言われた通り元通りに組立て直しながら、壊すときとは全く別の感情で、楽しく口笛を吹いたりしていたのを思い出します。結果的には、母

の教育が僕を工学部に進学させたモメントになりますが、しかし祖母に「ぶっ殺す」と言われなかったら、僕はむしろ、機械嫌いに終ったかもしれないのです。

それでも、週に一度とか、月に二回ぐらいのこともありましたが、たまに現れる母親というのは、天女が舞いおりて来るのを待つような具合でした。弟などは、

「ママは、今度は、いつ来るの？」

と祖母によく訊《き》いてましたが、

「さあて、お前さんたちのママは働いてるからね、忙しいんだよ。お前さんたちを立派に育てるために稼《かせ》ぎまくっているんだから、親の恩というものを忘れちゃいけないよ。君子は本当に大したものだ。私はあの子を産みっぱなしで、何にもしてやらなかったのに、あの子は私にせっせと金を送ってくるんだからね。お前さんたちのために夢中で働いているんだから、有難いと思わなきゃいけないよ。私は、君子には、こんなに本も物も買ってやったことがない。菓子もろくに食べさせなかったのに、あの子は本当によくやるよ。大したものだ。そうちょくちょくは来られなくても淋しがるんじゃないよ。男だろ、お前さんたちは」

と、祖母は言いきかせていました。僕は、しかし祖母が、僕らと三人で暮していると きは、ずけずけとものを言い、大声をあげて笑うのに、母が訪ねて来る日は、まるで猫のように温和《おとな》しくなり、母の機嫌をうかがいながら、おどおどしているのに気がつきま

した。どうしてなのだろうと不思議でした。母が威圧してしまうらしいのです。そういうとき、僕は祖母が気の毒でした。弟が熱を出して、何日も何日も魘《うな》されているとき、祖母は付ききりで髪をふり乱して看病していたのに、そういう祖母の献身を、母はまるで認めていないのか、と、子供心に義憤みたいなものを感じました。

一度だけ、母が祖母に金を渡す現場を見てしまったことがあります。祖母が現金を押し頂いて受取っているのも奇異な光景でしたが、母がひどく高飛車な口調で、

「あなた、例の悪い癖は出してないでしょうね？　私の子供に悪い影響を与えないように、しっかりしていて欲しいのよ。分ってる？　本当に分ってるわね」

と言っていたのです。

僕の幼いときでしたが、見てはならないものを見たと、そっとその場から逃げ出したのを思い出します。どういう理由でか、祖母は、母に対してはびくびくしていて、日頃の威勢のよさがなくなってしまってました。

僕は祖母が気の毒でたまりませんでした。

祖母は二言目には母のことを褒めたたえて、親の恩を忘れてはいけないと言いましたが、そういう祖母こそ母にとっては親じゃないですか。どうして親が実の娘に遠慮するのか、僕には理由が分らなかったし、今でもよく分りません。

僕が小学校五年のときで、弟が四年生のとき、突然、僕ら二人は田園調布にある母の

家に引取られました。学校は、それまで中野区の公立に行っていたのが、学習院へ転校させられました。学習院では教師が電車で通学することを奨励していましたが、母は自家用車で僕たち二人を四谷《よつや》まで送らせたものです。僕には、わけが分らなかった。どうしてこんな大きな環境の変化が起ったのか、さっぱり分らなかった。

一番理解できなかったのは、祖母だけ中野に置きざりにされてしまったことです。

「おばあちゃん、どうして一緒に来ないの？」

あの広い家に着いてすぐ、僕が母にした最初の質問ですが、母は私の肩に手を置いて、ゆっくりとこう言いました。

「あの人はね、あなた達の本当のおばあちゃんじゃないのよ」

「え？　どうして？」

「ママは、あの人の本当の娘ではないからなの」

「どういうわけで？　僕、分らない」

「義彦ちゃんが大人になったら、もっと詳しく話すけれど、ママは、あの人に育てられて大きくなったのだから、義理の親なの」

「ふうん。だけど、僕たちも育ててもらったんだから、一緒に暮せばいいじゃない？」

「そう出来ないのが、ママも苦しいところなのよ。あの人を、ここへ呼ぶとなると、いろいろ揉《も》めごとが起るにきまっているの」

「どうして？」

「今に分ると思うわ、義彦ちゃんは頭がいいから。それに、おばあちゃんも、此処《ここ》に来たくないと言っているのだから仕方がないでしょう？　今まで、ずっとおばあちゃんと一緒だったから、淋しいかもしれないけど、今度はママがその代りに一緒に暮すのよ。ね？　いいでしょう？」

僕は母の説明に納得出来なかった。というより不満でした。血が繋《つな》がっていてもいなくても、そんなことは問題じゃない。これまでずっと一緒に、多分、僕が生れて以来、僕を育ててくれた祖母と、いきなり別れて暮すことが、僕にはショックだったし、辛《つら》かったのです。そういう僕の内面的なものを母は少しも分ろうとしないことにも不満でした。

家は、だだっ広く、僕の勉強部屋と、義輝の勉強部屋は、ずっと離れたところにあり、

「兄ちゃーん、兄ちゃーん、兄ちゃーん」

弟は心細くなると大声を出して僕を探しに来ました。

「こちらでございます、お坊《ぼ》っちゃま、こちらがお兄《あに》さまのステューディオでございます」

という女が、途中から案内して来るのですが、「お坊っちゃま」とか「お兄《あに》さま」と呼ばれ始めて、僕らは随分めんくらった。庭には林があり、女中は水色の制服を着ていました。コックが三度の食事を作り、シャンデリアの下で「お食事」です。

「兄ちゃん、僕たち、男のシンデレラみたいだね」

「乞食《こじき》と王子じゃないのか？」

「ああ、そうだ。だけど、おばあちゃんが来ないのは淋しいね」

「僕たちが王子さまになったからだよ。僕は乞食に戻りたい」

「うん、僕も。でも、そんなこと言っちゃ、ママに悪いよ。ママは一生懸命だもの」

弟が真面目《まじめ》な顔をして言うのです。この生活が不平では、僕も我がままずぎるとは思いました。

だけど、女執事の「ざあます言葉」は、嫌だったなあ。王子の悲哀なんでしょうね、大げさに表現すれば。転校した学校は、公立の小学校とはまるきり違いました。みんな大金持の坊っちゃんとお嬢さんばかりで、僕らがそれまでいた学校より、ずっと子供たちが大人みたいな顔して勉強していました。戦前は華族の子弟の教育機関だったのでしょうが、戦後は民主的に門戸が開放されていて、まあ僕らが居たたまれないということはありませんでしたが、それでも僕の学年には、日本史に先祖の名前が出てくる生徒が十人近くいました。松平とか、木下とか、三條西とか。

弟の方でも同じだったらしい。

「僕のクラスにもいるよ。浅野っていうの。忠臣蔵の浅野内匠頭《たくみのかみ》は、君ンちの先祖かいって誰かが訊《き》くと、真面目な顔して、いや、あれはうちの分家の話だよって言うんだ」

こういう会話を、母は、それはそれは嬉しそうな顔をして、聴いていました。

「まああ。あの浅野家は本家じゃなかったの？　ああ、そういえば〝播州赤穂《ばんしゅうあこう》の浪士〟というのだから、播磨《はりま》だけなら小さな国の殿さまですものね。面白いわね。楽しいわね。日本の歴史とそうやって関《かか》わりを持てるのですものね」

弟は、

「ああ、そうか。本当だ、ママの言う通りだね」

と調子を合わせてましたが、僕は正直言って気持がしらけました。

僕は、日曜日に友だちと映画を見ると言って家を出て、中野に住んでいる祖母のところへ会いに行ったことがあるんです。急に一人になって、どんなに淋しがってるだろうと思って。僕が、そっと庭の方から家の中を覗《のぞ》きこむと、

「なんだ、この糞《くそ》がきゃあ、どっからやって来やがったんだ？」

祖母は目敏《めざと》く僕を見つけ、縁側に仁王立ちになって怒鳴り出しました。相変らず威勢のいい口調だったけど、僕が会いに来たのがよくよく嬉しかったと見えて、涙ぐみそうになるのを懸命にこらえている様子でした。僕の方が先に泣いてました。

「おばあちゃん、淋しくないのかい？　僕たちが急にいなくなっちゃって」

「何言ってやがんだ。女みてえに、めそめそしちゃってよ。どうして淋しいもんか。朝から晩まで、どたんばたん暴れてた坊主《ぼうず》どもがいなくなって、私は気がせいせいしてる

ところさ」

「どうして、おばあちゃんも一緒に田園調布に来なかったんだい？」

「そりゃあ、いろいろあらあなだよ。田園調布なんてとかあ、八百屋の女房の肌には馴《な》染《じ》まないって、私は言われる先から知ってるんだから」

「八百屋？　八百屋って何？　八百屋の女房って、誰のこと？」

「私だよ」

「本当？　それじゃ、ママは八百屋の娘だったわけ？」

「義彦」

急に祖母が、改った顔になりました。

「それをママに言っちゃいけないよ。言えば何もかもおしまいになるからね」

「どうして？」

「どうしてって、口では言えないことが世の中にはあるものなのさ。お前さんも大人になれば分るだろうよ」

「おばあちゃん」

「なんだよ」

今度は僕の改った問いかけに、祖母がちょっと身構えました。

「僕のママは、誰の子なの？」

「変な子だね。私の子だよ。きまってるだろ」

「おばあちゃんが本当に産んだの？」

「ああ、そうだよ。私は結婚も晩《おそ》かったが、子宝に恵まれるのも晩かった。もう授らないのかと思う頃に妊《みごも》って、お産のときは近所中の世話になったからね、その頃の人たちが赤坂檜《ひのき》町にいけば今でも生きてるから、心配なら訊いといでよ。雑貨屋とか、薬局とかだよ。ドリーム・ハイツの近くで、東宝堂薬局っての探せば、すぐ分るよ」

「どこの病院で産んだの？」

「馬鹿《ばか》だね、この糞餓鬼は。昔は、子供を産むのに一々入院する女はいなかったんだよ。今みたいに産婦人科の医者なんかの世話にはならずに、産婆を呼んできて自分の家で産んだものだ。だから、近所の人たちが集って、湯を沸かすやら、握り飯作るやら、大騒ぎしたものさ。君子が産れたときは、薬局でアルマイトの弁当箱に赤飯詰めて祝ってくれたよ。昭和十一年には、アルマイトってものが初めて出来たんだよ。この子は大した者になるんじゃないか、金色の入れもんで赤飯が届いたって、父ちゃんが大喜びしたものさ」

「誰の父ちゃん？　僕の？」

「馬鹿か、お前は。お前の母ちゃんが生れたときの話してるのに、どうしてお前の父ちゃんがそこで喜ぶのさ。父ちゃんというのは、お前のママのお父ちゃんだよ。私の父ちゃんさ。分らない子だねえ」

僕は、祖母の話を徹頭徹尾、信じました。母を産んだのは、祖母に間違いない。二人は血の繋《つな》がった親子なのだ。だのに、どうして、母は義理の間柄だなどという嘘《うそ》をつくのだろう。そして祖母は、どうして僕らと一緒に暮したがらないのだろう。今でも、この点は分らないことだらけです。しかも戸籍では、僕らは祖母の養子になっているんですからねえ。祖母は、つい最近まで、そうなっていることは知らなかったようですよ。

とにかく、その日は僕が祖母にラーメンが食べたいとねだり、

「ほい来た。よしよし」

と祖母は、インスタント・ラーメンを自分で作ってくれました。ええ、女中というより、家政婦と二人で祖母は暮していました。僕の知らない顔の家政婦でした。朝来て、夕方帰る人たちです。祖母のところでは、どうしてか家政婦はあまり長続きしませんでした。

それにしても、あのラーメンは、旨《うま》かったなあ。

一週間後の日曜の夜、義輝が、そっと僕の部屋に入って来て、

「兄ちゃんも行ったんだってね？」

と、小さな声で言うんです。

「え？」

「この字のところへさ。僕もラーメン喰った。旨かったァ」

机の上に「中学生必修……」という本が置いてあった。その中という文字を指さして、弟が意味ありげに眼の奥で笑っている。中野のことですよ。

「お前は、今日行ったのか？」

「うん。でも、コレには内緒にしとこうね」

小指を立てて、弟が片眼を瞑《つむ》ってみせるのです。僕は、兄弟があって、本当によかったと思った。それと、僕は弟が母親思いで優しく気を遣うことに不思議な感動を覚えたものです。

母は、僕と弟を、徹底的に差別して待遇しました。たとえば僕を「義彦ちゃん」と呼ぶのに、弟は「義輝」と呼び捨てです。ときには下半分だけで「テル」と呼ぶくらいです。飼犬さえ「光子ちゃま」と呼んでいたのに。中野に住んでいた頃など、僕を「お兄さま」と呼ばせようと懸命になって弟を仕込んでいたこともありました。学習院に移ってから、弟は僕を兄貴と呼ぶように変り、それが学習院の言語風俗だというので、母は何も言わなくなりましたが。

しかし学習院というところは、公立の学校より教育のレベルは高いところでした。何かのコネか、お金の力で無理して入ったらしいどうしようもない生徒もいることはいましたが、教師も父兄も公立より教育熱心だから、途中から追いつくのは大変でした。母もそれには気がついたらしく、僕には三人も四人も家庭教師をつけてくれた。数学や、英語、古典の文法、それに物理、漢籍と、それぞれ専門家に家に来てもらって、僕はみっちり勉強することが出来た。これは僕が、母にどうあっても感謝しなければならないことの一つです。

だけど、弟には、一応の家庭教師はつけたけれど、僕のと違って、まるでレベルの低い人たちを呼んでいました。弟は勉強嫌いで、今でも学習院大学で留年していますが、母は弟には勉強の強制はしませんでした。僕と、たった一つしか違わないのに、

「いいのよ、義輝は。義彦ちゃんとは違うのだから。床下に入ったのなら、一緒にもぐって遊んでやって頂だい。私は、あの子には何も期待していません。かまいませんから、庭で遊んでいて下さい」

と、家庭教師たちに言っているのを小耳に挟《はさ》んだときは、僕は嫌な気がした。義輝の成績が悪いので、母は初めから投げている感じでした。「何も期待していない」などと、他人に言っていいものでしょうか。にも拘《かか》わらず、弟は、僕よりずっと母親思いなのだから、分らないものですね。

学習院が嫌いだったわけではないけれど、僕はやはり馴染めないものがあって、高校は都立へ受験し、大学は国立大学に入りました。それは、母が優秀な家庭教師をつけてくれたから、一流のエリートコースを辿《たど》れたのだといわれればそれまでですが、僕は、

学習院が母の好みの学校だというのが面白くなかった。社会に飛出し、母の庇護《ひご》を受けずに生きられるようになりたいという潜在的な願望があったのかもしれません。

僕が東大に合格したときの母の喜び方は尋常じゃなかった。

「やっぱり義彦ちゃんは違うのよ。ママは生れてから、こんなに嬉《うれ》しいことはないわ。必死で働いてきた甲斐《かい》があったわ。辛いことの多い人生だったけど、義彦ちゃんを産んだことだけが私の人生で成功と呼べるものじゃないかしら」

例の女執事が、恭《うやうや》しく頭を下げて、

「若奥さま、お坊っちゃま、本当にお芽出とう存じます」

と言ったとき、僕は一瞬、二次志望の大学に変ろうかと思った。東大が、なんだと思いましたね。一年に三千人も入学するんですよ。その中の一人にたまたまなれたというだけで、まるで天下を取ったように言うのですからね。しらけましたよ。

だけど、僕と母が、決定的に対立し、僕があの家を飛出して、こういう小さいアパートで現在も暮している原因は、僕が本郷の方に通い出して間もなく、つまり僕の恋愛がきっかけでした。

「あとは就職と結婚ね、義彦ちゃん」

と、気持が悪くなるほど甘い声で、僕に囁《ささ》やき続けていた母が、僕のところへガールフレンドから頻々《ひんぴん》と電話がかかって来る頃から馬鹿に機嫌が悪くなり出しました。

一度、食堂に三人揃《そろ》っていたとき、女執事が僕に電話がかかったと言いに来たときなど、

「こちらに廻しなさい」

と母は厳然として言い、僕が立上るのを尻目《しりめ》にして自分で受話器を取りました。

「もしもし、私は義彦の母でございますけれど、あなたは、どなた？　ああそうでいらっしゃいますか。義彦に電話をおかけになるのはやめて頂けませんこと？　義彦も迷惑に思っておりますのよ。どうぞ。ご免遊ばせ」

切口上で言って受話器を音たてて置いたときは、僕はもちろんですが、義輝まで茫然《ぼうぜん》としてしまいました。

四、五日してから弟が、

「ねえ、兄貴。僕たちの小遣いで電話を一本ひいた方がいいんじゃない？　僕だって必要だしさあ。今の切り換え電話じゃ、台所からでも応接間からでも盗聴されるだろ？　やばいよなァ」

と、言いに来ました。それで早速、二人で金を出しあって、僕と弟の専用電話をひいたのです。母は知ってたと思いますが、何も言いませんでした。

中野の祖母のところへ行くことも、母はいつの間にか気がついたようでした。食事の献立てがある日から急に変り、カレーライスや天丼《てんどん》、かつ丼、それにラーメンなどがお

八つに出るようになっていました。僕らは何も叱《しか》られなかったけれど、祖母の方は、かなりのことを言われたのじゃないでしょうか。僕らが行くのを、だんだん迷惑がるようになっていましたから。

「この糞餓鬼、また来たな。お前かい？　輝坊かい？　ここへ来ちゃ何喰った、かに喰ったとべらべら喋《しゃべ》りやがってよ。ママの方じゃ何も喰わしてないみたいだって、ママが泣いてるよ。私ゃあね、お前たちの顔なんか見たくもない。年取ると一人暮しほど気楽なものはないんだからよ。もう来ないでおくれ」

僕も弟も、中野の祖母に会いに行ったことは一言も言っていないのですから、まして中野の家で何を食べたかというようなことまで母に分る筈《はず》はないのですが、母は祖母のところの家政婦を買収したか、うまく手繰り出して様子を訊《き》いたのでしょう。それでいて、僕らには一言も、何も言わない。そういう陰険さが、僕にはけうといものに思われて、たまりませんでした。祖母を苦しめることになるのかと思うと、足が遠のいてしまうのです。

電話をかけてきて、母にピシャンと断られたのは同級生の女の子でした。それまでは、なんでもないガールフレンドだったのに、母のやったことが引金になって、僕たちは互いに持ちあっていた好意を恋愛に移行させてしまったのです。

「あなたのお母さまが喜んで下さらないんじゃないかしら。だったら、私の両親も決して喜ばないと思うのよ」

彼女の方がためらいがちになったので、僕は驀進《ばくしん》してしまいました。

「君も僕も、とっくに成人に達しているのだから、恋愛も結婚も自由だよ。君が僕を嫌だというのなら、別だけど」

「あなたが嫌で、こうなることはないでしょう? 私、だらしのない女じゃないわ」

「僕は家を出るつもりだ」

「卒業前に?」

「うん」

「私は、卒業するまで無理だなあ。お母さんも嘆くけど、お父さんが取り乱すもの」

「どうして? お父さんが?」

「親子といっても男女の仲じゃないのかしら。私は、お母さんにはあなたのこと、なんでも話してるけど、お父さんはあなたに限らず、私にボーイフレンドがいることが我慢がならないらしいの。耀子、お前は一生結婚なんかするな、なんて言うんだもの。だから私、あなたのお母さまに電話を切られたときは頭にきたけど、お父さんと私の関係に置き直して考えれば少し理解できるんだ」

卒業間際《まぎわ》に、耀子の父親と、僕の母が激怒し、猛反対したので、それがバネになって耀子は僕の腕の中に飛びこんで来ました。二人とも就職先はきまっていたし、共働きなら、親の経済的援助なしでも暮していける自信がありました。結婚式は、もともと近頃の芸能人みたいに仰々しいのは二人ともやる気がなかったから、教官と同級生に発表して、会費制で結婚披露をしたわけです。彼女は一応、白いワンピースは着ましたが、ベールもかけず、裾《すそ》も長くない、普通のドレスです。それから二人で、婚姻届を出しに行き、そのとき僕は、僕が祖母の養子になっていることを改めて認識したのでした。母が祖母を寄せつけなかった理由は、僕だって実の母を、今では憎んでさえいるのですから、近親憎悪《ぞうお》というものだったかとも思います。

婚姻届をする前後から、母の猛烈な嫌がらせが始まっていました。まず耀子の実家に乗込んで、

「富小路公子でございます。鈴木義彦の母でございます。お宅のお嬢さまが私の長男と結婚なさりたがっておいでのようですが、義彦は学習院におりました頃から、名門のお嬢さまと仲良くなっておりまして、先方さまでは御両親様とも大乗気で、東大へ入る前に婚約でもということで、教会で婚約式を致しました。私も、嫁になる方に、宝石類を差上げたり、家にもちょくちょくお招きして、義彦の卒業を指折り数えておりましたのです。それが、寝耳に水で、お宅のお嬢さまと同棲《どうせい》だなんて、まああ。息子に限って、そんなことをする筈がないと思っておりましたのに、どうぞ私の心中お察し下さいまし。先方のお嬢さま方は何も御存知ありませんが、もしお知りになったら、どうなるとお思

いになりまして？　名門の方々は、お心が弱くていらっしゃいますから、御両親さま方もどんなにショックをお受けになるかと思うと、私は生きた空がございません。折角ここまで女手一つで育てあげましたのに。東大でも何十年来の秀才と言われて、教授たちから嘱目されていましたから、義彦は学者にするつもりでおりましたのに、それが勝手に就職口を探して、お宅のお嬢さまと将来は共稼ぎするだなんて。私は女が働くという修羅場の体験者でございますから、嫁には決して生活の苦労はさせないで、おっとりと学者の妻として暮せるだけのものは遺すつもりでおりましたのに。よもやお宅のお嬢さまが、私の財力をあてになさったとは思いませんけれども。人間として、私は四年も前にお約束して、今も義彦が交際を続けている高貴のお血筋の方を、泣かせるわけには参りません」

よくこれだけ嘘《うそ》が並べられたものだと、後で聞かされて僕は茫然としました。

僕と婚約したという名門の令嬢というのは誰なのだ？

東大で何十年来の秀才と言われた？　誰が、だ？

学者にするつもりだった？　いつ、そんな話が母と僕との間で交わされたのか？

耀子の両親も、耀子自身も、最高に頭にきたのは「お宅のお嬢さまが私の長男と結婚なさりたがっておいでのようですが」とか「まさか、お宅のお嬢さまが、私の財力をあてになさったとは思いませんけれども」という、母のやんわりした言い方だったようです。僕も頭に血が上って、日本橋にある母の会社へ出かけて行きました。そう、あのビルの七階にある富小路事務所です。秘書が「どちらの鈴木さまでいらっしゃいますか。前もってアポイントメントを、お取りになっていらっしゃいませんと、社長はお目にかからないことになっておりますが」と言うので、

「社長の息子でも、アポイントメントが必要かどうか、母に訊いて下さい。もう一度言いますが、僕は鈴木義彦です」

と、切口上になってしまった。秘書はよほど驚いたらしく、まじまじと僕の顔を見詰めていましたが「少々お待ち下さいまし。社長はお出かけかも知れませんけれども」と言って奥の部屋に入って行った。会いたくない人間には、こうやって居留守をきめこむのかと僕はまず溜息《ためいき》が出ました。社長が外出しているかどうかは、秘書が一番よく知ってる筈じゃないですか。

しかし、秘書は、すぐ飛出して来て、

「どうぞ、お入り下さいませ」

と急に態度が鄭重《ていちょう》になった。

そこで僕は生れて始めて、母の仕事部屋である社長室に通されました。田園調布の家のようにシャンデリアが一杯ぶらさがっていて、外は昼なのに、夜の雰囲気《ふんいき》が漂っていました。母は白っぽいドレスで、奥のソファに腰かけていましたが、すぐ立上って、

「義彦ちゃん、到頭来てくれたのね。待っていたのよ。困ったことがあったら、なんでも言って頂だい。私は、出来ないことでも、あなたの為《ため》なら、やるつもりでいるわ」

と、僕を抱きしめようとするのです。

僕は母の腕を振りはらって、母が耀子の家に乗りこんだ一件について、立ったまま詰《きっ》問《もん》しました。

「まああ。義彦ちゃん、誰がそう言ったの？　話が違いすぎるわ。あちらの御両親が、私に会いたいと仰《おっしゃ》言ってらしたので、お目にかかったのよ。親御さんなら御心配になるのは当然と思ったし、私にも女の子がいたら、そうしただろうと思ったのよ」

「僕が学習院で、名門とか高貴の血筋とかいう令嬢と婚約したっていうのは、なんのことなんだ？」

「え？　それ、なんのこと？」

「ママが、先方の両親に言ったそうじゃないか。僕が、いつ、誰と、教会で婚約式をあげたんだい？」

「知らないわ、義彦ちゃん。あなたがなんのこと言ってるのか、分らないわ、私。高貴の血筋って、なあに？　誰が婚約したの」

「ママが、あんたが言ったんだよ」

「まああ。誰に？」

「耀子さんの親に向って、嘘八百ならべたてて、僕らの結婚を妨害しようとしたんだろう？　耀子さんが、僕と結婚したがっているようだが、義彦には先約があると言ったじゃないか」

「義彦ちゃん、まあ落着いて、せめて腰かけて頂だいよ。ママは血圧が低くて、ふらふらしているせいか、あなたにそう早口で話されると、何がなんだか分らなくなるわ」

サイドテーブルのインタフォンを使って、母は秘書にコーヒーを持ってくるように言いました。僕はソファに躰《からだ》を埋め、実の母親と、こうして対決している自分が悲愴《ひそう》に思えて来ました。

「義彦ちゃん、私がその日のことを話すわね。静かにして聞いて頂だい。いいこと？」

「ママは、何が言いたいんだ？」

「耀子さんのお父さまと、お母さまから御連絡があって、私はお目にかかりに伺いました。そして、あちらさまが口々に仰言るには、義彦さんは学習院にいらしたことがあるのだから、いくらでもふさわしいお相手があったのではありませんか？」

「嘘だ。そんなこと言う筈がない」

「どうして私が、あなたに嘘をつく必要があって？　あなたを産んだ、母親の私が、よ。ええ、出来れば嘘をついて、あなたを傷つけないようにしたいくらいだわ。耀子さんの御両親の言葉は、とても全部は義彦ちゃんに言えないわ」

「僕は構わないよ。これ以上、傷つくことなんかありっこないもの」

「あちらのお父さまが、こう仰言ったわ。第一、義彦君の父親というのは何者ですかって」

「…………」

「ご免なさい、義彦ちゃん。私もあなたと一緒に血を流しているのよ。あなたを産んだとき、私は十七歳だった。今なら高校生で、母親になったのよ。十六歳のときに妊《みごも》ったわ。私は義務教育を終るとすぐ働いていたのよ。私には実の母親もいなかった。お父さんもいなかった。義理のお父さんは、いい人だったけれど、その人は私が中学三年のとき事故死したのよ。中野のおばあちゃんに聞いているでしょう？」

「うん、その話はね。だけど、ママを産んだのは自分だって言ってる。お産のときの生き証人もいるって」

「アルマイトのお弁当箱に、お赤飯でしょう？　私も何度も聞かされているの。でも、あれは全部、嘘なのよ。おばあちゃんは、私を本当の娘と思いたいの。私にもそう信じこませようとしていたの。有りがたい話だと思わない？　私は、そんなに深い愛情で、あの人に育てて貰《もら》ったのかと思うと、それが嘘だなんて、とてもあの人に言えないわ」

母は、ぽろぽろ涙をこぼしていましたが、僕は騙《だま》されるものかと思って聞いていた。

「十六歳から社会に出て、働いていた小娘にとって、結婚する相手を選ぶ目もなかったし、判断力も幼かったわ。あなたのお父さまのことを私が誰にも、あなたにも言わずに来たのは、あなたの父親なのだから、あなたの名誉のためにも、私は口が腐っても悪く言うことは出来ません。結果だけしか言えません。あなたと義輝を産んで間もなく、あなたのお父さまは別の女の人と暮し始めたの。私は、我慢して、待っていれば帰って来てくれると思ったけれど、生活費も下さらなかったから、また働かなければならなかった。やがて、お父さまは、また別の女の人と結婚したくなって、私は無理矢理に離婚させられたわ。でも、今日まで、あなたたち二人の養育費は一文ももらっていません。私は、私一人で産んだ子供たちだと自分に言いきかせて、一生懸命働いてきました。けれど、今になって、二十三年も前の失敗を、耀子さんのお父さまから指摘され、詰問されたときは、涙がこぼれてしまったの。許してね、義彦ちゃん。あなたが片親育ちだってこと、私が若すぎたときの失敗であったにせよ、私生児になってないだけでもよかったと思ってくれない？　許して欲しいのよ、義彦ちゃん。ママは、若い日のこと、本当に今度ほど後悔したことがないわ」

僕は、初めて母の結婚の経緯《いきさつ》を母の口から聞かされて、複雑な気持でした。祖母は、

「あんた達のママは人がいいからね、悪い男に騙されちゃったんだよ。それで、お前さんたちが生れたのさ」

と言ったことがありましたが、母は一言も僕の父親を悪く言わず、騙されたとも言わ

なかったことで、僕が多少の感動を覚えたのは事実です。

「ママが義務教育だけしか受けてないのに、一人で立派に仕事をしていることは尊敬するよ。だけど、僕は十六歳じゃない。耀子も十六歳じゃない。僕たちは二十二歳だ。四年間交際して、長所も欠点も互いによく知りあっている。僕たちは結婚します。僕の方が結婚したがっているんだ、誰が反対しても」

「私は反対していないわよ、義彦ちゃん。あなたが選んだ人なら、きっと上等の女性でしょう。耀子さんの御両親は反対なさっているけれど、愛が一番大切だし強いのだから、しっかりと幸せを摑《つか》んでね」

母の祝福を受けて富小路事務所を出たとき、僕はさらに複雑な気分でした。外は上天気で明るかった。白昼夢を見た後のようでしたね。

耀子の言ったことが嘘とも思えないし、結局、僕たちはどちらの親も呼ばずに結婚し、婚姻届を出し、天下晴れて夫婦として暮し始めたのです。大学を卒業し、それぞれ就職して半年たつかたたないかで、耀子が妊娠しました。

「どうしようかしら。共働きの生活設計からは、予定外の出来ごとだわ」

「子供は、欲しいなあ。両親が揃《そろ》っている子供というのは僕の幼児期以来の願望だからなあ」

「でも、今から産んだら経済的に困らないかしら。少くとも私は一年も働けなくなるし。

だけど掻爬《そうは》すると不妊症になるともいうし、悩んじゃうわ」

「うん。少し時間をおいて考えてみよう」

僕も耀子も、まず一応の職場についていましたが、共働きといえども世界一物価高の東京で生活するには薄給でした。アパート代が大きな支出だったのです。しかし子供が出来れば家庭らしいものになるという希望がありました。友だちに祝福して貰い、新しい戸籍も出来たとはいえ、生活は同棲の延長でしたから。

夏の暑い日でした。会社はビル全体に冷房がありますが、帰り道も通勤電車もまるで蒸し風呂《ぶろ》です。最初のボーナスでクーラーを買いたいなどと考えながら帰ると、耀子が眼を吊上《つりあ》げて待っていました。

「私、産むことにしたわ。どんなことがあっても、断じて産むわ」

「それはいいよ。だけど、どうしてそんなに血相を変えて言うんだ」

「あなたのお母さまが、会社に訪ねていらしたの。昼食時間《ランチ・タイム》に、話をしたわ。初対面だったけど、嬉《うれ》しかったから、妊娠したけど懊悩《おうのう》しているところだって言ったの。そうしたら、なんと言われたと思う、私？」

「どうして君に会いに行ったんだろう」

「聞いて頂だい。おそろしく物静かな口調で、まるで巫女《みこ》の御託宣みたいな調子でよ、〝おろしておしまいなさいまし〟」

「え？　なんだい、それは？」

「早すぎますって。私にも経験がありますって。若いうちは情熱にまかせて恋愛と結婚のけじめがつけられないけれど、一年もたてばあなたも義彦も離婚を考えるにきまってます。そうすれば、子供はまた片親育ちになって、義彦と同じ悩みと不幸を味わわせることになるでしょう。それは罪というものですって」

「呆《あき》れたものだな」

「私は、会社に戻って、三時間もしてから、急に頭に血が上ったわ。何が罪なの。あの人にとっては孫になるものをよ、〝おろしておしまいなさいまし〟って虫も殺さないような顔して言うのよ。私はだんだん血が凍ってくるようだわ。だから、産むわ、どんなに苦しくっても、産むわ。あなたが反対したって産みますからね」

「僕は反対しない。むしろ積極的に産んでもらいたい。そんな女が僕の母親だなんて、僕は恥しいよ」

「いいのよ、あの人の孫だなんて思わないから。あなたと私の子供を産むのよ」

僕らの子供は、こうした最初のショックにもめげずに去年、無事に誕生しました。女の子です。僕の母に顔がそっくりなのも皮肉ですが、耀子も僕も一言だって母に似ていると言ったことはありません。

こういう話は、すれば際限がありませんし、どうあっても僕を産んだのは母なのだから、話せば自己嫌悪《けんお》に陥るばかりです。このくらいで、やめておきましょう。

母の死ですか？

心当りはありませんが、殺されたんだと僕は思います。耀子に対するやり口からみても、深い恨みを持った人間が、母の周辺にはいたと思いますよ。戸籍係を買収してまで改名したくらい強引な人なのだから、仕事の上でも随分いためつけられた人々がいたんじゃないですか？

が、まあ、母の死について、僕は関心がないです。むしろ、結婚以来しつこく続いていた嫌がらせに終止符が打たれて、僕も耀子もほっとしたというのが実情です。子として言うべきことではないとも思いますが。

その二十五　尾藤輝彦の話

え？　富小路公子について――ああ、あなたですね、半年ばかり前に僕の妹にも同じことをお訊《き》きになったでしょう？　妹が手紙で知らせて寄越しましたから知っています。しかし、驚いたなあ。四年ぶりに帰って来た日本で、しかも羽田の税関に入る前に、あなたが待ち伏せしていたなんて。妹は何も知らない筈《はず》ですから、何をどう話したか分りませんが、あなたがこうして国際空港の入口で僕を待っていたというのは、きっと理由があるのでしょう。御明察の通りですよ。僕は富小路公子の愛人です。いや、愛人だったと言うべきでしょうか、彼女は死んでしまったのだから。

僕が檜《ひのき》町小学校で五年生になったとき、彼女は鈴木君子という名で新入生として僕の目の前に現れました。可愛《かわい》い女の子でした。僕の学年では、男の子たちが騒然としたくらいです。五年生なら早熟でもなんでもなく男が色気づく頃でしょう？　ええ、僕の初恋です。いつも、いつも、気懸りな存在でした。八百政の娘だということは当然知っていました。家に出入りの八百屋でしたからね、八百政は。

僕が中学に進学した頃は、六・三制の新学制はまだ施行されていなかった。高校から大学へ入学したばかりの頃、八百政が進駐軍のジープにはねられて、即死だったそうですが、どういうわけか僕のお袋が彼女を気に入っていて、後家になった母親ぐるみで僕の家に引取ったのです。

妹と同級生でしたし、仲良しだったのかなあ、あの頃は。その前から彼女はよく僕の家に遊びに来てました。妹と遊ぶというより、母の話をじっと聴いて静かに相手をしているという感じでした。御承知と思いますが、母は旧華族の出身で、戦後は親父《おやじ》も手許《てもと》不如意《ふにょい》になったものですから、母の話といえば古きよき時代の懐旧譚《かいきゅうたん》ばかりで、僕も妹も聞き飽きていたし、戦後は生活力のある人間が、ぐいぐい伸びている頃で、僕なんか親父やお袋の昔話は聞くだけで腹が立つくらいでした。いくら昔が結構な暮し向きだったといっても、現実の生活は売り喰いだったのですからね。親父も敗戦ショックで無気力のまま、往年の秀才と呼ばれた片鱗《へんりん》も見せなかった。

学校へ行けば、民主主義が謳歌《おうか》され、庶民の方がずっと明るい活力を持っていた。僕は自分の家の黴臭《かびくさ》さに厭気《いやけ》がさして、早くこんなところから飛出してしまいたいと思い、ともかく学業成績で自分としては勝負するしかないと思っていました。そこへ突然、彼女が同じ屋根の下で暮すようになったのです。

彼女は中学を卒業するとすぐ働きに出るようになりましたが、僕の母は小間遣いでも使うように彼女が家にいる間は彼女をこき使っていました。僕は義憤を感じましたね。民主主義によって身分差別は撤廃されたというのに、母は依然として華族出身というプライドを振りまわし、八百屋の娘を見下しているのが我慢がならなかった。第一、彼女は可哀そうになるくらい母の言いつけ通りこまめに働きました。昼は外に働きに出て、しかも夜学にまで通っているというのに、週一回の休暇である日曜日には家中の掃除と洗濯をやらされていたのですから。

彼女の母親の方は、急に夫を亡《な》くしたショックからぶらぶら病になったと言って、女中部屋で寝たり起きたりしていました。機嫌のいいときは自分も食べなければならないので、台所の仕事ぐらいはしていましたが、あとは娘に押しつけてごろ寝ばかりしているのです。なんという母親だろうと、僕はこれにも呆れていました。

とにかく目ざす大学に合格できて、ほっとしている僕の目の前に、魅力溢《あふ》れる少女がいたのですから、僕としては胸のときめきを抑えこむのは無理というものでした。

僕は大学に入るとすぐアルバイトを始め、働いて現金を握るという喜びから、いきなり生きることに自信を持ち出していたのです。何分にも親父の勤めていた先は閉鎖機関に指定され、預金封鎖や、新円切り換えで、僕の中学高校時代は灰色でした。だから、戦争成金の子供の家庭教師などをして、旨《うま》いものを腹一杯食べ、夢かと思うような現金を手にしたときは、本当に嬉《うれ》しかった。

朝、彼女と殆んど同じ時間に家を出て、

「僕もね、働いているんだよ。アルバイトだけど、お金があるんだ。君の都合のいいときに映画でも見ない？」

とデートの申込みをしたのです。

「嬉しいわ、本当？」

「本当だよ」

「まあ、夢みたい。お兄ちゃまから誘って頂けるなんて」

「今日は、どう？」

「はい、結構です」

「夜学は、いいの？」

「はい、お休みします」

僕はその日、約束の時間まで、何をやっていたのか、記憶には何も残っていません。大学にいたことはいたのですが。

待ち合わせたのは新宿の紀伊國屋《きのくにや》書店でした。当時は今みたいなビルになってなくて、通りから少し奥まったところに本屋があり、その前がカフェ・テラスになっていて、学生にとっては夢の園みたいな場所だった。僕は予定より早目に着いてしまったから、書店に入って時間潰《じかんつぶ》しをしようと思った。一階が日本の新刊書籍や雑誌が並んでいて、

「人間」とか「展望」それに「世界」なんていう雑誌が僕らには戦後文化の具体化されたものだったのです。ちょうど前の年に「人間」と「展望」は廃刊になってましたが。アルバイトで得た収入は、感激的だったけど、買いたいものが全部買えるような高額なものじゃなかった。僕は「世界」を一冊取り上げ、レジで金を払うときは心臓が鳴りましたよ。それまでは、そういう雑誌は、みんな友だちの読み古したのを借りて読んでいたのですからね。

「まあ、お兄ちゃま」

新しい雑誌と釣銭を受取って振向くと目の前に彼女が立っていました。僕を「お兄ちゃま」と呼んだのは、妹がそう呼んでいたからです。母はうるさく「輝彦さま」と呼ばせようとしていましたが、僕には抵抗があって、「お兄ちゃま」と呼ばれる方が嬉しかったのです。

今はもうなくなりましたが、紀伊國屋の傍《そば》に木造バラックのレストランがあり、二人でカレーライスを食べ、武蔵野《むさしの》館でアメリカ映画を見ました。アイリン・ダン主演の「アンナとシャム王」が、名画週間でやっていました。満員でした。客席にようやく並んで坐《すわ》ってから、暗い映画館の中で、僕はそっと彼女の手を握った。家では水仕事をさせられていたのに、柔かな感触に驚いたのを覚えています。彼女は一瞬身をかたくしたようですが、僕の手を拒みませんでした。

見終ってから、明るくなった館内で、彼女は涙で濡《ぬ》れた頰を僕に見せ、

「綺麗《きれい》なお話でしたねえ。心が美しくなったような気がします」

と言いました。

僕は黙って、つまり言いたいことがあまりにも多くて、黙々として映画館を出ると、一緒に帰途につきました。

「シャムの王様って、沢山宝石を持っていたのねえ。お兄ちゃまのお母さまも、昔は、ああいうお暮しをしていらしたのかしら」

「でも、日本があれほど封建的だった筈はないわねえ。女の方が、宝石で身を飾っていたのでしょう？」

「王様の暮しって、やっぱり夢みたい。それに、王子さまが即位するとき、素晴らしかったわね。新しい時代を作ろうとしていたのですものね。私、心が熱くなって、涙が止まらなかったわ」

彼女だけが、ときどき譫言《うわごと》のように映画の感想を僕の耳許に囁《ささ》やきかけてきましたが、僕はやはり言葉が出なかった。お伽噺《とぎばなし》みたいな映画より、僕は彼女と自分の金でデートしたことに感激して、胸が一杯になっていたのです。

檜町の家に着き、勝手口のくぐり戸を身をかがめてすり抜けたとき、僕は夢中で彼女を抱きしめてしまった。生れて初めての接吻《せっぷん》です。彼女は抵抗しなかった。僕は息が止

まるほど、彼女の唇を吸い、抱きしめたまま棒のようになっていました。

　そのときですよ。耳のすぐ傍で、

「この野郎！　何しやがんだ！　この泥棒猫め！」

　いきなり罵声《ばせい》が、僕に浴せられたのです。彼女の母親だと気がついたとき、僕は驚愕《きょうがく》して、今から思えばだらしのない話ですが、庭の方へまわって逃げた。母親は、喚《わめ》き散らしながら追いかけてきて、僕にタックルしてきた。庭といっても当時は防空壕《ぼうくうごう》を埋めて野菜畑になっていたのですが、その軟い土の上で、組んずほぐれつという大格闘になったのです。その間も、相手は僕の父や母を呼び叫び、

「この野郎！　この野郎！　殺してやっからな！」

と、やくざみたいな言い方をするじゃないですか。僕は、彼女の母親が、こんな女だとは想像もしていなかったから、ただただ驚いて、相手の誤解をとくとか、弁明するとかいう余裕を失っていました。とにかく、この恐るべき女から逃げたいとしか思わなかった。父も母も、驚いて出て来ましたが、これも僕と彼女の意外な有様に声も出ない。しかし、まず御近所の手前を考えて自分を取戻したようです。虚栄心は二人とも人一倍強かったのです。そして僕はといえば、まったく面目ないのですが、家から逃げ出し、大学で知りあった友人の下宿に転がりこんで、二日ばかり泊めてもらいました。その後も三日、別の友だちのところをまわって家に帰りませんでした。

彼女の母親と、僕の両親の間で、どういう話合いが行われているのか考えることもできなかったのですが、しかしただ接吻しただけなのですから、僕は大事件になるとは思わなかった。家に帰らなかった第一の理由は、何より彼女の母親が鬼婆《おにばば》のような女だったという発見がショックで、あの女のいる家には帰りたくなかった。しかし、僕が逃げたことで、彼女の立場が悪くなったという思いやりが僕には欠けていたのが、今になっても大きな後悔です。本当にすまないことをしたと思っています。

僕が、勇を振って家に帰ったとき、彼女も、彼女の母親も、わが家から消えていました。父も、母も、僕の顔を見ないように気を使っているのも変でした。妹に訊いてみましたが、妹は夜中の出来事は何も知らなかったようです。眠っていたのでしょう。

「よく分らないけど、パパもママも出かけてばかりで、二人でひそひそ話をしていらしたわ。君ちゃんに、どうしたのかしらって訊いたんだけど、君ちゃんのお母さんが具合が悪いので入院しなければならないのよって、溜息《ためいき》つきながら言っていたわ。それから急に二人とも居なくなったの。お母さまの話では、お金を渡して出て行ってもらったみたい。何があったのかしらね、お兄ちゃま」

妹は、今も詳しい経緯は知らないままだと思います。

僕は彼女の母親が家から出て行ったことでほっとしながらも、急に心配したのは、両親が僕と彼女の関係を誤解していないかということでした。何しろ彼女の母親の喚き散らした言葉を思い出すと、僕が一方的に彼女を手ごめにでもしたようなことになるじゃありませんか。しかし実の親に、性に関することで口を利くのは、僕の家では大層勇気のいることでした。父の部屋に入って行くと、父はそわそわして別の話を心そこにない様子で喋《しゃべ》り出し、僕が口を切る隙《すき》がない。そのうちに日がどんどん経《た》っていき、僕は鬼婆もろとも彼女も消息不明になっているのが、淋しくて淋しくて失恋したように沈みこんでしまっていました。食欲もなくなっていたし。

その頃、アルバイトで家庭教師をしていたのは週に二回で、何曜日と何曜日だったかなあ。もう二十年以上昔のことですから忘れてしまいましたが、ともかく一カ月後で、アルバイト料を受取った夜だったのは覚えています。家に帰ろうとして乃木坂《のぎざか》を降りて行くと、乃木神社の方から、

「お兄ちゃま」

と、僕を呼び止めたのが、彼女でした。

「君ちゃん」

僕は呼吸が止まりました。もう会えないのかと思っていた彼女が、ひっそりと白い花が咲いたように僕を待っていたなんて。

「ご免なさいね、お兄ちゃま。さぞ、びっくりなさったでしょう？　私、死にたいくらい恥しかったわ」

「びっくりどころではなかったけど、君ちゃんのお母さんがああいう人とは知らなかったし、僕はショックで、しばらく家に帰らなかった。君がどうしているのか、どこに行ったのか、さっぱり分らないし、もう会えないかと思っていたよ」

星空の下で、いつの間にか僕らは抱きあっていました。今のように街灯が夜の町を照らしている時代ではなかったのです。彼女は僕の腕の中で、しくしく泣き出していました。

「あの人、私の、本当の親じゃ、ないんです。私、貰《もら》いっ子で、でも育ててもらった恩がありますから。だけど、あのときは本当に、ひどいと思いました。私の、大好きな、お兄ちゃまに、あんな、ひどいこと言うんですもの。私、気絶してしまいそうだった。あのとき死んでいれば、こうしてお兄ちゃまを待つことなかったのにって、たった今まで思ってました。あの人、私に、お兄ちゃまは、私を弄《もてあそ》ぶつもりだったんだって、毎日のように言うんですもの」

「そんな馬鹿《ばか》な。最初から好きだったんだ」

「最初って？」

「君が檜町小学校に一年生で入学してきたときからさ」

「まあ」

え？　ええ、彼女は「まあ」と言うのが口癖でした。え？　ああ、そういえば僕のお袋も言いましたが、年齢も違いすぎるし、似た調子じゃなかったな。彼女が僕の家にいる間に母の口癖を習い覚えた？　そういえば言えないこともないでしょうが、それが、どうだって仰言《おっしゃ》るんです？

ともかく僕は若かったし、むろん彼女も若かった。その夜、僕は金を持っていましたから、

「君ちゃん、どこかへ行こう」

と大胆に言い出し、どんどん歩いて、彼女は黙って従《つ》いて来ました。彼女を最初に抱き寄せたのが、連れこみ宿とか、さかさくらげとか呼ばれているような場所だったのは、今でも残念に思っています。しかし、僕も夢中で、激情の中で二人は結ばれました。

「お兄ちゃま、お兄ちゃま」と彼女は譫言《うわごと》のように口走っていました。もちろん処女でしたよ。どうしてそんな質問をなさるんです？　彼女は十六歳で、僕は二十歳でした。二人とも初体験だったのは、当然じゃありませんか。

泣きぬれている彼女に、

「ご免ね、悪いことした？」

と訊くと、彼女は首を横に振りながら、

「嬉しいの、嬉しいの。お兄ちゃまの愛が、私のものになったなんて、夢みたい」

って言いました。今は中年になっている僕の口からお聞きになれば、甘ちょろくて感

傷的な話とお思いでしょうが、当時は、いわば少年少女の恋でしたからね。彼女の母親が、あんなに怒鳴ったり暴れたりしなかったなら、ずっとプラトニックな関係が続いたのではないかとも思いますが、僕と彼女の間には運命的なものがありましたから、遅かれ、早かれ、いずれ二人は結ばれていたと思います。

その夜、彼女は急いで母親の待っているアパートに帰らなければなりませんでした。僕も「御一泊」するだけの経済力はなかったし、もし送っていって彼女の母親に見つかろうものなら、今度は殺されるかもしれないと思い、外へ出るとすぐに別れました。それからずっと二十年間、彼女が死ぬまで、僕たち二人の関係は続きました。彼女は僕の子供を二人も産みましたし。え？　義彦にはもうお会いになったのですか？　僕によく似ていたでしょう？　次男の方は、僕の祖父――母方のですが、にそっくりなのです。

彼女が妊《みごも》ったのを知らされたのは間もなくでした。僕は、ぎょっとしました。

「大変なことになったね。どうしたらいいだろう」

「産むつもりよ。だって、お兄ちゃまと私の愛の結晶ですもの」

「ちょっと待ってくれないか。君は未成年だし、僕には経済力がない。僕の両親に言えば大騒ぎになるだろうし、君のお母さんだって猛反対するだろう」

「平気よ、私は。自分の子供を、自分の躰《からだ》から産むのですもの。お母さんのように、おなかを痛めないで貰いっ子を育てるより、ずっと幸福だと思うのよ、女として。まして、お兄ちゃまの子供なんですもの」

「医者に相談しない？」

「なんのために？　大丈夫よ、お兄ちゃま。私、お兄ちゃまには何も迷惑をかけないわ。母みたいに、お兄ちゃまのお父さまたちを困らせたりはしないわ」

その頃だったと思います。ようやく父に呼ばれて、二人の関係はどうだったのかと訊《き》かれたのは。

僕は黙っていました。彼女の母親が騒いだときまでは、プラトニックなものだったけれど、父の質問を受けた時点では、もう僕と彼女は心も躰もしっかり結びついていたし、彼女の躰の中に僕の子供の生命が芽生えていたのですから。

父は溜息をつき、

「そうか。年頃の息子のいるところに、子供とはいえ、ああいう男心をそそるような少女をひきとったのは、親として僕らの方が心足りなかった」

と言っただけで、咎《とが》めませんでしたし、その後どうなっているかとも訊きませんでした。僕は、本当は父に何もかも打明けて、彼女の妊娠中絶について智恵を借りたく思いましたが、戦後の父は最初に申しましたように生活力も気力もなく、僕は軽蔑《けいべつ》していましたから、とても相談する気にはなれませんでした。叱《しか》られれば却《かえ》って、かっとなって事実をぶちまけたのではなかったかと思います。が、とにかく、そのときは叱られずにすんで、むしろ、ほっとしていました。

彼女との連絡方法は、彼女が当時勤めていた宝石店に僕が電話をするしかなかったのですが、たいていは逢《あ》ったときに次はいつにすると定《き》めていました。「御休憩」というところで逢っていたのですが、僕が金を払うのは三度に一度もあったでしょうか。当時から経済力は彼女の方が上でしたから、彼女が払っていました。

彼女の下腹部が目立つようになると、彼女は宝石屋をやめましたし、もし流産なんかしたら大変だからといって逢うのは生れてからにしましょうと彼女の方から言い出してきました。

「僕は、どうしたらいいんだろう」

「貯金があるの、私。出産費用は困らないわ。お兄ちゃまは心配しないでね」

「君のお母さんは、どう言ってる？」

「悪い男に騙《だま》されたんだと言ってるけど、相手がお兄ちゃまだとは思ってないみたい。とにかく私は平気です。お兄ちゃまを信じているし、愛していますから」

「僕は決して騙したつもりはないし、君を永遠に愛し抜くよ。誓うよ」

「子供が生れたら、どうやって連絡したらいいかしら」

「僕がアルバイトに行っている家に電話があるから、そこへ連絡してくれないか」

彼女はその電話番号を手帳に控えて、それから半年も音沙汰《おとさた》がありませんでした。僕は、罪の意識が半分と、彼女への思慕が半分で、生きた空ではなかったのですが、彼女のアパートへ尋ねて行く勇気がなかった。何より、あの鬼のような母親がこわかった。彼女の話によれば、親は別の男だと思っているようだけれども、僕が訪ねて行けば、すぐばれてしまうし、そしたら僕の家に前にも増して大声で喚《わめ》き立てに来るだろう。子供までつくってしまったとあれば、僕の両親はもっと狼狽《ろうばい》するだろうし、前には出て行ってもらうのに相当の金を工面したらしいけど、生活能力を失っている親父《おやじ》はもっと大変な苦しみに追い込まれるだろう。僕は懊悩《おうのう》しました。考えてみれば健康な男女が抱きあえば、子供が生れて来るのは当然なのに、僕たちはいつも無防備だった。後悔しました。苦しみました。

でも、もっと大きな後悔は、僕がアルバイト先に行ったら、

「妹さんから電話がありましたよ。今日中に、この番号に電話をしてほしいということでしたよ」

といって、メモを渡されたときです。

中学生相手に英語を教えても、数学を教えても、その日は滅茶めちゃでした。

「先生、どうかしたの？」

と、相手の子供が僕の顔を不審げに見たのを思い出します。

家庭教師の時間ぎりぎりでその家を飛出すと、電話しました。

「鈴木君子さんを、お願いします」

「——こちらは中本産婦人科病院ですが、鈴木さんという方は御入院していらっしゃいませんが。渡瀬君子さんの間違いじゃないでしょうか？」

「ああ、苗字《みょうじ》がよく分らなかったんです。ともかく君子さんを呼んでもらえますか」

「——少々お待ち下さい」

僕は心臓が高鳴るのを感じていました。子供を産むのだから、旧姓ではまずいのかなと思いました。ひょっとして、違う相手が電話口に出るのかという心配もありましたが、やがて聞きなれた声が、

「——もしもし、君子ですけれど」

「尾藤です」

「——まあ、お兄ちゃま。嬉《うれ》しいわ、やっぱりお電話下さったのね。王子さまが生れたのよ、お兄ちゃまにそっくりなの」

「僕はどうしたらいいんだろう？」

「——夜になると、お母さんが帰るの。だから今なら、大丈夫よ」

「それなら、すぐ行くね」

「——はい。お待ちしています。七号室なのよ。

僕はどうしていいか分らなかったけれど、ともかく、すぐその足で飛んで行った。麻《あざ》布《ぶ》の、分りやすいところにありましたから、病院を見つけるのは簡単だった。

二階の七号室に上って行くと、「鈴木君子」という表札が出ている。電話に出た女が鈴木君子という名の入院者はいないと言って、別の苗字を言ったのは何かの間違いだったのだと思いました。

部屋の扉を開けると、彼女は華やかな寝巻姿で寝ていました。が、僕の顔を見るなり、泣き出して、

「お兄ちゃま、やっぱり来て下さったのね」

と言いながら、しゃくり上げるのです。

「当然じゃないか。心配していたんだよ。僕から連絡の取りようがなかったしね」

「嬉しいわ。すぐ来て下さったんですもの。私、これで捨てられてもいいと覚悟していたんです」

「いつ生れたの？」

「三日前よ。お産って、本当に苦しいの。躰《からだ》が裂けるみたいだった。でも、子供の顔を見たら、痛みなんて忘れてしまったわ」

「子供は、どこにいるの？」

「看護婦さんに、すぐ連れて来てもらうわ」

ベルを押すと、看護婦が顔を出し、

「恰度《ちょうど》、授乳のお時間ですよ。よろしいのですか？」

と訊きました。

「ええ、結構ですとも。よろしいわね、お兄ちゃま。お乳が張って痛いわ。すぐ抱いて来て。坊やも、おなか空《す》かして待っているでしょう？」

赤ン坊は、威勢よく泣きながら入って来ました。顔が、まっ赤だった。しかし君子が抱きとって、胸から大きな乳房を出し、乳首を口に含ませると、ピタリと泣きやんで、顔の赤いのもとれ、喉《のど》を鳴らして乳を吸っているんです。僕は久しぶりに見る彼女の躰が、豊満になっているのが眩《まぶ》しかったし、僕の子供の足首に「鈴木七」と書いた木の札がくりつけてあるのを複雑な思いで見ていました。

「ここにかけたら、鈴木君子という人は入院していませんと言うんだ。なんとかいう別の苗字の人なら名前が君子だって」

「ええ、鈴木という人が今は三人も入院しているのね。だから、病院も困ってるみたいよ。この子は、七の鈴木と呼ばれているわ。七号室だから。名前は、義彦とつけたいのだけれど、どうかしら」

「戸籍は、どうなるの？」

「もちろん私生児よ」

僕は、うなだれて、彼女の逞《たくま》しい生活力を感じていました。

「すまないね」

「どうして？　私は嬉しくて、嬉しくて、たまらないわ。お兄ちゃまは来て下さるし、こんないい子は生れるし」

「僕には何も出来ないんだ、今は。もうじき社会に出るけれど」

「いいのよ。でも、一つだけ、お願いがあるの」

「なに？」

「明日でもいいわ、バラの花を、三つか四つでいいの、届けて下さらない？」

え？　他《ほか》にも、花はなかったか？　いや、気がつきませんでしたが、どうしてですか？

ともかく僕は、言われた通り、翌日バラの花を届け、彼女の母親に見つからないように、病院の入口で看護婦に渡し、七号室に届けるように言って、すぐ帰りました。乳を吸っていた子供の横顔と、輝くような大きな乳房が目の前にちらついて、しばらくは茫然《ぼうぜん》として日を過しました。

彼女が退院し、再び働きに出るようになると、僕たちの関係は、すぐまた元通りになりました。僕は避妊の方法について研究したのですが、彼女はそういうものを嫌いましたから、やがてまた妊娠してしまった。僕は当惑したんですが彼女は平然として、自分には兄弟がなくて淋しかったから、義彦にはその思いをさせたくないと言って、敢然として産んでしまったのです。僕が、大学四年で、就職先はもう今のところに定っていました。今度は連絡があったとき、すぐバラの花を買って出かけました。前とは別の病院でした。きっと続けて私生児を産むのが、きまりが悪かったのでしょう。

「今度のお産は軽かったのよ。こんなに、まるまる肥《ふと》った子だのに。義輝って名前を考えているのだけど、どうかしら。女だったら輝子という名にしたいと思っていたんだけど」

「義彦に義輝か。どうして、義という字をどちらにも使うの？」

そう訊いた僕に、彼女が胸を張って答えた言葉は、忘れられません。

「私、正義という言葉も文字も大好きなの」

彼女に対して、僕は終生うしろめたさを失うことはできませんでした。

二人も僕の子供を産んだ女がいながら、僕は就職して四年目に、両親や上司の勧める縁談を断りきれず、今の家内と結婚しました。独身主義を押し通すのは、何か勘ぐられそうで気の弱い僕は、到頭両親には彼女との関係を言わずじまいだったのです。

もちろん彼女には、縁談があることは言いました。彼女は、つぶらな眸《ひとみ》で、僕を見詰めて、静かに言いました。

「お兄ちゃまが結婚なさるのは、自由よ。私、怨《うら》んだりしないわ。私には、義理とはいえ、ああいう母がいるのだから、尾藤家で迎えて下さる筈《はず》がないの、よく分っています。それに、男が社会に出たら、結婚して家庭を持つの当然ですもの。いつか、こういうときが来るの覚悟していました。お兄ちゃまが私に黙って結婚なさっても、取り乱すまいと自分に言いきかせていました。いいのよ、私は。だって義彦も、義輝もいるのですもの」

僕は、世の中は複雑なものだと思いましたね、つくづく。

「君にはずっとすまないと思い続けてきた。子供二人も、将来は必らず責任を取るつもりだ。まだ駆《か》け出しのサラリーマンだけど、きっと会社の中で一旗上げてみせるよ。そうしなければ、君にも子供たちにも会わせる顔がない」

「ええ、お兄ちゃまが御出世なさるのを、お祈りしているわ。でも」

「でも、なんだい？」

「結婚なさっても、あのね、言えないわ」

「僕は君を離すつもりはないよ」

「嬉しいわ。嬉しくて涙が出ちゃうわ。でも、奥さまになる方に悪いわねえ。私って、いけない女なのかしら」

結婚式の前日、僕は君子と愛しあい、吾ながら身勝手な男だと思いながら、結婚したのです。しかし、妻との初夜の失望は思いがけないほど大きかった。僕がもう君子とは離れることが出来ないのを、こういうことで思い知らされるとは思いませんでした。だから、君子と二十何年も長く続いたのでしょうか。彼女が僕に一切何も求めなかった純愛も大きな支えではありましたが。

え？　声？　声って、なんですか？

セックスについて、ですか。随分露骨な御質問ですね。彼女は、むしろ淡白な方だったのではないかと思いますよ。

父が死んで、相続税がどかんと来たとき、僕は狼狽して彼女に相談しました。彼女は一級簿記の勉強をして税理士の資格をとっていましたから、即座に、地上権だけ残して、土地を不動産屋に売ればいいと教えてくれました。不動産屋も紹介してくれまして、母が死ぬまで、だから母は何も知らずにあの檜町《ひのき》の家で昔の夢を見ながら亡《な》くなりました。母と家内の折合が悪くなったので、僕らがマンションに移れたのも、土地を売って税金を納めた後に金が残っていたからです。

母が死ぬと、また相続税がかぶさって来ました。それで地上権も手放したのです。どうせ、あんな大きな家は、僕のようなサラリーマンには維持しきれないと思ったし、第一、日本は土地が高騰《こうとう》しすぎましたよ。

彼女が実業家として辣腕《らつわん》をふるい出したのは、僕も知っていました。学歴はなくても基礎に簿記の勉強があったのが、成功の基だったと思います。計算ばかりでなく、税法に明るくなっていましたから。日本橋に大きなビルを建てたとき、社長室の隣に、彼女好みの寝室を作って、合鍵《あいかぎ》を一つ僕にくれました。ニューヨークに行くまで、週に一度ないし二度は必らず逢《あ》っていました。二十三年も、僕たちは飽きることを知らなかったのです。

ニューヨークに転勤するときは、しかし彼女は大騒ぎでした。

「行ってしまうの、あなた。行ってしまうの?」

「帰って来るよ、三年か四年ぐらいで」

「そんなこと、考えたこともなかったわ。どうして生きていられるのかしら、あなたなしで」

大げさなことを言うとお考えでしょうが、彼女の声はいつもひそやかでしたから、切なげに響いて、僕も後髪をひかれる思いでした。ニューヨークには、家内も娘を連れて半年後に来ましたが、その前に、君子が来ています。一週間ほどでしたが、そのときが僕らにとって初めての経験でした、夜から朝まで一緒に過したのは。彼女には母親がいましたし、子供もいましたし、僕も世帯《しょたい》持ちになっていましたから、夜は必らず別れなければならなかったのです、それまでは。彼女は「夢みたい。夢みたい」と何度も言っていました。

家内に対して、僕は後めたい思いはありません。運の悪いことに、両親が選んだ見合結婚だったにもかかわらず、家内は僕の親と折合うことが出来ず、父も母も、家内に対して不満のままで死にました。僕の両親は敗戦後ずっと経済的にも精神的にも立直ることなく晩年を過したのですが、僕の結婚は、結果的に親不孝のままで終りました。家内が悪いとは言えません。僕が君子との関係を明るいものにしていれば、若い頃にもっと勇気を持っていたら、僕の母と君子とならば上手に折合えただろうにと、子としての悔いが残っているのです。

富小路公子が、どうして死んだのか、ですか？　僕は、殺されたのだと思います。彼女は、僕がニューヨークにいる間に、一年に一度は必らず逢いに来てくれました。

「私たち、七夕《たなばた》さまみたいね」

などと言って。

五番街を歩いていたとき、四十八丁目あたりの宝石店で、すぐ隣に模造品を売る店があるのを知ったとき、彼女は立ちすくんで、

「こわいところね、ニューヨークは。やっぱり。本ものと、ニセものが、堂々と並んでお店を張っているなんて。まああ。この指輪は、カットもデザインも、あちらのウィンドウにあるのと、そっくりだわ」

と、蒼《あお》ざめて呟《つぶや》きながら、勉強のためにと模造宝石を山のように買ったのを思い出します。

「日本は宝石の歴史が浅いから、こんなものがよく本ものだといって高い値段で取引きされたりするの。私のところの社員教育に使ってみようと思うのよ。これなんか、肉眼では見分けがつかないわ。台金がプラチナなんですものねえ」

彼女が殺されたと思う理由、ですか？

それは彼女が電話をかけてきたからです。週に一度は会社の方へ電話してきたものなのですが、あれは夜中で、僕の家にかかってきました。

「ご免なさい。日本は昼間なんだけど、お起ししたのね」

国際電話でしたから、本社から自宅によくかかるもので、僕がすぐ電話に出たのですが、彼女の口調は明るく弾んでいました。

「十日ほどしたらハワイに行くことになったの。そのあと一人でニューヨークに行こうと思っていますけれど、輝彦さんが出張だったら大変だと思って」

「いや、僕は当分ニューヨークから動きませんよ」

「よかったわ。安心したわ。お宅へかけて、ご免なさいね。でも、二週間先には、お兄ちゃまにお目にかかれるのね？　嬉《うれ》しいわ」

「はい。お待ちしています」

それから四日後に、日本から遅れて来る新聞を会社でひろげて僕は彼女が死んだのを知りました。記憶を正確にして、彼女の死亡時刻を見ましたが、東京とニューヨークの時差を計算してみても、彼女が死んだのは、僕に電話をしてきた直後としか考えられません。あんなに機嫌のいい声で、二週間先に逢えると言っていながら、自殺するなんて、誰が思いますか。当然他殺か、でなければ事故死でしょう。警察はどう言っているのです？

当時の週刊誌ですか？　妹が二、三、送って来ましたが、僕は読む気がしなかった。彼女に謎《なぞ》の部分が多いのは、僕がいたからです。彼女が二度も結婚していたなんて、馬鹿《ばか》らしくて僕は信じませんよ。僕が四年前にニューヨークに行くまで、僕らは緊密に連絡をとりあっていましたし。他人の憶測で書かれたものより、僕の方がずっと正確に彼女のことは知っているのですから。

失礼します。税関の手続きをしなければなりません。家内も娘もこちらを見ていますし、外には会社の連中が出迎えています。僕は真実を話しましたし、これ以上もう何もつけ加えることはありません。義彦と義輝には、いずれ会って、必要なら詳しいことを話し、社会人として世の中に出てからの相談相手になるつもりでいます。僕には何も求めなかった彼女に対して、せめて僕は子供に尽せることをして報いたいと思っています。ここで失礼させて下さい。

その二十六　宝来病院元婦長の話

富小路公子さまについて――はい、存じ上げております。あの方は、亡《な》くなる四、五年前から、烏丸さまの御紹介で、ちょくちょく宝来病院に入院なさったり、お疲れになったときには、よく往診の御依頼がありました。お眠りになれないといって内科から入眠剤などお出ししていました。

患者さんのことについては、私どもの職業柄お話しすべきではないのですが、私は昨年で病院の方を停年退職しておりますし、富小路さまがああいう亡くなり方をなすって、無責任な週刊誌の餌食《えじき》になったのが本当にお気の毒でたまりませんから、お尋ねにはなんでも知っていることをお話しいたしましょう。

私が戦後ずっと奉職しておりました病院は、日本には三つしかないオープン・システムの病院でございまして、入院なさった患者さんは、どこのお医者でもお呼びになれるのです。ヨーロッパでも、アメリカでも、そういう病院はお珍しくないということですが、日本では東大系とか、慶応系とか、学閥が大病院を支配していて、しかも一つの病院の中で医者を変えるのさえ患者の自由にはならないのが現状でございます。宝来病院は、戦後間もなく院長の英断でオープン・システムに踏み切りました。保険は扱いませんし、お金がかかるという評判が立ちましたが、院長は平然としていました。院長には信念がおありだったのです。宝来病院は、病人だけを扱わないという方針もありました。社会で立派なお仕事をなさる方々は、人並み以上に心身を消耗していらっしゃるのだから、その方々の健康維持というのが大きな目的の一つだったのです。さようでございますよ、予防医学でございますね。

ですから激務についておられる過労の方々に栄養補給のため、綜合《そうごう》ビタミンの注射をしたりして、この処方は院長自らがしましたもので、本当に効くものですから、患者さんの信頼も厚いものになったのです。

オープン・システムに備えて、外科手術や出産の設備など完璧《かんぺき》で、看護婦もえりすぐって優秀なものを揃《そろ》えました。どうしても対象がお金のある方々になってしまったのは仕方がありません。院長のやり方が金儲《かねもう》け主義だとさんざん悪口をかかれたこともありますが、お金持ほど、お金の使い方は慎重ですもの、病院の経営方針がお気に召さなければ出入りなさるものですか。贅沢《ぜいたく》な患者さんの入院が多いので、食事などは殊《こと》のほか気を使いました。

有名な大病院でも、食事はひどいものでございましょう？　第一、容器が粗末で、白一色だったりして。まるで餌《えさ》を運ぶようなところが多うございましょう？　三度の食事というのは人間にとって大切な栄養補給なのですから、カロリー計算だけでなく、皿小鉢もお味も充分に吟味しなければ、精神衛生によくないと院長はよく仰言《おつしや》っていました。私も、本当にその通りだと思います。お刺身を西洋皿に盛りつけたりしたら、食べる気などおこりませんものねえ。院長自身も食通でしたから、栄養士たちを年に二、三回、おいしい店へ連れて行って、味つけや盛りつけの工夫、そして什器《じゆうき》がどれほど料理をひきたてるものかということも教えこみました。

幸い、栄養士は料理好きの子たちばかりでしたし、他の病院では食費の制限が大きいのに、宝来病院は食費の予算が潤沢なので、私たちは本当に幸せだと栄養士たちが今でも口々に申しております。ですから、お口の奢《おご》った患者さん方にも、うちの病院の食事は好評で、昼は洋食、夜は和食を用意するのですが、まるでレストランで寝ているようだと仰言って下さる患者さんも多うございました。

ですから、富小路さまだけなんでございますよ、後にも先にも、コックを連れて御入院なさった方は。

けれどもあの方は、なさることが丁寧でいらっしゃいました。御入院のとき、私に御相談がございました。

「芦田《あしだ》さん、御迷惑とは思うけれども、私はレストランも経営していますので、病気で入院していてもコックから目を離すことが出来ませんの。それで、調理場の片隅で結構ですから、うちのコックが使えるようにして頂けませんか。私自身が味を利《き》きませんと、安心して御客さまにお出しすることが出来ないのです」

あの方は大きな声こそお出しになりませんでしたが、口調がてきぱきしていらして、命令されたわけではないけれど、結果的には富小路さまの言う通りになってしまうことが多うございました。このときも、私が院長にどうやって話したものかと思案しているうちに、コックさんがお鍋《なべ》もお皿も調理室に運びこみ、栄養士たちの見ている前で、手早くお料理を作り始めました。

はい、富小路さまは、朝食は病院のものをお摂《と》りになりましたが、低血圧症でいらっしゃいましたので、朝はお目ざめがおそく、朝食にはほとんど手をおつけになりませんでした。朝は、ドアがロックされていまして、検温にもうかがわないように致しました。お眠りになるのが一苦労で、不眠症と低血圧でそれはそれは苦しんでいらしたのです。あのお若さで、しかも女で、あれだけの事業をしておいでになったのですから、御心労も大変なものだろうと私どもはお察ししておりましたのです。

お目ざめになると、ベルが鳴りますので、待機していた看護婦がすぐ綜合ビタミンの注射にうかがいます。お肌が白く、お綺麗《きれい》な方で、うちの病院は芸能界の方たちもよくおいでになりますが、掃除婦などは、

「富小路さんの方が、ずっと美人だ」

などと申しておりました。

ですが、あの方は肌も躰《からだ》も柔かすぎました。静脈注射となりますと、注射針が入りにくくて、あれは本当に一仕事でございましたね。看護婦の中でも、一人だけでございましたよ、一発で針を入れることが出来たのは、私が注射を致しましたのです。佐藤という名でございましたが。

佐藤看護婦の休みの日には、私が注射を致しましたのですが、戦争中は野戦病院で鍛えられて大がいのことには驚かない私も、あの方の躰にはお手あげでした。第一に血圧が低すぎて、いくら二の腕をゴムでかたく縛っても静脈が浮き上って来ないのです。腕の関節を蒸しタオルで温めて、ようやくか細い静脈を見つけ出すのですが、何しろ筋肉というものがない方なので、注射針を差し込みましても静脈がどんどん逃げてしまうのでございますよ。

「ご免遊ばせ。腕を変えさせて頂きます」

「ええ、いいわよ。誰がやっても難しいと言うのですから、婦長さんも焦らないでね」

そう言われても、三回も四回も針を刺したり、やり直したり致しますと、血も出ますし、こちらも全身に汗が噴き出してきます。佐藤看護婦というのは、結婚前の若い子でございましたから、あの子より私の方が下手だなどというのは私に我慢が出来ません。ここぞと狙《ねら》いを定めて刺しこむのに、細い静脈が針の先からするりと逃げて右や左に動いてしまうのです。静脈をしっかり止めておくべき筋肉がおありにならないのですから。やっとの思いで針が静脈を探り当てても、細い細い静脈だものですから、針先が突き抜けたり、手前へ抜けていたりして、薬が外へ洩《も》れてしまいます。

「婦長さん、肩の下が、ちょっと痛いわ」

「申し訳ございません、もう一度やり直しをさせて頂きます」

「どうぞ、私は針で刺されるくらいは何度でも平気ですから、気楽になさって頂だい。仕事の上では、もっともっと辛《つら》い思いをしているんですから」

針を抜けば、そこから血が出ますし、あの方は止血が遅くて、それでしっかり押さえていますうちに、今度は注射針の方が詰ってしまいます。はい、太い針は使えませんものので。

富小路さまの入院中は、佐藤がおりませんと、私は栄養注射だけでへとへとになりましてね、佐藤看護婦に到頭きいたんでございますよ。

「あなたは、どうやって一発で刺せるの？」

「度胸きめちゃうんです。えいって、力一杯で突き刺すんです。静脈が逃げる暇のないうちにやるのがコツです」

「なるほどね。私も年を取ったのかしら。戦争中は鉄砲の弾なんか怖いとも思わなかったから、度胸は一人前以上に持ってるつもりだったけど」

「婦長さん、私だって、富小路さんほど難しい人は他に知りませんし、一番緊張するんですよ。でも、富小路さんから、注射の前にも後にも、あなただけよ、あなただけよ、あなたは本当に名人なのだからって言われると、ついその気になって、大胆にぶつっと刺せるんですね」

そうなんでございますよ。あの方は本当に人扱いがお上手でいらっしゃいました。入院なさるのは、お疲れのひどいときだけでしたから、一週間から十日ばかりのものなのですけれど、掃除婦から、受付の女の子にいたるまで、みんな富小路さまのファンになってしまうのです。佐藤看護婦は、ことのほか可愛《かわい》がられていましたから、富小路さまの往診ですと、どんな時間でも内科の先生のお伴《とも》にはりきって出かけました。

何しろ富小路さまは、お振舞の大きい方でございましたからね。コックを連れて御入院なさり、昼も、夜も、前菜から始めて、スープ、魚、肉料理、サラダ、デザートまで、フルコースをお作らせになるのです。

「芦田さん、院長先生は今日はどちら?」

「はい、院長は今日はずっと病院におりますが」

「それでは院長先生のお部屋にも、私のコックの作ったものをお届けしますから、お味をみて頂いて下さい」

院長は美食家ですから、それはもう大喜びでございました。うちの病院の賄《まかな》いは他の病院と較《くら》べれば費用も手間もかけていますけれど、それはやはり本職のコックさんには敵《かな》いません。三、四人前を一度に作りますから、私もよくお裾《すそ》わけを頂いて、舌鼓《したつづみ》を打ったものでございました。スープなどは、もう、栄養豊かで、香りもよく、これがスープというものなら、うちの病院のスープなどはスープと呼べないと思いました。栄養士たちに訊《き》きますと、それは贅沢な材料を惜しげもなく使いこんで作るのだそうです。スープも、ソースも。

「いい勉強になりますよ、婦長さん。料理学校で習うのとは、まるで別のものなんです。やっぱりプロのコックさんたちは、一つ一つ真剣勝負なのですね。気構えが違いますよ。富小路さんと、院長室から下がって来るお皿を、一枚々々手に取って、息を詰めて見定めるんですよ。そのときのコックさんの横顔は怖《おそ》ろしいほどです。食べた人の心情を、返ってきたお皿の具合で読もうとするのですね。院長が、さっぱりしたものがお好きだってこと、最初の一回で見通してましたもの」

「婦長さん、私たち栄養士が一番トクしてるみたいです。本当に勉強になるんです。富小路さんは、お見かけよりずっとしつこい味つけのものがお好きで、でもそれをほんの少ししか召上らないでしょう？　お皿に残ったものを、コックさんは悲しそうに見ているんですが、少しずつ表情が輝いてきて、指先でソースを舐《な》めてから、なるほどねえ、って呟《つぶ》やくんです。食べる人と作る人の間に会話が成立するのを私たち、はっきり見ることができました。私たちも患者さんの心理と健康状態を、戻ってきた食器を見て読みとれるようにならなければ一人前の栄養士にはなれないと思いました」

栄養士たちが、口々にこう申します。私は毎日、入院患者の病室をまわるのが仕事の一つでございますから、富小路さまのお見舞に出ますと、栄養士たちが大変喜んでいると御礼を申上げました。

「まああ。よかったわ。私は御迷惑をおかけしているのではないかと心配してましたの。でも、感心な栄養士さんですね、そういう観察をなさるのは」

「はい、栄養大学出身の中でも、大学側が太鼓判を押してくるのばかり採用しておりますから」

「人は大切よ、婦長さん。いい人を集めなければいい仕事は出来ないわ。この病院が感じがいいのは、そうやっていい人ばかり集めてらっしゃるからなのね」

「院長が、申しわけないけど富小路さんの御入院は有りがたいって申してます。こう毎日が御馳走《ちそう》ぜめとは思わなかったって」

「お口にあうといいのですけれど」

「コックさんが、もう院長の好みを呑《の》みこんでらっしゃるようです。栄養士たちが申してました」

「まああ。そう？　島本も腕を上げてきたのね。あのコックは、私がマキシムから引抜いたのよ。微妙な味が出せる天才なんですもの。いくら修業をしても、味覚は持って生れたものでしょう？　駄目なものは駄目なのよ。いくら目をかけて可愛がっても、駄目なものは駄目ね。私はこの歳《とし》で、やっとそういうことに気がついたのよ、婦長さん」

「この歳でって、まだそんなにお若いのに」

「ええ。でも歳より以上の仕事をさせて頂いていますから、人の倍も三倍も勉強しなければなりませんわ」

御入院中も、来客は頻繁《ひんぱん》でしたが、枕許《まくらもと》には山のように本を積んで、ちょっとの暇でも読書をしていらっしゃいました。いえ小説などはお読みにならなかったと思います。なんですか難しい本ばかりでした。法律関係の御本が多かったように思います。

「低血圧には、運動とお食事以外に療法はございませんよ。夕方でもお散歩などなさいませんか」

「それは分っているんですけれど、ぼんやりしている時間がもったいなくて。知っておきたいことが、この世の中には山程もあるわ。法律はどんどん改正されますし、ね。何もかも全部知ってから死にたいわ」

「それには健康第一でございますよ」

「ええ。ですから私、お酒も煙草《たばこ》もやりませんの。男も断って仕事一途《いちず》というのは、健康に悪いのかしら？」

「それはまあ、セックスは大切なものでございますけれど、殿方と違って、御婦人の場合は」

「健康に関係はないでしょう？」

「はあ。でも、そんなにお若くて、お綺麗で、男なしというのは勿体《もったい》ないですねえ。私も強情我慢でこの年までやって来ましたが、今になって若かったときのことを思うと後悔がございます。若いときは二度ないのですから、後でしまったとお思いにならないようになさいまし」

「でもねえ、テレビに出てしまってから、私には自由がなくなった感じなの。軽率だったと思うわ」

「だけど芸能界の方たちは、お派手にやってらっしゃるじゃありませんか」

「仕事の質が違いますからねえ。私は多勢の人を従えて行かなければなりませんでしょう？　ああいう人たちが羨《うらやま》しいとも思うけど。女でバリバリ仕事をしていると言い寄ってくれる男性なんていないことよ、婦長さん」

「そういうものでございますかねえ」

夜は、なかなかお寝《やす》みになれなくて、内科で出している軽い眠剤がきかないというので、明け方近く宿直医が呼ばれ、鎮静剤を注射することなどがよくありました。睡眠薬は血圧を下げますから、低血圧症にとっては悪循環になるのです。軽い精神安定剤なども差上げていましたが、あんまり不眠の苦しさを訴えておいでになるので、内科の方で少々もてあまし、精神分析をしたこともございました。そのときのカルテは私の手許《てもと》にございませんし、病院でも決してお見せしないと思いますが、どうも富小路さまは本当のことは何も仰言《おっしゃ》らなかったようで、お亡《な》くなりになったあとで、内科の先生が院長にそのときのカルテを見せながら、

「生年月日も嘘《うそ》だったのですからねえ。医者は患者の秘密は守匿《しゅとく》する義務がありますから安心なさるようにと何度も言ったのですが」

と残念がっていらっしゃいました。ですが、院長も、

「昭和十一年生れを、昭和二十一年と言い通されたのでは、医者の方も正確な診断はできないよ。正直言って僕も彼女が三十そこそこだと疑ってもいなかったのだからね、仕方がないよ。四十歳と分っていれば、僕だって処方が変っていたと思う。君のミスではないよ。しかし、医者にまで歳をかくすというのは、僕も長い経験の中で、なかったなあ、そういう患者は」

と、一生懸命なぐさめていらっしゃいました。

は？　三十歳と四十歳では、医学的にどう違うかと仰言るのですか？

私は看護婦でございましたし、当時は婦長でございましたが、医師ではありませんから、これはまあ、あくまで憶測というものでございますけれども、個人差はありますが、

女は三十五歳から更年期が始まっていると考えてよろしいのですね。更年期症状ほど人によって出方の違うものはございませんのですが、不眠症、低血圧、肩凝り頭痛というのは一般的な特徴でございます。富小路さまの不眠症は本当にひどいものでしたが、昭和二十一年生れと思っていましたから心身の疲労以外に理由は考えられなかったのです。昭和十一年生れと分っておりましたら、仮性鬱病《うつびょう》とか卵巣《らんそう》ホルモン欠落症とか、婦人科医でなくても一応の手当てはしてみたのにと、院長も内科の担当医もお考えになったのではないでしょうか。

さようでございます。更年期の仮性鬱病には、自殺志向の強いことが、よくあるのでございます。理由もなく、地下鉄に飛びこんでしまうとか——。ですが、これは何度も申しましたように、私の個人的な推測でございまして、今となっては富小路さまの死因は医者にとっても謎《なぞ》としか申せませんでしょう。

でも、あの方は、いい患者さんでした。我がままは仰言いませんでしたし、入院中は病室に花を一杯飾っていらして、お寝巻きも、淡いピンクや黄色で、フリルの一杯ついた可愛いものをお召しになってましてね、王女さまが寝てらっしゃるようでしたよ。私も花が好きですから、毎日おうかがいする度に、お花に見とれて一刻《とき》を夢のように過しました。

「婦長さんも、お花が好きみたいね？」

「はい、停年になったら、花造りをして余生を過したいと思いまして、伊豆《いず》の方に土地を買ってあるんでございますよ」

「婦長さん、牡丹《ぼたん》は？」

「大好きでございます。伊豆へ行ったら第一番にやりたいのは牡丹の花でございますよ。厚咲きの牡丹ほど見事な花はございませんものね」

富小路さまは低血圧のせいで、大きなお声は出せない方でした。静かな弱々しい口調で、

「まああ。私も牡丹が好きで、田園調布の庭に少しばかり咲かせるようにしているの。五月になったら、見に来て頂だいね？」

と仰言いました。

あの方は、私どもには決して嘘はおつきになりませんでした。お約束の頃、わざわざお車を下さいまして、田園調布に拝見にうかがいました。林のようなお庭の向うに、牡丹園が一面にひろがっていましてね、白、赤、紫から、絞りに一重と厚咲きが満開でした。

日照、今猩猩《いましょうじょう》、扶桑司《ふそうつかさ》、新神楽《しんかぐら》、月世界、大正紅《たいしょうくれない》、雪重《ゆきがさね》、春日山、金晃《きんこう》、金鵄《きんし》、金帝、私の知ってるだけでも、これだけの種類がございました。私は、しばらく呆気《あっけ》にとられて言葉もございませんでした。

「これは奥さま、何種類ほどお集めでいらっしゃいますんですか」

「三百種類はと思っているのだけど、まだそこまでいかないの。やっと二百七十八種なのよ」

「牡丹が、そんなに種類があるものなんでございますか、まあ」

「人間と同じね。みんな顔が違うように。これは島根県の大根島から取寄せた牡丹なのよ。綺麗《きれい》でしょう？」

純白厚咲きの牡丹の前で、富小路さまがそう仰言ったときのことは今も眼の奥に灼《や》きついています。

はい、万事が豪勢でいらしたのです。

佐藤看護婦が結婚するので退職いたしましたときも、御挨拶《あいさつ》に行ったら、高価なフランス製の純白のレース布地を一巻き、一巻きでございますよ。お祝いにと下さったそうで、

「ウェディング・ドレスが三着もできちゃうって洋服屋が言うんです。あんまり勿体ないから、必要分だけ頂いて、あとはお返しに行きましたら、結婚するのに返すというのは縁起でもないって叱《しか》られました。私は到頭結婚できなかったから、あなたは私の分まで幸せになって頂だいね、残りは寝室のカーテンにでもなさいって。でも、２ＤＫの公団住宅で、あんな立派なカーテンは似合わないでしょう？」

と、当惑していました。

御入院なさっても、毎日立派な指輪をとりかえひきかえ指にはめて、うっとり眺めていらしたのも思い出します。私が、

「宝石というのは大層な財産でございましょうね」

と申しましたら、

「違うわよ、婦長さん。悪質な宝石屋は、そんなことを言って売るようだけれど、宝石というのは、あくまで贅沢《ぜいたく》を楽しむためのものなのよ。美しいから好きなの、私は。ほら綺麗でしょう？　輝きが。いいものは、いつまで見ていても見飽きないわ。そのかわり、少しでもキズがあると、見ていて嫌になって来るのね。宝石も花も、完全なものほど美しいのよ」

と仰言っていました。

それから、

「婦長さん、あなた、伊豆に土地を買ってあると言ってらしたわね。何坪？」

「二百坪でございます。三百坪売ると言ってくれたのですけれど、それでは家が建てられなくなると思いまして」

「それは惜しいことをしたわねえ。伊豆ならドルショックも関係なく、三年たてば五倍の値になりますよ。百坪売れば御殿が建つのに、まああ」

「そうでしょうか」

「ええ、宝石は利子も産まないし、儲《もう》かるものではありませんけれど、土地は確実ですよ。その二百坪は、どんなことがあっても手放しては駄目よ。不動産が最高の財産ですからね」

停年を迎えて、家を建てる段になって、私は富小路さまの御忠告が身にしみました。溜《た》めこんでいた虎《とら》の子では、家が建たないことが分ったのです。インフレで建築材料も大工の手間賃も、べらぼうに上ってしまいました。それで七十坪を売りまして、そのお金でこの家を建てました、はい。年寄り一人の暮しでございますから、これでも十分でございますが、庭がもう少しあったら好きな花は全部植えられたのにと残念に思っております。

富小路さまは、本当に御立派でいい方でした。亡くなってから週刊誌がいろいろ書きたてましたのを読みまして、あんまりひどいと思いまして、お話しいたしました。佐藤看護婦も、今では子供ひとり産みまして幸福な暮しをしておりますが、事件当時は病院に参りまして、

「あんなことを言ってらしたのに、何度も結婚して、子供もあるって書いてるでしょう？　でも婦長さん、私は信じられません」

と、狐《きつね》につままれたような顔で、申しておりました。はい。私も週刊誌に書いてあったことは、変だと思います。

その二十七　次男義輝の話

富小路公子について——うん、僕のママだよ。どう思うかって？　そりゃ僕の親だしさあ、素敵な人だったよ。兄ちゃんには、会わないの？　え、会った？　兄ちゃんは、どう言ってた？

ふうん、いけないなァ。兄ちゃんは、それはないよォ。ママはねェ、兄ちゃんを、そりゃあ可愛《かわい》がっていたんだからねえ。僕と違って兄ちゃんは学校が出来たからさァ、ママは兄ちゃんには全力投球してたんだよォ。兄ちゃんだって、それは承知して、甘えられるだけ甘えてたんだ。本当だよ。

羨《うらや》ましかったかって？　誰が？　ああ、僕が、兄ちゃんを？　そりゃ羨ましかったさ、勉強が出来れば親が喜ぶの当りまえだものね。だけどママは、僕のことだって、言うことなんでもしてくれたしさァ、なんでも買ってくれたしさァ、ママの方から兄弟をわけへだてするってことはなかったよ。ただ、兄ちゃんは出来るし、僕は勉強嫌いでさァ、兄弟といっても性格が違うからね、だからママは、兄ちゃんには兄ちゃんむきに、僕には僕むきに、ママのいう「愛」で包んでいたんだよ。僕も、うんと甘えて暮してた。うん。

兄ちゃんと僕との違いは、簡単に言っちゃえば、兄ちゃんは自動車を見ると、エンジンの特徴とか、組立て具合とか、耐久力とかさァ、そういうものに興味があるんだよね。だからいつまでも一台の車を眺めていたり、ゆっくり動かして性能を試したりという風なんだ。だけどォ、僕は、車と見れば、飛乗って、ふっ飛ばして運転するのが好きなんだ。それもね、メルセデス・ベンツとか、007の乗ったアストン・マーチンとか、上等のシトローエンとか、カッコいいのが大好きで、次々とママにねだって買ってもらった。ママは、すぐ買ってくれたよ。スポーツカーだけは危険だからって絶対駄目だったけどさァ。

「ママの性格も考えて頂だい。輝《てる》がスポーツカーで、もしものことがあったらと思うと、ママは生きていられないわよ」

僕の顔を見詰めて、涙ぐんで言うもんだから、僕もジャガーやなんか、どうしても買って欲しいと言えなかった。危険から言えば、リンカーン・コンチネンタルだって、乱暴に運転すれば、同じことなんだけどね。でも、ママにはママの理屈があったんだよ。

「大きい車と小さな車が衝突した場合、小さい方が危険でしょう？　だから、大型車なら、どんなに高くても買ってあげるわよ、輝のためなら」

田園調布の家に行って、僕は最初ママの運転手について車ころがすの覚えたの。だって子供だったから、運転免許とれる歳《とし》になるのは、ずっと先の話だったからね。運転手は、ママに相当注意されてたらしくて、家の外には絶対出してくれなかった。門の中から車寄せのところまでね、行ったり来たりするだけだった。だけど嬉《うれ》しかったよォ。ママは知ってたけど止めなかったし、運転手は助手席にいて、僕の後から斜めに僕を抱くようにして、なんでもやらせてくれたんだ、うん。子供がさァ、大人の車動かすなんて最高だもんね。やっぱり親と暮すのはいいと思ったよ。

中野のおばあちゃんのこと？　そりゃ別れるのは淋しかったよ。僕らを育ててくれた人だし、悪い人じゃないからね。だけど、ママを産んだわけじゃないし、ママにとっては義理があるだけで、その上、僕らの小さいとき世話になっているからさ、ママは中野にも精一杯のことはしていたよ。おばあちゃんもママには感謝していたしィ。本当だよ。

「お前さんたちのママは、大したもんだよ」

って、いつも感心していた。

血が繋《つな》がっていなかったけど、おばあちゃんとママは実の母子《おやこ》みたいに仲がよかったんだよ。だけど、あの二人は性格が違いすぎたからさァ。性格というより、やっぱり血が繋ってなかったせいだねえ。だから一緒に住まなかったのは、ママも、おばあちゃんも賢明だったと思うよ、うん。

僕たち子供だってさあ、まず喰いもので参ったものね。レストランで食べるみたいなものばかり、ナイフとフォークで毎日っていうのは、きついよねえ。おばあちゃんは漬物でお茶漬さらさらの口だからさ、一日も我慢できなかったと思うよ。僕らもさあ、学校給食で粗末なものばかり喰いなれてるからさあ、本当に往生したよ。田園調布の駅前のラーメン屋なんかに、よく行ったものね。握り飯とか、かつ丼《どん》とか、そういうものが食べたくて、夢に見たりしたよ、最初のうちは。

でも、ママは本当に大したものだった。僕らが求めているものは何かって気がつくと、コックにラーメンや、味噌汁《みそしる》つくらせるようになったもの。めざしの焼いたのなんか、

「私も大好きよ」

って、無理してさァ、にこにこしながら僕らと一緒に食べたもんね。ママはフランス料理が大好きで、食堂なんかフランス料理食べるようにシャンデリアもぶらさげてあったのに、子供を迎え入れると、そこでカレーライスやスパゲティを平気で食べ出したんだ。

「ママ、たまにはフランス料理でもいいんだぜ」

って、僕が言うと、

「まあ。輝は思いやりのある子ねえ。心が優しいのねえ」

すぐ泣くんだ。あれだけは困ったけどさァ。女の涙って、男は弱いでしょう？　それ

が、ママの泣き方ときたら、嗚咽《すすりな》くんじゃなくて、黙ってほろほろと涙を流すんだ。我慢できることは全部我慢して、声を出さずに泣くんだよォ。だからさァ、僕はママに泣かれると手も足も出なかった。兄ちゃんだって、最初は僕と同じだったと思うんだ。

音楽もね、ママは理解できなかったと思うけどォ、僕が学習院でバンド作ったとき、楽器は全部ママが買ってくれた。最高のを、さァ。僕はドラム叩《たた》いて、バンドマスターになれたの、ママのおかげだよォ。小遣いは、いくらだってくれたもの。学習院じゃ、顔になれたのさ。

兄ちゃんは、そういうママの教育法を「過保護だ」とか「やり過ぎだ」って批判的だったけど、ママにしてみればさァ、働いて金持になっていい環境作ろうと一生懸命だったわけだからさあ、それで子供と一緒に暮せるように、やっとママの念願が適ったんだからァ、猫可愛がりになるの無理ないよねェ。

兄ちゃんにだって一流の家庭教師いっぱいつけたんだよ。そりゃ兄ちゃんは僕と違って素質があったからさァ、家庭教師つけたことが充分意味があったよね。だけど、ママが一生懸命じゃなきゃ、中野の公立にいただけじゃ、あんな最高の大学に入れたかどうか分んないよ。それが、兄ちゃんは、よく分ってないみたいなんだ。うん。頭のいい奴《やつ》ほど、まわりの人のこと分んないことってあるでしょう？　兄ちゃんにも、そういうとこ、あったと思うんだ。

だけど、最初はずっと幸せだったんだよ。急に金持の子になって、学習院だしさァ、自家用車で通学するなんて、ママの口癖だったけど本当に「夢みたい」だったよ。中野で、おばあちゃんと暮してたときは想像もしてなかったもんね。

中野へ会いに行ったこと？

そりゃァ生れてずっと育ててくれた人だしさァ、年も取っているからァ、淋しいだろうと思うし、僕も会いたくて行った。何度行ったかなあ。数えきれないくらい中野に行ったよ。友だちだって、一杯いたからねえ。田園調布じゃ、近所の子供と無茶苦茶やって遊ぶってことなかったからね。兄ちゃんは勉強ばかりしてるしさァ、僕にも家庭教師ついてたけど、ママは「適当に遊び相手になって下さい」って言ってくれたけどォ、相手は大人でしょォ？　面白くもなんともないんだ。テレビも僕が好きな番組見てないしさァ、ロックに凝ってる僕が、相手はまるきり理解できないみたいだった。大人は、音楽って駄目だねェ。ベートーベンとか、バッハなら喋《しゃべ》るけど、あんな音楽会で重々しくやるものは、僕の方で受けつけないしさァ。勉強嫌いの僕に、家庭教師つけたんだから、むこうも気の毒だったねえ。ママが沢山お金を払ってたから、必死で我慢して僕の相手してる感じだったよ、うん。

ママの結婚？

それは僕、詳しいこと訊かずじまいだったな。だって、戸籍では渡瀬義雄って人が僕らの父親として記載されてるけど、一度だってその人は僕らに会いに来たことないんだからァ、親としての資格はないと思うよ。週刊誌がいろいろ書いたけど、分ってないって感じだったなァ。ママは魅力的な女だったから、若いとき誰もほっとく筈《はず》がなかったと思うんだ。詰んない男にもひっかかったりしたんじゃないの。結果として僕らが生れたのかもしれないけどォ、いいじゃない、誰が父親でも。働いて僕らに不自由させなかったのはママだし、ママの義理の母親は、ちゃんと僕らを本当の孫みたいに可愛がってくれたしさァ、それで僕らが育ってからは、ママが引取って、豪華版の青春をプレゼントしてくれたんだから、親というのはママ一人で充分だと僕は思ってるんだ、うん。

ママは頭がよかったし、努力家だった。晩《おそ》く帰って、僕らの寝室をそっと覗《のぞ》いて様子を見た後は、夜の夜中まで読書をしたり、寝室の電話で一生懸命話しこんでいたりしたよ。どうして知ってるかって？　それは僕が、ママに会えない一日は、ママの顔が見たくって、僕の寝室を覗いて僕が狸寝入《たぬきねい》りしているのをじっと見てくれるのが嬉しくてたまらなかったからさァ。狸寝入りしてたのは、起きてたと分ると叱《しか》られるからね。子供は早く寝て、早く起きるものだとママは決めこんでいたのよ。ママは声を荒くして叱るなんてこと滅多になかった。ただ、僕が夜更《よふか》ししてると知ると、悲しそうな顔して、

「輝ちゃん、どんなことしてもママは怒らないから、健康な生活だけは自分で心がけて頂だい。よそのお母さんのように、あなたたちの傍《そば》に四六時中ついていられないのを心

苦しく思っているのよ」

こう言って涙ぐむからね。だから門のところで、ママの車が入って来たんじゃないかって思うと、テレビも深夜ラジオも消して、ベッドへもぐりこんじゃうのさ。だけど、ママが僕の寝顔をじっと見守ってから、部屋の電気を消して、そっと出て行くと、僕は大きな声で「ママァ」と叫びたくなるんだ。子供のときなんか、甘えたくて仕方がなかったからね。水曜日に山のような土産かかえて中野の家にママが来た頃のように、ママの傍でごろごろして甘ったれたかった。

田園調布の家に行ったばかりの頃は、子供だったから、すぐ廊下へ出て追いかけて、声をかけた。

「ママ、ママ」

「まあ、輝。眠ってたんじゃなかったの？」

「うん。ママが覗いたような気がして、眼が醒《さ》めちゃったんだ」

「そう。ママが起してしまったのね。悪いことをしたわ」

ママは優しく僕を抱きあげて、

「まあ、輝は重いのね」

って言いながら、ママの素敵な寝室に入れてくれた。

大きなふかふかのベッドに寝て、僕はママが、素敵なネグリジェ姿になって入って来

るのを待つんだけど、恍惚感《こうこつかん》があったなあ。ママは柔かい躰《からだ》でねえ、僕を抱き寄せると、

「さあ、お眠《ね》むになったら、朝までここにいていいから、お寝《やす》みなさい」

って、優しく僕に言ってくれるんだ。僕は言われた通りに眠ろう眠ろうとするんだけど、今から思うと子供でも男だったから興奮しちゃったんだろうねェ。全然、眠れないんだァ。

そのうちに、ベッドの枕許《まくらもと》の電話が、チリチリチリリって鳴りだすんだ。

「はい、富小路でございます」

ママが静かな声で言う。

「まああ。でも、お待ちになって頂けます？　いまね、輝《てる》が、ええ、義輝ですわ。甘えん坊で困りますのよ。私のベッドにもぐりこんでますの。まああ、そんな変なこと仰言《おっしゃ》らないで下さいまし。ええ、はい、分りましたわ。今から輝を子供部屋へ行かせますから」

それで受話器を置いて、

「輝ちゃん、お部屋までママが送って行きましょうか？」

ママが僕を輝、輝って呼ぶときは、どんな我がまま言ってもいいんだけど、「輝ちゃん」と「ちゃん」がついたときは、怕《こわ》いってわけじゃないけど、なんだか僕は良い子にならなきゃいけない雰囲気《ふんいき》があったんだ。だから、僕は、

「いいよ、一人で帰れるよ」

って、ききわけよく部屋に帰った。広い家だからね、夜中に廊下を一人で歩くのは心細かったし、悲しかったなァ。だから、僕は、ママの部屋で朝まで眠ったこと、数えるほどしかないの。

子供だから、すぐ眠ることもあったけど、ママは必ず枕許の電話で、ひっそりと話し続けていた。相手は誰なんだろうって子供でも好奇心に嫉妬《しっと》が混って聞き耳たてたことあったけど、

「まああ、二万坪ですって？　それは買わなければ。すぐ手付けを打って下さいませんこと？　いいんです。弁護士に言って、調査員をつけさせますから。そのお値段でしたら、決してお高くありませんわ。先方様も御事情があって手放すのでしょうから、買叩くのは、いけませんわ。三年も寝かしておけば倍には必ずなる場所ですもの。はい、三年。私の名義で買いますのよ、もちろん」

なんていう具合の話が大方だった、うん。

暁方《あけがた》、ひょいと眼があいて見ると、ママがシェードランプの下で、じっと本を読んでるんだ。いったい、ママは、いつ眠るんだろうって不思議に思ったものだよ。

菅原にも会ったの？

あれは悪い女だよ。悪女っていうのなら、あいつだよ。

「輝坊《ぼ》っちゃま。あなたはもう男なのですから、お母さまのお部屋でお寝みになるのは、およしなさいましね。若奥さまは、輝坊っちゃまがお入りになると一睡もおできにならないと仰言ってましたよ。大変なお仕事をなさっておいでになるのですから、そこは義彦坊っちゃまのように、よくお心得になっていらっしゃいまし」

なんて言いやがった。

頭に来ちゃってさァ、あの女が留守のときに彼女の部屋に入って、ひっかきまわしてやったことがあったよ。帰って来てから大騒ぎしやがってね、警察を呼んでね、指紋を取ってくれなんて喚《わめ》いてさァ。

「盗難にあったものは、何ですか？」

「え？」

「泥棒が何を持って行ったのですか？」

「さあ、なにしろ滅茶々々に荒らされていましたから」

「気を鎮めて大事なものが失くなっていないか調べてみて下さい」

犯人が犯行の場所に顔を出すってのは、本当だね。僕、パトカーでやってきたおまわりの傍で、あの女が部屋中這《は》いつくばって探しまわっているの見物してたんだ。そしたらさあ、簞笥《たんす》の一番下の抽出《ひきだ》しを抽抜いて、その下に手を入れて、茶色い大きな封筒をひっぱり出して、中身を一生懸命数えてるんだ。面白かったァ。それからベッドのサイドテーブルにあった花瓶《かびん》、僕が下へはたき落してあったの拾い上げて、差してあった造花の束を抜きとると、中へぐいぐい手を入れて、それから手の中のものよく見てから、

「何も、何も、盗《と》られていません」

と言ったんだ。それで、やつは僕に気がついて、

「まあ、坊っちゃま、どうしてこんなところにいらっしゃるんです？」

眼を吊《つ》り上げて叫ぶんだ。

「泥棒が入ったって言うから、心配して来たんだよ。二階のママの部屋は大丈夫？」

「ああ、そうですわ、二階も見て頂きましょう」

警察の人を案内して二階へ行った隙《すき》に、僕は抽出しの下のハトロン紙の封筒の中身を見た。一万円札が束になって幾つも入ってた。それから花瓶の中には、ダイヤモンドやルビーのイヤリングが、幾つも、片方ずつ、入ってたんだ。片方ずつってのが、おかしいよね？

一年もしてからかなァ、光子の頭を撫《な》でながら、ママが、

「あら、また光子がイヤリングを落したわ。菅原さん、探しといて頂だいね」

「承りました。でも若奥さま、そういう高価なものが失《な》くなりますのは、いわば私の不始末でございますから、空怖《そらおそ》ろしゅうございます。どうぞ、リボンとか、せめてフランス・ダイヤぐらいのものを光子さまには使って頂いて下さいまし」

「そうもいかないのよ。第一ね、光子が本物じゃないと喜ばないでしょう？　それに高価といっても指輪と違ってイヤリングには大きな石は使わないから、大したことないのよ。芝生の間から、この前みたいに出てくるのじゃない？　私もね、偽物《にせもの》は大嫌いだから、フランス・ダイヤだなんて、いわば硝子《ガラス》ですからねえ。私の家でそういうものを拾った人がいたとしたら、私の扱っている宝石店が信用を落すでしょう？」

「それはそうかもしれませんけれど、私は、いつもひやひや致しておりますのです」

僕が、じいっと奴の顔を見ているのに気がつくと、急に眼が額のところまで吊り上って、金切声を上げたね。

「わ、わ、私、疑われるのは本当に迷惑なんでございますから」

「誰も疑っていませんよ。私は、あなたを心から信用していますよ」

ママは静かに、何もかも見透しているような口調で言ってたね。

ママの予言通り、失くなったイヤリングは芝生から出てきたり、林の中から拾い上げられた。誰が探し出したと思う？　あの女だよ。庭師が掃除したあとから、ダイヤモンドのイヤリングが出てくるんだから、奇術みたいなもんだよね。

「菅原は手品がうまいね」

僕が言うと、

「輝ちゃん、同じ屋根の下で暮していれば家族よ。あの人を悪く言ってはいけません。

一生懸命この家を守ってくれている人なのですよ」

僕はママから窘《たしな》められたけど、あの女に盗癖があったのは、ママだって知ってたんじゃないかと思うなァ。それを承知で使ってたとしたら凄《すご》いと思うんだけどねえ、ママは人がいいとこあったからなァ、よく分んないなあ。

だけど一つだけ、絶対あれはあの女がやったことだと思うよ。ママが死んだあと、いろんな週刊誌が、あることないこと書いたでしょう？　そのとき、田園調布の米屋も肉屋も、口を揃《そろ》えて「何カ月も支払ってもらえない」とか、近くのそば屋まで「あの家は、十何人前とかいって大量に届けさせるけど、払いは悪くて、二十万円以上踏み倒された」なんて言ってるんだ。みんなママのせいにしてしまって、ひどいよ。ママは家のことは、あの女に任せてたんだから、払わなかったのは、あの女の責任なんだ。出入りの商人に払うべき金は、簞笥の下にくすねてたんだよ、きっと。

え？　あの女にも会いに行ったの？

へええ、ママがあの女にマンション買ってやっていた？　老後のために？

嘘《うそ》だよ。

信じないよ、僕は。

だってママは、あの女によく言っていたもの。

「あなたの老後は私に任せて頂だい。何も心配しなくていいのよ。私には親も姉妹もいないのですからね。あなたの一生は、私の家族として過せるものと思っていて頂だい。私は、そのつもりでいるのよ」

マンションは、自分がくすねた金で買ったんだよ、きっと。ママは、大まかだったからね、うん、お金のことさ。兄ちゃんだって、ママからは、毎月沢山お小遣いもらってたんだよ。僕なんてクラスの取巻きにたかられて、すぐ使っちゃったけど、ねだればいくらでもくれた、うん。

造花？　ああ、あの女の部屋のかい？

ママが作ったのかって？　どうして？　ママは手先が器用なところあったけどさァ、造花を自分でやる趣味はなかったよォ。だって庭師やとって、庭中ふんだんに本物の花を咲かせてたもの。

「ソロモンの栄華も一輪の百合《ゆり》の花に及ばないって、キリストが言っているの。私、聖書の中で一番好きな言葉よ。ね？　土から生れるものの中で、花がこの世では最高の美だわ」

って言ってたの覚えてる。うん。僕はママが、聖書まで、いつの間に読んだのかって、びっくりしたので覚えてるんだ。

ママが造花の花束を、自分で作ったと言って友だちにあげている？　信じられないなァ。だってママは、林梨江ってデザイナーにドレス作らしていただろ。ああ、そっちと間違って飛んだデマじゃないのかなァ。あの先生のドレスは、滅多やたらと造花をつけるのが特徴だろ。去年なんか、背中にくっつけるのファッションにしてたものね。ママは、あの人のスポンサーだったけど、造花については批判的だったと思うよ。だって、ママはフリルのついたフランス人形みたいなドレスが好きで、それが本当によく似合ったんだけど、あの先生が造花をつけてくると、黙ってそれを外して、宝石とつけかえていたんだもの。

カトレアね？　蘭《らん》の花をブーケにして、胸許《むなもと》に飾ってたのは見たことあるけど、造花は、ママは好きじゃなかったと思うよ。だからさ、自分でそんなことする筈《はず》ないよ。ママは美しいものだけが、むやみと好きで、それはちょっと病的なくらいだったけど、うん、自分でもそう言ってた。

「ママはね、美しいものしか好きなものがないの。こういう性格は、自分でも困ることがあるのよ」

って。

兄ちゃんが、ママの悪口言うの、いけないなァ。だってママは本当に兄ちゃんを好きだったし、兄ちゃんのガールフレンドが遊びに来ると、至れり尽せりだったよ。ママのブローチ褒めたりすると、すぐ外してプレゼントしちまったりしてね、見てると、やり過ぎっていう感じだったけどさァ。ママは、なんでも一生懸命だったからねェ。

兄ちゃんの恋愛で、ママが血相変えたのは本当なんだ。うん。僕も、驚いたんだけどさァ。でも、親子といっても、男女の関係なんじゃないの？　花嫁の父ってのが結婚式でわァわァ泣く話、よく聞くじゃない？　ママは愛の対象だった兄ちゃんが取られると思ったんだ。溺《おぼ》れるほど愛していたからね。兄ちゃんが家出して、勝手に結婚したときは、ママは完全に失恋状態だったよ。まっ蒼《さお》でさァ。顔だけじゃなくて、爪《つめ》の色まで悪くなったんだもの。医者がしょっ中来て、注射してた。

「輝、輝ちゃんだけは、こんなことしないで頂だいね。いつまでもママの傍にいてくれない？」

僕が心配して顔を覗《のぞ》きに行くと、息もたえだえで、今にも死にそうな声出して言うんだ。

「僕は結婚なんか、しないよ。ママと一緒に暮す方がいいにきまってるもの」

「有りがとう」

「兄ちゃんも、今に気がつくよ。それに兄ちゃんは、ママが嫌いになって、あの女と結婚したわけじゃないんだし」

「よりによって、どうして義彦は、あんな人を選んだのかしら。女だって美しくなければ値打ちがないのに」

兄ちゃんは大学の同級生と結婚したんだけどね、まあ、どちらかといえば醜女《ブス》の方だから、ママには思いがけなかったのかもしれない。兄ちゃんは、断然ハンサムだからね？　ちょっと似合わない夫婦なんだけどさ、兄ちゃんに言わせれば、女は顔じゃない、心だ、頭だってとこなんだろうな。まあ文字通りの秀才と才媛《さいえん》の結婚なんだからァ。僕が独身主義かって？　そういうわけじゃないけどさァ、悲嘆にくれてるママを見たら、そうでも言うしか慰めようがないじゃん。

「輝がいるし、光子もいるし、私は決して孤独になったわけじゃないのだから、しっかりしなければいけないわね」

犬と一緒にされたのは、そりゃ面白くなかったけどさァ、ママは無邪気で子供みたいなところがある人だったから、悪気はちっともないんだよ。僕は腹が立つより、可愛《かわい》いなあって、こっちから抱きしめてあげたいような気がしたね。

ママが死んだのは病気と思わないかって？　それ、どういう意味？　ママは、病気なんかじゃなかったよ。美しいものは、みんな手に入れたがる性格だったけどォ、ちょっと異常な感じはあったけどさァ、死ぬほどの病気とは言えないと思うよ。

でも、僕は、ママが死んだとき、ああ、到頭やったな、と思った。あんまり驚かなかったんだ。そりゃ、ショックはショックだったけどね。親が死んだんだからさァ。

僕には経験があったんだ。まだ小さいときのことで、中野のおばあちゃんと、木造の粗末なアパートで暮していたときのことだけど、まだママも成功してなくて、貧しかった頃で、アパートの二階の狭い一間きりのところにいたんだよ。僕が、まだ小学校に上ってなかった。ママが青い顔して、入って来て、おばあちゃんは買物にでも行ってたのかな。兄ちゃんは小学生だったから、いなかったし、ともかくママと二人きりだったんだ。ママが僕を抱いて、

「ねえ、輝。今日はなんていいお天気なんでしょう。お空を見てご覧なさい、青空よ。お空いっぱい美しいと思わないこと？」

って、窓から手すりまで乗って言うんだ。高い高いをしてもらってるようなものだから、僕は嬉《うれ》しくて、ママに抱きついていた。

「輝、見てごらん、あの雲を」

冬だったと思うんだけどね、秋だったのかな、白い雲が、恰度《ちょうど》目の前に流れて来た。確かに綺麗《きれい》だったよ。

「ね、輝、美しいと思わない？」

「うん」

「ほら、あの雲から、音楽が聞こえて来るでしょう。まああ、七色の光が、ほら、雲が虹《にじ》のように輝いているわ。ね、輝、行ってみましょうよ」

僕はびっくりして叫んだ。

「駄目だよ、ママ、落っこちちゃうよ！」

ママは、僕をじっと悲しそうに見詰めて、手摺《てすり》のところまで乗っていたのに、残念そ

うに部屋に降りた。

「まだ子供なのねえ、輝は。あんなに美しいものを見ても、傍に行きたいと思わないの？ 夢みたいに綺麗なのに」

「だって、ママ、ここは二階だよ。窓から外へ出たら、落ちて怪我《けが》するよ。僕たち、窓のところへ行くと、おばあちゃんが落ちたって知らないよって、いつも怒るんだ」

「そうなの？ そう。おばあちゃんは夢のない気の毒な人だからねえ」

ママは、がっかりしたみたいに、溜息《ためいき》をついてた。小さいときの出来事だったけど、子供なりに生命《いのち》の危険を感じたからさァ、はっきりと覚えてるよ。

だから、僕は、こう思うの。

ママは、あの日、ビルの更衣室で虹色に輝く雲を見たんだ。美しいものには眼のないママだったから、前後の考えもなく、その雲に乗ろうとしたんだ。あの日は上天気だったからね。それにまっ昼間の出来事だったでしょう？ ママの傍には誰もいなかったんだよ、きっと。止める人がなかったんだ。

僕はママの死に顔を見たけど、綺麗だったよ。美しいものに抱かれて満足しているって感じだったよ。ママは、自分が死んだのも知らなかったんじゃないかなあ。

ママが悪女だなんて、とんでもないよ。ママは夢のような一生を送った可愛い女だったんだよ、本当だよォ。

解 説

武蔵野次郎

現代の女流作家の活躍ぶりには正に瞠目《どうもく》すべきものがある。というのも本業としての小説創作活動のほかに、戯曲・演出という舞台の方面にも進出し、輝やかしい実績を収めている実力派の女流作家の存在にとくに鮮明なものが感じられるからである。そういう現代の力量十分な女流作家の一人として本篇《ぺん》の著者有吉佐和子の名があげられる。

第十五次「新思潮」同人に参加し、昭和三十一（一九五六）年に「地唄《じうた》」をもって「文学界」新人賞を受賞、文壇デビューをはたし、その後、かずかずの話題作、たとえば、『助左衛門《すけざえもん》四代記』（昭38）、『非色』（昭38）、『華岡青洲《せいしゅう》の妻』（昭42）、『恍惚《こうこつ》の人』（昭47）、『複合汚染』（昭50）、『和宮様御留《かずのみやさまおとめ》』（昭53）、『開幕ベルは華やかに』（昭57）等々を執筆発表、その評価にはつねに高いものがあることは世間周知のところである。その数多い有吉文学の集大成として、先に「有吉佐和子選集」（第一期全十三巻）、（第二期全十三巻）（共に新潮社版）が刊行されているという人気女流作家である。

有吉佐和子作品の場合、純文学・中間小説〈大衆文芸〉の両ジャンルに亙《わた》る幅広い小説創作が可能というところに大きな特徴が見い出せるのである。その点、故山本周五郎もかつてのべていたように、文学には「いい小説と悪い小説の二つしかない」という概念から考察してみても、有吉作品は〝いい小説〟に属する作品が圧倒的に数多いといえるし、それだからこそ幅広い読者層によって支持愛読されている、つまり人気作家としての地位をつねに確定しているということができるのである。

本篇『悪女について』(初出発表「週刊朝日」昭53年連載)を鑑賞してもすぐ判《わか》ることだが、その作調が甚《はなは》だ演劇的(ドラマチック)であるということである。二十七章によって構成されている物語が、各章それぞれに異なった人物が登場し、その人物によって語られるモノローグ、すなわち、一人称スタイルの文章叙述によって興趣満点のストーリーが展開してゆくあたりの面白さは、ちょうど優れた名優のセリフの語りによって展開する演劇の舞台を見る懐《おも》いにも通ずる興味が感じられるのであるが、そういう本篇の作りにも有吉作品独自の持ち味・特長というものがあるといってよいだろう。

余談ながら、もともと有吉佐和子はデビュー前に演劇評論家を志したぐらいで、当然といえば当然なのだが、前記のようにここのところ著者の演劇界での活躍ぶりが際立《きわだ》っているのが注目される。五十七年十二月には、前進座公演(東京新橋演舞場)で「助左衛門四代記」が劇化上演されているし、五十八年一月にはテレビ長時間ドラマとして「開幕ベルは華やかに」が放送され大きな話題をよんだのも、まだ記憶に新しいところである。そして、引き続いて五十八年二月には、有吉佐和子原作・脚本・演出、山本富士子主演による「乱舞《みだれまい》」が東京帝国劇場で公演されているという具合に、毎月のように芝居の分野における著者の旺盛《おうせい》な活躍があることが目につくことでも、有吉作品における評価には、今や小説創作と演劇（脚本・演出）という二分野が全く同等の重味を持っているといわねばならない。どちらが欠けても正当な有吉作品の評価はできないといえるまでに、この両分野における著者の仕事ぶりには充実した秀《すぐ》れたものがあるということである。

もう一つ非常に注目されることに有吉作品におけるミステリー手法の成功がある。書下し長篇として発表されベストセラーになった『開幕ベルは華やかに』は、明瞭《めいりょう》にミステリーとしての趣向が凝らされていたことでも興味深い長篇であったが、ちょうどそれと同じような感触（現代のミステリーとして）を本篇からも受けることも事実である。本篇『悪女について』の単行本初出（新潮社版）が昭和五十三（一九七八）年九月であり、『開幕ベルは華やかに』の同じく単行本初出（同）が昭和五十七（一九八二）年三月であるから、現代ミステリーとしての趣向を持つ長篇としては本篇のほうが先に出ているということになるのだが、いずれにせよ、有吉作品におけるミステリー手法が鑑賞できるという意味でも、これら二長篇の意義には大きなものがあることも否めない。本篇はそういう興趣に満ちた小説なのである。

八〇年代の大衆文芸〈中間小説〉界において顕著な状況として挙げられるものに、ミステリーの隆盛がある。ほとんど毎月のようにいずれかの中間雑誌では〝推理特集〟が企画されている現状を見ても、現代の小説としてはいかにミステリアスな味わいを持つ小説が読者に歓迎されているかということがよく判るのである。従って、有吉作品の現代小説（幅広い大衆読者層を対象とする大衆文芸的作品としての）、たとえば本篇や『開幕ベルは華やかに』のような長篇の作調が多分にミステリー仕立てになっているところにも、著者の小説作法の尖鋭《せんえい》さがうかがわれるのである。

さて、本篇『悪女について』を読了後、読者の感銘にはいろいろと深いものがあるに違いない。物語そのものが際立って面白いことはいうまでもないが、その物語の展開に新手法が駆使され効果をフルに発揮しているという、つまり小説技巧の冴えにとくに感銘を受けるのである。

「その一　早川松夫の話」から始って、「その二十七　次男義輝の話」まで二十七人の主要人物が登場し、ヒロイン富小路公子《とみのこうじきみこ》についてそれぞれの視点から彼女の人物像を物語るという作りの全二十七話によって構成されている。なにしろ各挿話を語る、いわゆる、語り手の主人公が只一度の登場であり、同一人物が二度に亙って登場することはないという凝った設定になっていることもあって、それだけ作者にとっては容易ならぬ小説手法（多人数の登場人物を創作しなければならぬという）であることは容易に推察されるのだが、読者にとっては毎回目先の変る面白さがある（このことは本篇の初出連載が週刊誌であったので、毎回、語り手の主人公が変ってゆくということは読者の興味を次々にひいて飽きさせないという妙味がある）のだが、そういう創作意図にも、いかにもストーリーテラーとして秀逸な才腕の持ち主である著者の小説巧者ぶりが痛感されるといってよい。

第一話の早川松夫の話のラストで早くも、ヒロイン富小路公子の死のことが出てくる。〈「虚飾の女王、謎《なぞ》の死」と社会面に大きく出ていたじゃありませんか。〉と語る早川青年の言葉によって、読者はギョッとさせられるのだが、このプロローグからヒロインの死を提出するという手法にも、前述のミステリーとしての興趣が意図されていることが推量されると同時に、以後の章で展開されてゆくに違いないヒロインの〝死〟にまつわる謎に対する興味が一段と強調されるのである。まことに心憎いほど巧みな小説作法といわねばならない。

本篇の何よりの面白さは、ヒロインの富小路公子こと鈴木君子という人物が、彼女自身は実際には一度も読者の前に登場してこないことである。二十七人の語り手の物語の中においては彼女はたびたび姿を現わすのだが、それは云わば間接描写であって、彼女みずからが語り手となる〝富小路公子（鈴木君子）の話〟という直接描写の章はないのである。この手法には卓抜なものがあると読後改めて驚嘆させられるのだが、ヒロイン像というものがすべて間接描写（二十七人の違った人々の物語によって）の技法で浮彫りにされているという面白さである。各挿話の語り手の個性がそれぞれに相違していることから、彼らが受けとっている富小路公子の人物像に対する印象・イメージというものは、これ又、それぞれに異なっていることは勿論《もちろん》のことである。従って、読者の端倪《たんげい》すべからざるような話が次々に展開してゆくという興趣が生まれていくのだが、そういう尽きぬ面白さがあることも並みの小説（現代小説やミステリー）ではあまり見られない本篇の特徴となっている。

全二十七話のいずれをとっても興味深いものがあるのだが、とくに公子が徐々に富豪になってゆくプロセスが描写されている第四話、五話（「渡瀬義雄の話」、「渡瀬小静の話」）、第九話「沢山栄次の話」、第十四話「富本寛一の話」等々、正に読者をアッといわせる凝った話の面白さがある。

およそ小説のヒロインとして破天荒のものがある富小路公子という女性像を創作し成功しているということでも本篇には大きな意義がある。しかも前記のように公子自身は一度も登場せず、すべて間接描写になっているという手法の見事さには、何度もくりかえすようだが、数多い有吉作品中でも会心の出来ばえということができるのではなかろうか。

プロローグの第一話から提出されているヒロインの死にまつわる謎の解明が、第二十三話「小島誠の話」と第二十七話「次男義輝の話」の章で描かれている。〈窓が開いているので何気なく下を眺め下して仰天したのですよ。まっ赤な花が落ちたようだったと言ってましたが——。〉（その二十三　小島誠の話）と描写されている〝まっ赤な花〟というのが美しいイメージを読者に与えてくれる。美しい公子の死の状況である。そして、〈ママは、あの日、ビルの更衣室で虹色《にじいろ》に輝く雲を見たんだ。……〉（その二十七　次男義輝の話）云々《うんぬん》と続く義輝の言葉が、すべての謎を解くカギになっている。それは見事な終結部であり、「本当に面白い小説を読んだ」という余韻ある感酩を読者は受けることになるだろう。

有吉佐和子作品のエンターテインメントとして、特筆に値する技巧的な長篇である本篇の印象には、まことに深甚なものがある秀作といってよい。

（昭和五十八年二月、文芸評論家）

この作品は昭和五十三年九月新潮社より刊行された。

有吉佐和子著

紀ノ川

小さな流れを呑みこんで大きな川となる紀ノ川に託して、明治・大正・昭和の三代にわたる女の系譜を、和歌山の素封家を舞台に辿る。

有吉佐和子著

鬼怒川

鬼怒川のほとりにある絹の里・結城。戦争の傷跡を背負いながら、精一杯たくましく生きた貧農の娘・チヨの激動の生涯を描いた長編。

有吉佐和子著

華岡青洲の妻

女流文学賞受賞

世界最初の麻酔による外科手術――人体実験に進んで身を捧げる嫁姑のすさまじい愛の葛藤……江戸時代の世界的外科医の生涯を描く。

有吉佐和子著

複合汚染

多数の毒性物質の複合による人体への影響は現代科学でも解明できない。丹念な取材によって危機を訴え、読者を震駭させた問題の書。

有吉佐和子著

恍惚の人

老いて永生きすることは幸福か？　日本の老人福祉政策はこれでよいのか？　誰もが迎える〈老い〉を直視し、様々な問題を投げかける。

三島由紀夫著

音楽

愛する男との性交渉にオルガスムス＝音楽をきくことのできぬ美貌の女性の過去を探る精神分析医――人間心理の奥底を突く長編小説。

松本清張著
霧の旗
兄が殺人犯の汚名のまま獄死した時、桐子は依頼を退けた弁護士に対する復讐を開始した。法と裁判制度の限界を鋭く指摘した野心作。

松本清張著
けものみち（上・下）
病気の夫を焼き殺して行方を絶った民子。疑惑と欲望に憑かれて彼女を追う久恒刑事。悪と情痴のドラマの中に権力機構の裏面を抉る。

松本清張著
黒革の手帖（上・下）
横領金を資本に銀座のママに転身したベテラン女子行員。夜の紳士を相手に、次の獲物をねらう彼女の前にたちふさがるものは――。

山崎豊子著
女の勲章（上・下）
洋裁学院を拡張し、絢爛たる服飾界に君臨するデザイナー大庭式子を中心に、名声や富を求める虚栄心に翻弄される女の生き方を追究。

山崎豊子著
女系家族（上・下）
代々養子婿をとる大阪・船場の木綿問屋四代目嘉蔵の遺言をめぐってくりひろげられる遺産相続の醜い争い。欲に絡む女の正体を抉る。

山崎豊子著
華麗なる一族（上・中・下）
大衆から預金を獲得し、裏では冷酷に産業界を支配する権力機構〈銀行〉――野望に燃える万俵大介とその一族の熾烈な人間ドラマ。

新潮文庫の新刊

ガルシア＝マルケス
鼓直訳
族長の秋
何百年も国家に君臨し、誰も顔を見たことのない残虐な大統領が死んだ――。権力の実相をグロテスクに描き尽くした長編第二作。

葉真中顕著
灼熱
渡辺淳一文学賞受賞
「日本は戦争に勝った！」第二次大戦後、ブラジルの日本人たちの間で流血の抗争が起きた。分断と憎悪そして殺人、圧巻の群像劇。

長浦京著
プリンシパル
悪女か、獣物か――。敗戦直後の東京で、極道組織の組長代行となった一人娘が、策謀渦巻く闇に舞う。超弩級ピカレスク・ロマン。

O・ドーナト
鹿田昌美訳
母親になって後悔してる
子どもを愛している。けれど母ではない人生を願う。存在しないものとされてきた思いを丁寧に掬い、世界各国で大反響を呼んだ一冊。

東崎惟子著
美澄真白の正なる殺人
『竜殺しのブリュンヒルド』で「このラノ」総合2位の電撃文庫期待の若手が放つ、慟哭の学園百合×猟奇ホラーサスペンス！

R・リテル
北村太郎訳
アマチュア
テロリストに婚約者を殺されたCIAの暗号作成及び解読係のチャーリー・ヘラーは、復讐を心に誓いアマチュア暗殺者へと変貌する。

新潮文庫の新刊

松家仁之著
沈むフランシス
北海道の小さな村で偶然出会い、急速に惹かれあった男女。決して若くはない二人の深まりゆく愛と鮮やかな希望の光を描く傑作。

荻堂顕著
擬傷の鳥はつかまらない
新潮ミステリー大賞受賞
少女の飛び降りをきっかけに、壮絶な騙し合いが始まる。そして明かされる驚愕の真実。若き鬼才が放つ衝撃のクライムミステリ！

彩藤アザミ著
あわこさま
—不村家奇譚—
あわこさまは、不村に仇なすものを赦さない——。「水憑き」の異形の一族・不村家の繁栄と凋落を描く、危険すぎるホラーミステリ。

小林早代子著
アイドルだった君へ
R-18文学賞読者賞受賞
元アイドルの母親をもつ子供たち、親友の推しに顔を似せていく女子大生……。アイドルとファン、その神髄を鮮烈に描いた短編集。

藤崎慎吾・相川啓太
佐藤実・之人冗悟
八島游舷・梅津高重著
白川小六・村上岳
関元聡・柚木理佐
星に届ける物語
—日経「星新一賞」受賞作品集—
夢のような技術。不思議な装置。1万字の未来がここに——。理系的発想力を問う革新的文学賞の一般部門グランプリ作品11編を収録。

宮部みゆき著
小暮写眞館（上・下）
閉店した写真館で暮らす高校生の英一は、奇妙な写真の謎を解く羽目に。映し出された人の〈想い〉を辿る、心温まる長編ミステリ。

悪女《あくじょ》について

新潮文庫　あ－5－19

昭和五十八年三月二十五日　発行
平成十八年六月二十日　五十六刷改版
令和七年三月五日　七十九刷

著者　有《あり》吉《よし》佐《さ》和《わ》子《こ》

発行者　佐藤隆信

発行所　株式会社新潮社

郵便番号　一六二－八七一一
東京都新宿区矢来町七一
電話　編集部(〇三)三二六六－五四四〇
　　　読者係(〇三)三二六六－五一一一
https://www.shinchosha.co.jp

価格はカバーに表示してあります。

乱丁・落丁本は、ご面倒ですが小社読者係宛ご送付ください。送料小社負担にてお取替えいたします。

印刷・株式会社精興社　製本・株式会社大進堂

ISBN978-4-10-113219-8 C0193